LUNATSCHARSKI · FAUST UND DIE STADT

Koch

juli 73

Anatoli W. Lunatscharski

FAUST UND DIE STADT

Ein Lesedrama

Mit Essays zur Faustproblematik

1973

Röderberg-Verlag G.m.b.H.

Frankfurt am Main

AUS DEM RUSSISCHEN
ÜBERSETZUNG VON EBERHARD DIECKMANN,
FRANZ LESCHNITZER UND
INGEBORG SCHRÖDER
HERAUSGEGEBEN UND MIT EINEM ESSAY
VON RALF SCHRÖDER

„Ich habe die Herausgabe von ... Büchern vorgeschlagen, die die Entwicklungsgeschichte bestimmter Themen zeigen sollten ... ‚Faust' – alles, angefangen von der Jahrmarktskomödie und Marlowe bis Goethe, Klinger, Kraszewski usw. Auf die Idee, dies zu tun, ist noch niemand gekommen, aber das ist äußerst lehrreich: Das Wachsen der Formen, die Veränderung der Wertungen, den schnellen Wechsel der Lebensverhältnisse an einem und demselben Thema zu zeigen."

Gorki an Stscherbakow.
Zum Plan einer Chrestomathie,
April 1935

VORBEMERKUNG

Lunatscharskis Lesedrama *Faust und die Stadt* ist der erste Versuch, ein neues sozialistisches Faustmodell auf der Grundlage der revolutionären Erfahrungen der russischen Arbeiterbewegung in der Periode der bürgerlich-demokratischen Revolution und der Vorbereitung der sozialistischen Revolution zu schaffen. Darin bestehen der einzigartige literaturgeschichtliche Wert und auch die aktuelle Bedeutung des Stückes für uns heute.

1906 begonnen und 1916 abgeschlossen, spiegelt es in einer fiktiven Fortführung der mittelalterlichen Faustfabel Goethes einige wesentliche Erfahrungen wider, die die russische Arbeiterklasse bei der Vorbereitung der Revolution machte und die ein Jahr nach Abschluß des Manuskriptes in der Oktoberrevolution eine historisch konkrete Bestätigung fand. Zeitgenossen, die das Drama nach der Revolution erstmals lasen, hielten es sogar für ein Stück über die Oktoberrevolution. Lunatscharski mußte daher 1918 im Vorwort zur ersten Buchausgabe des Dramas betonen, daß es 1916 bereits abgeschlossen war.

Anatoli Wassiljewitsch Lunatscharski (1875–1933) ging bei seiner Bearbeitung des Fauststoffes von jener Eigengesetzlichkeit der Faustproblematik aus, auf die Goethe bereits in seinem Brief an Heinrich Meyer vom 20. Juli 1831 hingewiesen hat. Goethe betonte, daß *Faust* „noch genug Probleme enthält, indem, der Welt- und Menschheitsgeschichte gleich, das zuletzt aufgelöste Problem immer wieder ein neues aufzulösendes darbietet". Lunatscharski greift als das neu aufzulösende Problem die reale geschichtliche Perspektive von Faustens „höchstem Augenblick" auf: den sich geschichtlich entwickelnden Widerspruch zwischen frühkapitalistischer Landgewinnung und dem humanistischen Ziel „vom freien Volk auf freiem Grund". Bei der Gestaltung dieser Widersprüche zeigt Lunatscharski die sozialgeschichtliche dialektische Auflösung der traditionellen Faustproblematik. Der elitären spätbürgerlichen Faustrezeption wird die Entwicklung eines neuen Faust, des werktätigen Volkes, das in Lunatscharskis künstlerischer Verallgemeinerung die

Arbeiterklasse symbolisiert, gegenüberstellt, die das humanistische Vermächtnis von Goethes *Faust* auf neuer historischer Ebene verwirklicht. Auf dieser Auflösung der traditionellen Faustproblematik basiert die fiktive Handlung des Dramas. Sie setzt nach Vollendung der Landgewinnung ein, mit der Goethes *Faust* schließt. Aber auf dem Neuland von Lunatscharskis traditioneller Faustgestalt lebt kein freies Volk auf freiem Grund. Herzog Faust herrscht als aufgeklärter absoluter Monarch über die Stadt, das Symbol für die Arbeiterklasse.
Den literaturgeschichtlichen Ausgangspunkt und die neue Fragestellung seines Faustdramas hat Lunatscharski in der Vorbemerkung zur Buchausgabe des Stückes im Jahre 1918 selbst folgendermaßen dargelegt: „Dem Leser, der Goethes großen *Faust* kennt, wird nicht verborgen bleiben, daß mein *Faust und die Stadt* von den Szenen im zweiten Teil des *Faust* angeregt worden ist, wo Goethes Held eine freie Stadt gründet. Die Wechselbeziehungen zwischen diesem Kind des Genies und dem Genie selbst, der Wunsch, die Probleme des Genies mit seinem Streben zum aufgeklärten Absolutismus einerseits und die Probleme der Demokratie andererseits in dramatischer Form zu lösen – das bewegte mich lange Zeit und ließ mich zur Feder greifen." Dieses Anliegen des Stückes bedingt, daß Lunatscharski wichtige geschichtsphilosophische und politische Fragen der neuen Faustproblematik unserer Epoche aufgeworfen hat: Im Mittelpunkt der Handlung steht die große Entscheidungssituation: „Mit wem seid ihr, Meister der Kultur?". Angesichts der sich entfaltenden Revolution des Volkes muß sich Faust zwischen seinem konterrevolutionären Sohn Faustulus, der Baron Mephisto und den Kaufleuten folgt, und seinem anderen Kind, der Stadt, entscheiden. Und die Entscheidungsfrage wird so entwickelt, daß alle Illusionen von einer angeblich über den Klassen stehenden Intelligenz widerlegt werden. Als Faust beschließt, sich zeitweilig zurückzuziehen, um den „eisernen Menschen", die Dampfmaschine, zum Wohle der Menschheit zu erfinden, erwartet er, das Volk werde ihn zurückrufen, da es, seiner Ansicht nach, nicht allein regieren und aufbauen kann. Dann muß er sich aber von der Schöpferkraft des revolutionären Volkes überzeugen. Deshalb erlebt er schließlich seinen „höchsten Augenblick" als Bürger eines wahrhaft freien Volkes auf freiem Grund. Diese Faustpro-

blematik schließt zugleich wesentliche Gesichtspunkte ein, die bei der Entwicklung der proletarischen Revolution und des sozialistischen Aufbaus eine wichtige Rolle spielten und spielen: die Neugestaltung der Cäsar-Napoleon-Problematik in der Gestalt des individualistischen und machtgierigen Volkstribunen Scott; die neue konterrevolutionäre Funktion Mephistos als Versucher des Faustulus, des Scott und auch des anarchistischen Rebellentums, das in der allegorischen Gestalt Bunt (Rebellion) verkörpert ist; die Überwindung der elitären nietzscheanischen Faustauffassung und des modernen Managertums in der Entwicklung Fausts vom Herzog zum Bürger eines volksdemokratischen Gemeinwesens. Alle diese Charakteristika des Lunatscharskischen Dramas haben befruchtend auf die späteren sowjetischen Faustdramen und Faustromane gewirkt. Aber auch als selbständiges Stück war *Faust und die Stadt* ein großes kulturpolitisches Ereignis in den ersten Jahren nach der Revolution. Es erlebte zwischen 1918 und 1923 drei Auflagen und, obwohl seine Stärke vor allem auf geschichtsphilosophischem und weniger auf künstlerischem Gebiet liegt, zwei erfolgreiche Inszenierungen (1918 in Kostroma und 1920 zum dritten Jahrestag der Oktoberrevolution in Petrograd). Die Bearbeitung des Textes für die Inszenierung wurde zum Teil von Maxim Gorki vorgenommen.

Auf Grund seiner vielschichtigen geschichtsphilosophischen Problematik ist das Stück auch heute noch von aktuellem Interesse. Manchem heutigen Leser mögen freilich die etwas antiquierten, abstrakten und zur Idylle neigenden metaphorischen Hymnen auf die Harmonie der Natur und vor allem die schnelle Lösung aller Probleme nach dem Sieg über den ersten Ansturm der Konterrevolution im Finale vereinfacht und illusorisch erscheinen. Doch ist das wirklich so?

Im Finale des Stückes wird die allgemein historische Perspektive und zugleich (als deren zeitgenössische geistige Antizipation) das einzigartige Pathos der großen russischen Revolutionsepoche künstlerisch sinnfällig gemacht. In dieser Hinsicht gilt daher auch für *Faust und die Stadt,* was der hervorragende sowjetische Kritiker der zwanziger Jahre Alexander Woronski über die analoge Perspektivgestaltung in Malyschkins Revolutionsepos *Der Fall von Dair* (1921) geschrieben hat, wo die zeitgenössischen Revolutionskämpfe als „das letzte Gefecht" und der Glaube der revolutionären Massen, unmittelbar dem Paradies entgegenzustürmen, als die „Weltwahrheit" verklärt werden. Woronski schrieb dazu: „Gibt es in diesen Illusionen im Endresultat Unwahrheit, Lüge? Oder scheinen diese Träume nur denen als Lüge und Unwahrheit, die nicht verstehen, nicht fähig sind, die Dynamik der Epoche, die Musik der Zeitalter, die prophetischen Bewegungen der Jahrhunderte zu fühlen. Denn Jahre vergehen, und die von der vielköpfigen Masse geschaffene Legende wird sich verwirklichen, wird Fleisch und Blut, wird Realität."

Eben in diesem Sinne gestaltet Lunatscharski die „dritte Wirklichkeit", die Zukunft. Die Genesis, Dialektik und Perspektive der in Rußland zwischen 1905 und 1917 heranreifenden großen Revolution erfaßt und verallgemeinert er richtig als die „Dynamik der Epoche" und die „prophetische Bewegung" unseres Jahrhunderts. Die Darstellung dieser zeitgeschichtlichen Problematik in Form eines neuen Faustmodells, die Rezeption und Neugestaltung traditioneller Typen, Motive und Symbole Goethes und anderer Faustdichter boten Lunatscharski darüber hinaus die Möglichkeit, auch die Vergangenheit, das bürgerliche Zeitalter, in die geschichtsphilosophische Aussage einzubeziehen. Durch direkte und indirekte polemische bzw. bestätigende Bezüge auf frühere Faustwerke zeigt Lunatscharski „die Musik der Zeitalter", die heranreifende Revolution als historisch-gesetzmäßige „Verwirklichung" der humanistischen Bestrebungen der Vergangenheit, als deren dialektische Aufhebung und als reale Alternative zu den Wegen des bürgerlichen Zeitalters.

Die Tiefe und Breite dieser oft nur indirekt zum Ausdruck gebrachten Polemik und Verallgemeinerung des Stückes verdeutlichen die literaturgeschichtlichen Arbeiten Lunatscharskis zur Fausttradition, in denen er sein Quellenmaterial ausbreitet und seine geschichtsphilosophische Polemik direkt entwickelt.

Schon in der Streitschrift des jungen Lunatscharski *Ein russischer Faust* (1902) über Dostojewskis *Brüder Karamasow,* die im Essay des Herausgebers dieses Bandes näher dargelegt wird, zeigen sich die Grundanliegen Lunatscharskis: die zeitgenössische Weiterführung der sieghaften Faustidee Goethes in Polemik gegen Dostojewskis christlich-

zu können. Diese These dürfen wir nicht vergessen, um nicht in einen starren Akademismus zu geraten, wodurch wir nicht nur die Größe der Vergangenen, sondern auch das Entstehen neuer Schöpfungen verhindern. Goethe wäre zum Beispiel ohne die Arbeiterbewegung und die Sowjetunion längst zu einer leeren klassischen Formel erstarrt. Die Arbeiterbewegung und die Sowjetunion vor allem haben Goethe wiederbelebt, und diese Goethe-Renaissance hat auch ihrerseits auf die Wiedergeburt einer neuen deutschen humanistischen Literatur bedeutend sich ausgewirkt."

Der Herausgeber

Faust und die Stadt

Ein Lesedrama

ANSTELLE EINES VORWORTS

Dem Leser, der Goethes großen *Faust* kennt, wird nicht verborgen bleiben, daß mein *Faust und die Stadt* von den Szenen im zweiten Teil des *Faust* angeregt worden ist, wo Goethes Held eine freie Stadt gründet. Die Wechselbeziehungen zwischen diesem Kind des Genies und dem Genie selbst, der Wunsch, die Probleme des Genies in seinem Streben zum aufgeklärten Absolutismus einerseits und die Probleme der Demokratie andererseits in dramatischer Form zu lösen, das bewegte mich lange Zeit und ließ mich zur Feder greifen. Das Sujet hatte ich bereits 1906 fertig. Das ganze Stück schrieb ich 1908, während eines vierwöchigen Aufenthalts in dem bezaubernden Abruzzenort Antrodoco. Dann habe ich es lange liegenlassen. Erst 1916, im Dorf Saint-Legier am Genfer See, wiederum in einer wunderschönen Landschaft, ging ich an die letzte Überarbeitung. Die Änderungen bestanden vor allem in umfangreichen Kürzungen.
Einige Personen, die das Stück kennen, glauben, ich gäbe hier die Erfahrungen der jetzigen Revolution wieder. Jedenfalls halte ich den Hinweis für angebracht, daß ich nach dem Dezember 1916 nicht die geringste Änderung am Text vorgenommen habe.
Ich wollte dieses Werk, in das ich das Beste, dessen ich fähig bin, hineingelegt habe, in einer ruhigeren Zeit veröffentlichen, aber ich gebe den Forderungen meiner Freunde nach und entschließe mich, es dem Urteil des Publikums in den ruhmreichen, schweren und großen Tagen der sozialistischen Revolution in Rußland zu übergeben.

Anatoli Lunatscharski

Petersburg
Haus der Arbeiter-und-Bauern-Armee
24. 3. 1918

ZUR ZWEITEN AUFLAGE[1]

Die erste Auflage ist seit langem vergriffen, und bereits im April 1919 beschloß die Abteilung Verlage des Volkskommissariats für Volksbildung eine zweite Auflage. Leider verhinderten technische Umstände, daß das Buch erschien. Währenddessen hatte es jedoch sein kleines Schicksal: Es erfuhr die lobende Anerkennung sowohl vieler Genossen meiner Partei als auch bedeutender Intellektueller.

Trotz meiner Auffassung, daß es seinem Wesen nach ein Lesedrama sei, wurde der erfolgreiche Versuch unternommen, es aufzuführen. Die Ehre dieser Aufführung gebührt der Provinzstadt Kostroma. Dort spielte die Truppe des ehemaligen Kleinen Petrograder Theaters unter der Regie von N. Petrow das Stück mit einigen Kürzungen, und es erlebte zu meinem Erstaunen in dieser verhältnismäßig kleinen Provinzstadt mit überwiegender Arbeiterbevölkerung aus Spinnereien zwölf Vorstellungen fast hintereinander.

Danach lud das Alexander-Theater den Regisseur Petrow ein und inszenierte mein Stück nach demselben Text und in derselben Art zu den Oktoberfeierlichkeiten des Jahres 1920. Es hatte so zweifelsfreien Erfolg, daß es im Repertoire verblieb. Ich gebe diese zweite Auflage ungekürzt heraus, das heißt als Lesedrama, und überlasse es allen Theatern, die das Experiment einer Aufführung unternehmen wollen, die Kürzungen vorzunehmen, die ihr Regiegeschmack und ihr Talent ihnen eingeben.

A. Lunatscharski

Kreml
9. 12. 1920

1 Entnommen der 2. Auflage, die 1921 im Gossudarstwennoje isdatelstwo, M., erschien. – D. Ü.

Nacht. Hell flimmernde Sterne. Roter Mond dicht über dem Horizont. Links im Vordergrund ein Berg mit bewaldeten Abhängen, gekrönt von einem kahlen Felsen, dessen Umrisse sich immer schärfer im kupferroten Schein des untergehenden Mondes abzeichnen. Darunter ein Tal, wo – noch unsichtbar – Stadt und Meer liegen.
Mephistopheles, bis zum Kopf in einen schwarzen Mantel gehüllt, sitzt unmittelbar am Abgrund. Stille.

MEPHISTOPHELES: O Traum! – *Seufzt tief.* – Nur Traum ... Diese Nacht, gesprenkelt von Funken, ist wieder kein Vorhof der ewigen Nacht, wieder nicht Rückkehr zur Mutter, sondern nichts als eine Umdrehung der Erde. Im Meer des Äthers kommen und gehen von Land zu Land lästige Wellen, glühende Klumpen senden Licht und Wärme, zeugen Leben, Empfinden, Bewußtsein ... und Leiden! Eine feiste weiße Kuh gebiert und gebiert und ergießt ihre Milch in den Raum, ohne Sorge, was daraus wird. Das Leben liebt das Leben, es will leben. Welch Paradox, welch unsinniger Widerspruch, der die ewige Vernunft auf den Kopf stellt! Der Mensch ... Ihn wird auch die stündlich wiederkehrende Erfahrung nicht lehren, was seine flüchtige Existenz bedeutet – zehrende Unrast, unaufhörlicher Krampf, unstillbare Krankheit. Doch er will leben. Ausgeburt, unnützer Grind, Elend dieser Erde! Geh und sag ihm, daß die wahre Existenz Vollkommenheit und Bewegungslosigkeit ist, Schlaf ohne Träume, majestätische Stille, und du erfährst, daß nur der Hypochonder dir zustimmt, der verbiesterte Stubengelehrte, der das Leben nie erfahren hat. Alle anderen werden lachen. Und sie glauben gar, sie seien klug, diese winzigen Würmer. Ja sie fletschen die Zähne, wenn sie die ewige Weisheit vernehmen. Seht Faust an. Hat er nicht den Fuß auf mein Haupt gesetzt, hat er mich nicht vor seinen Karren gespannt, der große Weise? Daß ich nicht lache. Wie ein Kind pantscht er in dieser Pfütze und hat einen Damm aus einer Handvoll Sand und Lehm gebaut,

hat Spielzeughäuser hergesetzt und spielt mit Puppen. Zwergenhafter Narr, der eine taube Nuß auf den Schultern trägt. Wie lockt es mich manchmal, dies ganze Gewürm zu zertreten. Doch ist ein Schlag das schwächste Argument wert? Ihn zu überzeugen gilt es, diesen hochmütigen, hirnlosen Zwerg. Kein leichtes Werk. Da muß man sich hinhocken, lispeln und lehrreiche Bildchen zum Angucken zeigen.
Selbst wenn ich ihn mit ewiger Kälte behauchte und in ein sprödes Stück Materie verwandelte – würde die weiße Kuh nicht andere Fausts gebären?
Machtlos sind wir, seit dies geschehen ist... Wer kann wissen, wann dieser Vorrat an Unrast in der Welt versiegt und die Wellen nicht wiederkehren?
Nein, Faust muß sich selber überzeugen, muß heulen vor Furcht, vor Schmerz und Haß. Sein Schrei soll auf ewig die Luft verpesten, die seine Sippschaft atmet. Wirf ab den schwarzen Kranz, Mephistopheles, geh und streite mit diesen Kretins, spinne Netze für die leichtsinnige Fliege. Tröste dich mit der Hoffnung, daß sie bald trübselig und hilflos in deinem Netz summt und du endlich alle Lebenssäfte aus diesem von Chimären vollgestopften heißen Kopf saugst.

Pause.

Oder, Mephistopheles, stünde es dir nicht besser an, Egoist zu werden? Dich zu verkriechen in einem Winkel des Universums, wo weniger Sterne sichtbar sind, und einzuschlummern auf den Knien der Mutter? Oder ist es etwa die Liebe, die dich leitet, wenn du das Leben vor dem Leiden zu bewahren suchst? Nein! Ich schwöre es bei der Mutter! Mich leitet hochheilige Bosheit. Ich bin ein Werkzeug. Und ich will es beweisen. Ich mühe mich im Namen der Vernunft, die mein Wesen ist. Sie, die Unvernunft, wurde geboren, so auch ich – die Vernunft, der Protest, das Bewußtsein des Irrtums, die Sehnsucht nach Ruhe, und ich kann nicht anders, ich muß beweisen, ich bin berufen, der Vernunft auf die Beine zu helfen. Mich verzehrt die kalte Flamme der Wut, wenn ich die selbstzufriedene Mühsal ihres Daseins sehe... Für mich gibt es keine Ruhe, keine Erlösung, solange Licht lodert und Bewegung

sich regt, solange das Leben leidend einen Gedanken hegt. Wir kommen zu dir, Mutter, du wirst uns im schwarzen Ozean auflösen können und uns den Frieden des wahren, reglosen Daseins geben. Mephistopheles ist ein Idealist. Er ist ein Idealist, hört ihr, ihr dummen Sterne? Er erschafft, indem er zerstört. Für die erschaffende Zerstörung lieh er bei den Menschen Gebärden und Grimassen, Leib, Kleidung, Logik und – wie es scheint – zuzeiten gar das Leid. So lebte sich Mephistopheles ein – mit geliehenem Licht und geliehener Wärme, um seinen großen Schatten auszufüllen, so wurde er Werkzeug der Auflösung der Aufgelösten im Namen der Errichtung des Einen.
Zuweilen verfängt sich meine Vernunft in den Lumpen ihrer Kleidung. Es ist gut, sich von Zeit zu Zeit zu besinnen und die übermenschliche Weisheit in die Sprache menschlicher Gedanken zu übertragen. Verdammt! Im Osten wird es hell. Die Erde wendet in langsamer Drehung ihre wäßrige grüne Wange der Sonne zu und so auch jenen Platz, wo der vielleicht bedeutungsschwerste Streit zwischen der Unvernunft und der Ewigkeit ausgetragen wird. Die Sonne kommt ihrer niederen Brut zu Hilfe. Bedenken wir uns. – *Verhüllt den Kopf mit dem Mantel.*

BLEICHER ENGEL *schwebt am hell werdenden Himmel, singt und schlägt die Harfe dazu:* Wach auf, du schöne Erde! Dein Prinz naht sich zum Kuß.

Ein leichter Wind weht und flüstert den Pflanzen zu:

Rauschen, Rascheln, Beben
frohen Pflanzenvolks,
Dankbares Sich-Heben
neuen grünen Polks . . .

PFLANZEN:

Sanfter spielerischer Schalk,
zärtlich kost du dichte Gräser,
wieg dich in den Weidenzweigen,
rausche durch den Eichenhain.
Sonnenbote, trink das Laub,
fang zum Kuß das Blumenmeer:
Überm Erdenball atmet leis
des erwachten Lebens Lied.

ROTER ENGEL *schwebt in den Strahlen des blutroten Morgenlichts vorüber – stößt in ein goldenes Horn und singt:*

Wach auf, du schöne Erde!
Dein Prinz naht sich zum Kuß.

VOGELCHOR *plötzlich und laut:*

Sonne, Sonne läßt sich blicken hinterm hohen Berg.
Singt ihr Ruhm, Ruhm der Erkornen!
Lauter, lauter – voll die Brust: Gloria, Gloria!
Sonne, ewig du gekrönte vom Fanal der Leidenschaft.
Gieß auf uns der Wärme Ströme edelsten Gehalts,
gieß auf uns das Licht, daß wir in Strahlen baden.
Trinkt es, dieses Heilige, dieses Unbegreifliche,
das im Leben uns umgibt und uns neu gebiert.

EIN VÖGELCHEN:

Tag, Tag,
leben – leben!
Plage
um der Liebe willen.
Jag und
fang:
Der Nestling wartet,
sperrt den Schnabel
und will leben,
leben ... leben ...

VOGELCHOR *laut:*

Sie steigt – jauchzet! Sie scheint – betet!
Zu leben eilt euch!
Wunderbar ist
das Leben. So freundlich.
Herzallerliebst!
Salve! Hosianna!

MEPHISTOPHELES: Welch ein Geschrei! Wie widerwärtig sein Sinn. Oh, ihr kleinen gefiederten Reptilien, ihr ferne Brut entsetzlichen Irrtums. Ihr preist die Wurzeln eures Daseins. Wie freut's mich zu sehen, daß da der Habicht mit solch einem Zwitscherling niederstößt! Der Habicht preist die Sonne auf seine Weise.

Sonnenstrahlen dringen ins Tal. Die Stadt ist wie in einem Spitzengewand – überall leuchtende Zinnen und Glockentürme. Sie erwacht und funkelt im Morgenlicht. Das Meer glänzt.

GLOCKEN:

Die Schatten weichen,
Tag hebt an.
Tag löst die Nacht ab,
Schatten flieht.
Golden der Klang,
der Glockenklang.
Süßes Glockenläuten,
Glockenruf.
Rein wie Kristall.
Schillern zärtliches,
lustiges Spiel:
Tag, Tag! Tag ist da!

LÄRM DER STADT:

Die Arbeit erwachte
mit dumpfem Getös ...
Sie kommen, sie kommen ...
das Maultier, das Pferd und der Mensch.
Da – Räderrasseln,
Händlers Ruf.
Doch ganz und gar
bin ich noch nicht erwacht;
ich werde stark – wenn lärmt
der aufgescheuchte Markt,
als brennte dort ein Brand,
nicht aufhaltbar.
Im Hafen
Matrosen
die Anker lichtend singen.
Zum Munde
die Fäuste
führen und brüllen
Fischer.

Kähne
zwischen Barken flitzen.
Eisen schreit,
da knirscht ein Stein.
Alles ist in Lärm gekleidet –
Tagesanfang, Tagesanfang!
Und der Dichter, schlaflos nachts,
tritt ans Fenster und hört zu,

wie die Arbeit lärmend atmet,
dichtet ein lebendges Lied.
Geöffnet der Tempel.
Wie Weihrauch
steigt wunderbar auf
der Orgelklang,
trägt hoch und über
das spitze Dach
heilige Triller
der goldnen Schalmei.
Und plötzlich in Furcht,
in rauschender Fuge
fliegt er zur Erde
und flüstert, lauschend
nichtirdischen Stimmen,
erschütternd den Domstein
mit mächtigem Baß,
tönt kündendes:
Amen!
Messingscharf
Posaune
hart wie Zähneknirschen.
Blut und Wunden kündend,
dröhnen jetzt die Trommeln:
auf, Soldat!
Eingereiht.
Purpurn wie die Fackel
weht das Seidenbanner.

LIED DER LANDSKNECHTE:

Flieg auf, du Kriegsgeschrei,
den Lanzenwald, zeig deine Krallen,
Landsknechtsregiment.
Kampf wird sein,
zum Blut ruft die Trompete.
Töten – sterben,
kühn wird sein unser Heer.
„Sollst nicht töten",
sagte man den Menschen,
wir, die töteten, sind ohne Schuld,
töt und stirb,
der heilge Petrus läßt uns ein ins Paradeis.

Andres Recht hat der Soldat.
Stumm ist unser Herz für Stöhnen.
Petrus wird verzeihn, er weiß,
wie dem Schurken er das Ohr nahm.
„Wer das Schwert aufhebt, kommt daran um."
Aber Landsknecht ist kein Feigling,
lacht und zwirbelt sich den Bart,
forsch ist er, kost mit der Liebsten.
Keinem Himmel widerstrebt er.
Unerbittlich ruft das Horn.
Froher Streit hebt an.
Fällt er – Schicksal, ihr wißt selbst,
wer kommt gegens Schicksal an?

LIED DER MÖNCHE:

Großer Gott, Gott oh!
Wir im Staub,
wir in Furcht.
Strenger und strenger dein Anblick uns dünkt.
Auf Wegen des Irrens wir enden.
Erbarm dich, erbarm dich des Adams
und laß die Verzweifelten sehen
der Sterne Zuversicht noch.
Mit der Peitsche wir geißeln den Leib,
wir im Staub,
wir in Furcht,
wagen nicht aufzuheben die Augen
zu Maß und Gewicht
unzähliger Sünden.
O miserere!
Ihr Körperlosen,
betet mit uns
vor dem Thron des Zorns.
Erschein, o Jungfrau,
und wasch mit Tränen
uns, fest im Glauben.
O miserere!

ARBEITER *an einem Palast bauend:*

Wer legte das kupferne Fundament,
das Jahrhunderte
vergebens stürmen?
Wer, wenn nicht Arbeit siegesstark,

wenn nicht die Arbeitshand?
Wer baute aus Porphyr die Wände,
die rührt nicht der Zeitenlauf?
Wer, wenn nicht Arbeit, Herr der Welt,
wenn nicht die Arbeitshand?
Wer baut das Dach aus reinem Gold,
das gleißt von fern:
Wer, wenn die Arbeit nicht des künftgen Bruders,
wenn nicht die Arbeitshand?
Rubinenschmuck wird einst bekränzen
auch unser Haus – das heut noch Traum.
Und immer sind's der gleichen Leute Taten,
ist es die gleiche Arbeitshand.
Wenn Volk als Herrscher einst betritt Paläste
und selber sein wird: hohe Macht.
Dann wird es schön sein, reich und weise,
sein Wappen bleibt die Arbeitshand.

MEPHISTOPHELES *beugt sich über die Stadt:* Die Symphonie der Unvernunft in vollem Klang. Begeben wir uns hinab, um daran teilzuhaben. Der Plan ist fertig. Ein unsichtbares Spinnennetz sei über die Stadt gebreitet. Ich komme! – *Läßt sich heruntergleiten. Im Morgenwind flattert sein schwarzer Mantel.*

Empfangssaal in Fausts Palast. Darin eichengeschnitzte Möbel im spätgotischen Stil. Den Raum trennen zwei Stufen, die vom Bühnenhintergrund bis zur Rampe führen. In eine Wand sind drei prächtige Nischen eingelassen, mit den Bronzestatuen Platons, des Aristoteles und Alberts des Großen. Die obere Hälfte des Saals ist mit einem kostbaren Teppich ausgelegt. Neben dem mit einem Läufer bedeckten Tisch, auf dem Schreibgerät und einige Folianten liegen, stehen ein riesiger Globus und ein thronähnlicher Sessel. Rundherum sind kleine venezianische Stühle angeordnet. Im unteren Teil stehen mehrere schwere Eichenbänke. Vom oberen Teil führt eine kleine Tür, verhängt mit einem Teppich, der Fausts Wappen zeigt – eine Faust im Eisenhandschuh mit Fackel –, in die hinteren Gemächer Fausts und seiner Familie. Vor der Tür, malerisch auf seine Hellebarde gestützt, steht ein Landsknecht.

Auf treten Faust und Faustina.

Faust ist ein großer grauhaariger Alter mit hohem aufrechtem Gang. Er trägt eine goldbestickte Samtkappe, unter der schneeweißes lockiges Haar hervorwallt, der lange Bart bedeckt die halbe Brust. Er hat ein gütiges Gesicht mit lebhaftem Mienenspiel, das mitunter majestätische Selbstzufriedenheit spiegelt. Die jugendlichen dunklen Augen blikken unter schön geschwungenen schwarzen Brauen hervor. Gekleidet ist er in einen langen blauen Dolman. Die Ärmel sind reich bestickt, die Hände schmal und feingliedrig.
Faustina ist ein großes blasses Mädchen von außergewöhnlicher Schönheit. Sie hält die Wimpern meist gesenkt. Unter ihrem silbernen Brokatkäppchen kommen zwei üppige blonde Zöpfe hervor. Ihr silbern schimmerndes Kleid ist von einfachem Schnitt. Beide kehren soeben von ihrem Morgenspaziergang zurück. Faust ist mild und heiter gestimmt.

FAUST: Welch schöner Spaziergang ... Sag, Faustina, bist du nicht neunzehn Jahre alt?
FAUSTINA: Ja, Vater.

FAUST: Als du geboren wurdest, war all das grünende Leben hier noch ganz jung, kaum ein Bäumchen hatte die Größe eines Menschen. Und heute? Hat es den Kampf mit dem Meer nicht gelohnt? Wieviel Leben, wieviel üppiges Leben! Wie löblich gebiert und nährt diese Erde, den Liebkosungen der Luft und dem Kuß der Sonne hingegeben. In diesem Tal, das von so prächtigen Pappeln umstanden ist, habe ich altes Kinderherz, muß ich dir gestehen, manche Träne geweint. Und, was nicht wenig lächerlich ist, mich dieser Tränen selbst vor dir geschämt, meine Tochter... Wie still war alles! Wie vernehmlicher wurde die Stille im Rascheln der Pappeln! Ein kleiner Sänger zelebrierte seine Messe. Die Bäume standen da wie riesige grüne Kerzen. Und er sang... sang seinem Gott zum Lob.

FAUSTINA: Welchem Gott?

FAUST *mit allumfassender Gebärde:* Pan!

FAUSTINA *etwas ungeduldig:* Vater, warum dient man in deinen wunderbaren Kirchen zu Trotzburg nicht diesem Pan? Warum ehrt man diesen bleichen Gott mit der Dornenkrone und seine Leidensmutter? Und warum streuen so feiste Adepten wie der ehrwürdige Bischof Wilfried ihnen Weihrauch?

FAUST *lacht und hält sich scherzhaft die Ohren zu:* Wieviel Fragen, oh, wieviel Fragen! Meine schweigsame Faustina, du schlägst dich auf die Seite meiner ungeduldigen Freund-Feinde wie Meister Gabriel. – *Faustina errötet, will antworten, schlägt aber die Augen nieder und schweigt. Faust setzt sich auf einen der kleinen Stühle am Tisch.* – Warum man in meinen Kirchen nicht dem Pan dient? Nun, weil dies alle meine mächtigen Nachbarn, Gönner und Vasallen in Bestürzung versetzen würde. Zu guter Letzt würden sie einen Kreuzzug gegen mich unternehmen, und ich wäre gezwungen, ein ganzes Meer von Blut zu vergießen. Zum Teil aus diesem Grunde dient man bei mir Jesus. Zudem halte ich seine Religion in ihrer Art für hochsinnig, lehrreich und nützlich, ihre Mythen und Zeremonien für schön. Und was Bischof Wilfried angeht, so ist er ein großer Künstler und ein Mann von erlesenem Geist. Wir wollen keine Fanatiker sein, Töchterchen. Es gibt nichts Schlimmeres als Fanatismus. Oder kannst du böse und beschränkte Menschen ertragen? Bedenke, daß ein noch so guter und kluger Mensch, wenn er zum Fanatiker einer Idee wird – und sei es die höchste und schönste –, sich in ein böses und beschränktes Wesen verwandelt. Stünde an der Spitze dieses mächtigen Staates, den ich aus dem Nichts geschaffen habe, zum Beispiel ein Mann wie ... nun, sagen wir, selbst ein Mann wie Meister Gabriel – wieviel unwiderrufliches Unheil wäre dann schon geschehen. Seine Gedanken sind ihrem Wesen nach die meinen, aber sie sind nur ein kleiner Teil meiner Gedanken, sind nur eine Farbe aus einem ganzen Bild. Ach, übrigens Gabriel. Weißt du, daß ich mich seinetwegen dieser Tage sehr ereifern mußte und ihm harte Dinge gesagt habe? Ich weiß, daß seine Mutter zuweilen zu dir kommt, wohltätiger Anlässe wegen, um Kranke zu besuchen und so weiter ... Sag ihr, daß ich ... nun, daß ich diesen Grobian im Grunde recht gern mag. – *Lächelt.* – Doch urteile selbst. – *Erhebt sich.* – Ich rief also sechs der besten Meister, darunter auch Gabriel und diesen anderen, diesen stolzen Wunderling, den Schottländer. Ich erläuterte ihnen die Notwendigkeit, einen weiteren Turm zu bauen, so ähnlich wie meinen Falkenturm. Ich zeigte ihnen die Stelle dafür, einen Platz, wahrhaftig der Riesen würdig – den Sumpf in der großen Ebene hinter Zuidkerken, der freilich zuvor trockenzulegen ist. Plötzlich beginnt mir Gabriel auseinanderzusetzen, daß dies Dutzende, vielleicht auch Hunderte von Menschenleben kosten werde. Ich sage ihm: Mag sein, mein Freund. Wir stehen im Kampf mit der Natur. Darauf er: Man darf einen Menschen nicht töten, der leben will, nur um einer grandiosen Laune Genüge zu tun, die Not ausnutzend, die ihn zu jeder Arbeit zwingt. Ich wurde hitzig. Ich werde immer hitzig, treffe ich auf einen Widerstand, der seine Gründe hat. Er ist überhaupt ein Mann mit Gründen, dieser Meister Gabriel. Was ihm fehlt, ist die gewisse Leichtigkeit und Beweglichkeit des Geistes. Wollte man bei jedem Schritt moralisieren und die Fragen vertiefen, so würde der Gang der Geschichte hin zur anwachsenden Macht des Menschengeschlechts aufgehalten werden. Es gibt etwas Höheres als Moral und selbst als die Logik ... das ist das Leben, das wachsen will ... Aber wir sind ins Philosophieren geraten. – *Zum Landsknecht:* Sieh einmal nach, Pieter, ist niemand im Vorsaal?

LANDSKNECHT *öffnet die Tür:* Er ist voller Leute, Eure Hoheit.

Faust nimmt auf dem thronähnlichen Sessel Platz, Faustina auf der Bank zu seinen Füßen. Herein kommt der Sekretär, er ist schwarz gekleidet und trägt eine goldene Kette um den Hals. Er überreicht Faust die lange Liste der Bittsteller. Dieser sieht sie mit Interesse durch.

FAUST: Ich werde heute kaum den zehnten Teil empfangen können. Wählen wir also aus ... Ah, der florentinische Meister Giacobo Della Bella ... Schnell herbei mit ihm. Faustina, dies ist ein Mann, den du noch nicht gebührend kennst – ein großer, ein gewaltiger. Einer, der alles vermag! – *Der Sekretär geleitet Della Bella herein – ein kleines hageres Männchen mit struppigem grauem Kinnbart und widerspenstigem Haar auf dem mächtigen Schädel. Er trägt einen abgewetzten Samtrock. Verneigt sich mehrmals tief, wobei er mit dem schütteren Federbusch seines Hutes über den Fußboden fegt.* – Tretet näher, Maestro. Habt keine Bange, über die Stufen zu gehen, die mich von den gewöhnlichen Sterblichen trennen. – *Lacht.* – Ihre Zeichnungen, Della Bella.

DELLA BELLA *entrollt feierlich ein großes Pergament:* Hier sind sie. – *Schweigt eine Weile.* – Meine Idee ist die: ein Rundbau von gewaltiger, bisher ungekannter Größe, zu dem eine quadratische Treppe mit sechzehn Stufen hinaufführt. Jede Seite ist sechstausend Ellen lang. Der Bau wird von einer Kuppel gekrönt, unter der selbst der höchste Glockenturm dieser Stadt Platz fände. Innen strebt er gleichsam auf vier majestätischen Säulen empor, die oben, in schwindelerregender Höhe, dann Gruppen graziöserer Säulen tragen und schließlich unmittelbar in vier aufsteigende Bogen übergehen. Auf diesen ruht die das ganze Gebäude krönende Kuppel. Dort werde ich aus funkelnd buntem Glas ein Fenster von sechzig Ellen im Durchmesser anbringen. Darauf wird ein majestätisches Abbild sein: die Gottheit in weißem Gewand, erhobenen Armes Licht, Bewegung und Ordnung herniedersendend. Das Antlitz der Gottheit wird die erhabensten Züge tragen, die je auf Erden ein menschliches Auge erblickt hat – die Züge Eurer ehrenreichen Majestät – des Ersten unter allen Herrschern dieser Welt. – *Verneigt sich tief.*

FAUST *betrachtet die Zeichnung:* Welch riesenhafte Schmeichelei, mein lieber Della Bella!

DELLA BELLA *hebt hastig die Arme über den Kopf, wie um sich vor einem Schlag zu schützen:* Herr, die Gabe der Begeisterung, die dem Künstler verliehen ist, ist alles andere als Schmeichelei ...

FAUST: Oh, und doch ist es Schmeichelei, Della Bella, wenn auch die eines Riesen.

DELLA BELLA: Geister niederen Ranges haben ihre Statuen und Bilder, elementare Kraft aber muß ...

FAUST *unterbricht ihn:* Laßt mich überlegen. Wird es nicht doch ein wenig peinlich sein, Della Bella? Selbst wenn wir annehmen, daß nur Dummköpfe nicht begreifen werden, welche weithin bekannte Legitimität solch ein Denkmal für mich hätte, hier, in einer der schönsten Städte Europas, in der Hauptstadt eines blühenden Landes, die ich, ich allein, dem Nichts entrissen habe, selbst dann wäre es peinlich, von seinen Verdiensten zu reden und dabei die Einwendungen auch nur eines Dummkopfes hören zu müssen. Manchmal hätte ich zwar nicht übel Lust ... Doch fort mit solchen finsteren Gedanken. Ich habe gehört, die hiesigen Steine seien nichts wert. Aber ich habe den Falkenturm daraus gebaut, die Uferbefestigung und den Hauptteil dieses Palastes. Man sagt auch, die Menschen seien nichts wert, doch ein großer Meister vermag Großes mit ihnen zu erreichen. Hat Baron Mephisto Euch übrigens gut untergebracht? Und wann werdet Ihr an das Porträt meiner hübschen kleinen Faustina gehen?

DELLA BELLA: Ich bin beglückt von all den Liebenswürdigkeiten, mit denen man mich hier überschüttet. Wenn ich dazu noch die versprochenen hundert Dukaten ausgezahlt bekomme, will ich Eurer Hoheit alle Arbeiten ausführen, die Ihr verlangt. Das Porträt, an das ich mit einem Gefühl der Scheu gehe, die fast meinem Entzücken vor dem erlauchten Original gleicht, beginne ich an dem Tag, den die huldvolle Prinzessin mir zu nennen geneigt ist. Nach dem Beispiel meines Landsmannes da Vinci wollen wir Ihrer Hoheit mit Musik und der Lektüre unterhaltsamer Novellen die Langmut jener Stunden verkürzen, die wiederum mir, der ich mich zu den Glücklichsten dieser Erde zählen darf, wie auf den Flügeln Zeusscher Blitze verfliegen werden.

FAUST: Geht, Maestro, geht, Ihr habt mir mein nordisches Vögelchen ganz durcheinandergebracht. – *Der Künstler verneigt sich und geht ab.* – Hört man ihn schwätzen, so meint man, er sei ein gewöhnlicher italienischer Ciarlatano, dabei ist er wahrhaft ein großer Meister. Und ich höre ihm gern zu. Er ist amüsant. In seinen Werken aber ist er groß! Mir scheint manchmal, jeder Künstler sollte ein regierender Fürst sein. Denn sonst müssen sich alle großen Köpfe die Narrenkappe der Liebedienerei aufsetzen, wenn sie mit uns Herren zu tun haben. Unsere Sitten sind noch roh, Faustina. Arme Künstler! Aber wir wollen die finsteren Gedanken verscheuchen, um so mehr, als ich in der Liste noch einen großen Namen sehe. Sekretär, rufe Niklas Nilsen, den Seefahrer.

Der Sekretär führt Niklas herein, einen breitschultrigen Mann mit langem Backen- und Kinnbart. Das Haar ist leicht ergraut. Er trägt einen langen dunklen Kaftan mit Ledergürtel und hält eine Peitsche in der Hand.

NILSEN: Verzeiht, Herr, meine Kleidung und diese Peitsche. Ich weiß, daß Ihr an meinen Fahrten Anteil nehmt, und nichtige Zeremonien verabscheut, so kam ich geradewegs von meiner Fregatte zu Euch, ohne mich erst mit dem Lack des Hofes zu bestreichen. Wir hatten dieses Mal während der ganzen Fahrt ein Höllenkonzert, daß es war, als heirate der Teufel ein Dutzend Teufelsbräute zugleich, und die „Albatros" tanzte nur so auf dieser ehrenwerten Hochzeit. Und doch bin ich diesmal die afrikanische Küste weiter hinuntergekommen. Goldenen Sand bringe ich mit, Elfenbein und den duftenden Mandelbaum ... Das wichtigste Geschenk aber, das ich Europa bringe, sind kraftstrotzende schwarze Menschen, oder besser: Halbmenschen, die jedoch tüchtig arbeiten können. Man muß sie natürlich an die Arbeit prügeln. Aber dumm sind sie nicht, und wenn sie sehen, daß sie die Wahl haben zwischen Tod durch die Peitsche und Arbeit – so arbeiten sie. Sie sind stärker als Maulesel, ausdauernd, geschickt und überdies recht findig! Vor allem – sie machen einem keine großen Umstände. Seht, Herr, sie brauchen einem nicht leid zu tun. Es ist sehr fraglich, ob sie eine Seele haben, und wenn ja, so gleicht sie doch der christlichen nicht. Herr, ich könnte sie Euch zu zwanzig Dukaten das Stück liefern, in beliebiger Menge. Soviel Eure Hoheit nur wollen. Ich schwöre bei Sankt Elm, daß dies keine Lüge ist. Soll ich sie Euch zeigen, Herr? Ich habe mir ein paar Stück mitgenommen. Vierzig davon sind noch auf dem Schiff. Es waren entschieden mehr, bis hierher habe ich nur vierzig gebracht, die anderen würden unterwegs so oder so von den Fischen gefressen.

FAUSTINA *zum Vater:* Was erzählt er da?

FAUST: Sehr interessant. – *Zwei Matrosen bringen vier gefesselte Neger herein. Sie sind von riesigem Wuchs, tief schwarz, großäugig, kraushaarig und dicklippig.* – Fast wie die Tiere ...

NILSEN: Aber sie arbeiten wie die Menschen. Los, die Köpfe runter, ihr Affen! – *Fuchtelt mit der Peitsche. Die Neger verneigen sich.*

FAUST: Schlagt sie nicht, Kapitän – ich dulde das nicht.

NILSEN: Es geht nicht ohne das. Aber sie brauchen einem nicht leid zu tun, wie ich Euch schon sagte. So erzwingt man ihren Gehorsam. Wie schwierig ist das bei weißem Gesindel. In jedem Christen sitzt der Teufel des Ungehorsams. Natürlich peitsche ich auch Christen, aber wenn ich einen ins Jenseits befördere, was wird man da sagen? Nein, nein, da muß man sich schon in acht nehmen. Außerdem wird man das Mitleid für seinesgleichen doch nie ganz los. Ich glaube, selbst dem Teufel tut seine Teufelin leid, wenn er sie mit eisernem Stößel belehrt. – *Lacht stoßweise.*

FAUST *streicht sich nachdenklich den Bart, betrachtet die Neger:* Hm, tja ... Eine Arbeitskraft haben, um die es einem nicht leid zu tun braucht ... Große Menschen müssen Gehorsam verlangen. Du bist klug, Kapitän. Aber mich dauern selbst Pferde und Esel. Obwohl ich doch wahrlich kein Esel bin, Kapitän, am allerwenigsten so ein schwarzer Halbaffe ...

NILSEN: Der Herr Herzog sind mitleidig. Mitleid ist eine Untugend.

FAUST: Für einen großen Menschen?

NILSEN: Sogar für einen kleinen.

FAUST: Ihr seid ein Philosoph, Kapitän. Zu welcher Schule gehört Ihr?

NILSEN: Zur Schule des Meeres, Eure Hoheit. Sie hat mich alles zu Ende gelehrt.

FAUST: Auf alle Fälle will ich mir ansehen, wie diese lieben Braunen arbeiten. Wobei man sie natürlich human behandeln muß.

NILSEN *verächtlich lächelnd:* Dann werden sie ihre Aufseher erwürgen. Punktum. Ohne Knute mit ihnen zu reden ist unmöglich. Sie haben auch ihren Stolz. Ich werde mich nicht entschließen dürfen, sie Euch zu überlassen, Herzog, wenn ihnen ihr neuer Meister nicht zur Einführung solche Prügel verabreicht, daß damit verglichen die meine ihnen wie mütterliches Kosen vorkommt.

FAUST *ernst:* Eine unannehmbare Bedingung für mich.

NILSEN: Dann wird sie Euer Nachbar, der Erzbischof, kaufen.

FAUST: Wir werden es uns überlegen, Niklas. Bleibe vorläufig in Trotzburg.

Nilsen verneigt sich und geht ab.
Kurz darauf erscheint Mephistopheles. Er trägt ein zeitgemäßes hellrotes Gewand. In den Händen hält er einen Hut mit Hahnenfeder. Auf der Brust trägt er den Orden des Goldenen Vlieses, an der Seite einen Degen mit goldenem Griff. Mephisto ist groß und hager. Sein Gesicht hat eine bräunliche Farbe, das Bärtchen ist schwarz, das kurz geschnittene dichte Haar bedeckt den Kopf wie eine Kappe. Die Lippen sind schmal und in giftigem Lächeln gekrümmt, die Brauen spitzwinklig hochgezogen. Die Augen sind groß, kalt und leer und stehen in scharfem Kontrast zu dem tükkischen und zuweilen schalkhaften Mienenspiel.

MEPHISTO *verneigt sich mit komischer Feierlichkeit:* Mein Herzog ...

FAUST: Ah, Mephisto! Das heißt, der glückliche Morgen, den ich mir trotz Niklasens grober Dinge noch behüten konnte, geht zu Ende! Denn du bringst mir sicher ein Schock von Unannehmlichkeiten.

MEPHISTO: Wie immer. Ich bin des Herzogs Auge, das einzige, das ihn nicht trügt, ich bin des Herzogs Ohr, das einzige ...

FAUST: Verstopfen möcht ich es.

MEPHISTO: Herzog, Ihr fürchtet schon die Wahrheit?

FAUST: Mein Freund, die Wahrheit ist eine relative Sache. Sie besteht aus der Materie, die wir von außen empfangen, und aus der Form, die wir selber ihr geben. So können diese meine Augen und Ohren jeder Materie eine ansehnliche oder doch wenigstens erträgliche Form verleihen. – Mein drittes Auge aber und mein drittes Ohr, das alle Mißgeburten und alle Ungeheuer ringsum wahrnimmt, kleidet sie noch elender und ungeheuerlicher ein, als sie es ohnedies schon sind.

MEPHISTO: Meine Gestalten sind das Abbild des Daseins, wie es ist, sie tragen keine Kleider. Sie haben ihre Zotten, Schwänze und Schuppen von Natur. Ihr aber, Herzog, fordert von allen Dingen ein hoffähiges Kleid, ziervoll genäht aus rosigem Atlas und blauem Samt. Selbst der Tod – dieser doch hinreichend mißgebildete nasenlose Gevatter – wird, wenn er vor Euch hintritt, sich dieser Etikette beugen und angenehm erscheinen müssen.

FAUST: O gewiß. Auch die Philosophie der Stoiker webte ihm eine wohlansehnliche Hülle. Und du möchtest sie ihm gewiß herunterreißen, um mich mit vermeintlicher Wahrheit zu schrecken: mit Skelett, Fäulnis und Würmern? Dabei ist auch das nur menschliche Maskerade, denn für sich genommen ist der Tod weder böse noch gut, wie alles in der Natur. Gut und Böse hat der Mensch erfunden.

MEPHISTO: So ginge denn der philosophische Disput glücklich fort ... O Faust, da tanzen wir unser metaphysisches Menuett, hüpfen, verneigen uns und heben kokett die Röcke, während – sieh selbst – die Wogen das Land überschwemmen.

FAUST *beunruhigt:* Was sagst du da? Halten die Deiche nicht?

MEPHISTO: Die Wogen des Aufruhrs, Herzog.

FAUST *sich beruhigend:* Die Furcht eines Gendarmen!

MEPHISTO *einen Schritt auf ihn zumachend, leise und unheilverkündend:* Aufruhr, jener Alte, und sein Weib sind schon zur Stelle. Ich habe ihn verhaftet und werde ihn dir gleich zeigen, Faust. – *Laut:* Prinzessin, ich bitte Euch, in Eure Gemächer zu gehen.

Faustina mit beunruhigtem Blick auf den Vater ab.

FAUST: Wovon und von wem sprichst du, böser Geist, der du mir keine Ruhe gibst?

MEPHISTO *feierlich:* Faust, o Faust, wie sehr ist es mein Wunsch, dir Ruhe zu geben.

FAUST: Ich dürste nach Taten, und dazu brauche ich Frieden. Ungestört will ich mich mühen.

MEPHISTO *boshaft:* In der Ecke möchtest du stehen, nach drei Seiten geschützt und nur einem einzigen Feind gegenüber. Aber ich sage dir und spreche wahr, Faust, du hast zahllose Feinde in deinem Rücken, zu deinen Seiten und in dir selbst; ganze Horden bedrohen dich von oben wie von unten. Und du wirst von allem ruhelos und auf den Tod ermüdet sein, der Schlaf wird dich meiden, da dein Traum dich vom Lager aufschreckt. Und du wirst dich zermürben und quälen, wieder und wieder... bis du um den wahren Frieden bittest... Und dann bist du m e i n, Faust.

FAUST: Wahnwitziger Teufel du, all dein höllischer Scharfsinn tanzt wie ein Kreisel immer nur auf einer Spitze. Deine niederträchtigen Berichte will ich vor allem darum nicht hören, weil du ein Hechelmaul bist. Ja, du bist ein großes Hechelmaul! – *Mephisto klatscht in die Hände. Darauf führen zwei kräftige Landsknechte einen hageren düsteren Alten in Ketten herein. Er ist mit einem Ziegenfell bekleidet, sein Körper ist bronzefarben, das Gesicht mit spaltgleichen Runzeln überzogen, der Bart zerzaust und voll Stroh und Kletten, das Haar fällt tief in die Stirn, seine Augen glühen wie die eines Wolfes.* – Wer ist das?

MEPHISTO: Frage ihn.

FAUST: Wer bist du, Alter?

AUFRUHR: Und du, Alter?

FAUST: Ich bin Herzog Faust.

AUFRUHR: Ein Mörder bist du, wie alle deinesgleichen! Befiehl ihnen, mich freizulassen, du Menschenmörder.

MEPHISTO: Haltet ihn fester, sonst stürzt er noch auf Seine Hoheit los.

FAUST: Aber er ist doch ein – armer Kranker.

AUFRUHR *lächelt düster und beginnt mit heulender Stimme zu singen:*

Die Häscher banden, brannten mich,
ich wand mich unter Todesqual,
ich lag, der Freiheit bar, darnieder –
erschlagen konntet ihr mich nicht.
Im Kerker ließt ihr mich verschmachten,
der Hunger raubte mir den Sinn,

die Vögel fraßen mir den Leib,
sich nährend von des Dulders Leber.
Der Leib ein Herd von Blut und Wunden,
die Seele aus dem Leib gepeitscht,
so spuckten mich an Land, den Toten,
die Tiefen eines Ozeans.
Doch gleich erstand ich aus der Asche
zur Neugeburt, zur Wiederkunft,
mein Geist trat wieder in die Welt
und schuf sich wieder einen Leib!
Ich ging, ich geh, ich werde gehen;
die Ketten dieser Welt zerbeißen;
dem Unterdrückten vom Gesicht
die letzte bittre Träne löschen!
Und womit werde ich sie löschen,
die Träne letzten Sklavenleids? –
Nieder mit dem Purpurglanz!
Ihr Herren selber, in die Gruft!
Um alle Zwietracht aufzuheben,
das menschliche Geschlecht zu läutern,
soll eure Krone stürzen, rollen,
mitsamt dem Haupt – ins blutige Grab!

Na, genug? Ich kann auch weitersingen. Im übrigen – ich bin recht gut bei Sinnen.

FAUST: Furchtbarer Mensch – du bist krank.

AUFRUHR: Ganz recht. Wir alle sind krank – und ihr seid unsere Krankheit: Die man mit Feuer und Schwert kuriert. Ich habe vor nichts Furcht. Bedenke das von vornherein. Nicht nur, daß wir viele sind, nicht nur, daß ich unsterblich bin – sondern allein schon, daß ich keine Furcht habe und euch deshalb am Ende doch besiegen werde. Diesen schmutzigen zerrissenen Schuh werde ich auf den Nacken der Hochmütigen setzen ...

MEPHISTO: Sieh, Herrscher, große Menschen schlagen mit einem gewaltigen Hammer auf das Herz der Menschheit ein, aber jeder solcher Schlag findet seinen Widerstand, wie der von dir so verehrte Florentiner lehrt. In gewissem Grad ist dieser Alte dein eigenes Abbild – dein gleichsam plebejisch verzerrtes Porträt. Ich weiß nun wirklich nicht, laß ich ihm den Kopf herunterholen? Derartige Geschöpfe sind unsterblich, da sie Abbilder sind.

Damit der Kopf des Aufruhrs für immer falle, muß man den Kopf der Macht abschlagen. Die Macht schlägt dem eigenen Abbild den Kopf ab und wundert sich, daß er neu wächst. Man nennt den Aufruhr eine Hydra. Nun, soll ich den Alten an einen sicheren Platz schaffen, wo man ihn wohl behütet?

FAUST: Laß ihn frei. Hier ist sein Haß ohne Macht. Hier lieben die Untertanen ihren Herrscher.

AUFRUHR: Meine Alte und ich werden diese Liebe ein wenig benagen. Unsere Zähne sind noch gut...

FAUST: Ich bin nicht Mörder und Tyrann. Ich kann ruhig sein. Ich bin der Wohltäter und Schöpfer dieses Landes. Ihr erster Arbeitsmann. Ja es ist mir sogar angenehm, die Dankbarkeit meiner Leute einer solchen Prüfung zu unterziehen.

MEPHISTO: Bringt ihn vor die Tore der Stadt und laßt ihn frei.

AUFRUHR: Ich schwöre dir, du Menschenfresser, daß ich dir diese Großmut heimzahlen werde, wenn die Entfernung reicht, dir in die hoffärtigen Augen zu spucken! – *Wird abgeführt.*

FAUST: Eine düstere Erscheinung.

MEPHISTO: Dieser Wahnwitzige hat ein überaus besonnenes Weib. Ich kenne die beiden Alten – sie sind aus meiner Art und weitläufig mit mir verwandt. Der Name der Alten ist Neid. Die Hexe betreibt ihre Sache mit Geschick. Kein Gesetz gibt Handhabe, sie zu packen. Leben heißt für sie Vergleiche ziehen, alles wägt sie gegeneinander ab: Wohnungen, Speis und Trank, Kleidung, Arbeit, Macht und Ehre... Sie stellt Parallelen her – und findet wahre Zauberlinien. Vor meinen Augen verwandelte sich etwa die Bewunderung für den üppigen Luxus angesehener Gönner und der Stolz auf deren Reichtum in unversöhnlichen Haß. Sie hat einen außergewöhnlich originellen Blick auf die Dinge. Aber wir werden davon hören. Jedenfalls sind Eure Hoheit zur rechten Zeit gewarnt, mag alles nun seinen Gang gehen... Übrigens stehen eine Menge Handwerksleute vor der Tür, mein Herzog. Sie schreien, als seien Aufruhr und Neid nicht seit drei Wochen, sondern seit drei Jahren zu Gast. Fast brechen sie die Türen ein. Natürlich läßt die Wache sie nicht durch. Schließlich trefft Ihr die Wahl und sucht Euch Eure Leute aus. Ich sah darunter auch diesen Gabriel, den Ihr so grenzenlos hofiert und der Euch nur Verderben bringen wird. Er spricht für alle und will nicht glauben, daß Eure Hoheit sie nicht empfängt; es geht wohl um ein Mädchen, das in dieser Nacht angeblich geraubt worden ist. Sie argwöhnen, der Entführer gehöre zum Hof. Wie ich erfuhr, ist es ein Mädchen von leichtfertiger Gesittung. Ich hätte mich nicht entschlossen, Eure Hoheit wegen solcher Bagatellen zu belästigen, aber wenn Ihr hörtet, Herzog, wie sie brüllen ... Der lange Hans steht mit gespreizten Beinen da, fuchtelt mit den Armen wie eine Windmühle und krakeelt wie ein Gemüsehändler: „Wer sprach von Fausts Gerechtigkeit?" Sicher, ich hätte gleich befehlen können, sie auseinanderzujagen, aber ...

FAUST: Ich bin zwar nicht in bester Laune jetzt ... jedoch, laß sie schon ein ... Dieser Morgen hatte so prächtig angefangen ...

MEPHISTO: Ein böses Omen, Faust. Was gut beginnt, wird ein schlechtes Ende haben. Naja, was schlecht beginnt, geht auch nicht besser aus. – *Ab.*

FAUST *allein:* Und doch sind alles flüchtige Schatten, nur flüchtige Schatten ... Das Antlitz Gottes läßt sich aus Stein nicht meißeln, ohne daß Splitter nach allen Seiten springen und Marmorstaub sich auf Gesicht und Bart des Bildhauers legt. Einen Vorrat an seelischer Klarheit, an frohgemuter seelischer Klarheit ist es, was der Mensch braucht, und das habe ich unter vielen Mühen erlangt. Sei klar, Faust, sei heiter, und bedenke, wieviel du getan hast und wieviel du noch tun willst und tun mußt ... Aber ich höre wirklich Lärm.

Eine Gruppe lärmender Arbeiter tritt hinter Mephisto ein, der gestikulierend rückwärts vor ihnen her geht. Bei Fausts Anblick verstummen sie und bleiben in einiger Entfernung stehen, treten verlegen von einem Fuß auf den anderen und drehen ihre Mützen in den Händen. Unter ihnen fallen der alte Wahrhaft, sein Sohn, der lange Hans, und die Meister Gabriel und Will Scott auf.

FAUST: Was wünscht ihr von mir, meine Kinder? Warum lärmt ihr wie die Unmündigen? Nein, halt: laßt mich ein paar Worte sagen. Der Morgen hat kaum begonnen, und schon hat mich das Leben mit vielen Unannehmlichkeiten erzürnt. Fast bin ich müde, obwohl der Böller den Mittag noch nicht verkündet hat. Meine Kinder, ich arbeite viel, sicher mehr als jeder von euch. Und ich arbeite für euch, für die Stadt, die mir ans Herz gewachsen ist. So ermüdet mich nicht mit persönlichen Bitten und Klagen. Ihr habt einen guten Richter, Mijnheer Jan van der Gogh – geht zu ihm.

Der lange Hans macht eine ungeduldige Bewegung, aber Gabriel hält ihn zurück und tritt selber vor. Faust runzelt die Stirn.

GABRIEL: Hochwerter Herzog, wir alle preisen Eure Werke in Ehrfurcht. Nie käme uns in den Sinn, Euch mit unseren Mißhelligkeiten zu belästigen, so ernst sie immer seien, stünde uns ein anderer Weg zur Gerechtigkeit offen. Erinnert Euch, weiser Herrscher, daß die Bruderschaft der Freimaurer und die gemeinsame Meistervertretung schon mehrfach meinen Gefährten Will Scott und mich zu Euch entsandt haben, um Euch, den wahren Vater seines jungen Volkes, um die Einrichtung der Tribunenwürde zu bitten, die ohne Ausnahme von allen Zünften, Meistern, Gehilfen und Lehrlingen mit gleichem Recht gewählt würden. Wir hätten eine Rechtsprechung nicht nur für unsere handwerklichen Angelegenheiten und brauchten Euch nicht weiter zu beanspruchen, Herzog. Und verzeiht, Herr, wenn ich es sage: Ihr gabt uns den Richter Mijnheer Jan, der wohl ein großer Gelehrter sein mag, aber schwach ist vor den Starken und, bei Gott, belastet mit übermäßigem Verstand.

FAUST: Lieber Gabriel, Ihr seid ein bekannter Demokrat, ein Träumer, der sich den Plutarch übergelesen hat und sich nun Bürger antiker Republiken dünkt. Ihr habt Moritzens, des Schmiedes, Sohn über dem Taufbecken gehalten und ihm den Namen Brutus gegeben. Das mögen unschuldige Phantasien einer einzelnen Person sein. Doch Gott bewahre Euch davor, sie im öffentlichen Leben in die Tat umsetzen zu wollen. Es gibt Menschen, die älter, erfahrener und gelehrter sind als Ihr und die, da sie den Preis der Demokratie kennen, den unvergleichlichen Vorzug der aufgeklärten Monarchie begreifen.

HANS: Haltet ein! Monarchie, Republik – wer spricht davon? Oder sind wir gekommen, Erbsen aus einem Maß ins andere zu schütten? Donner und Doria! Gebt mir meine Schwester wieder, Herr Herzog. Vater, sprich!

WAHRHAFT *aufs höchste erregt:* Eure Hoheit, meine Tochter... Ortrud... Ihr geruht sie zu kennen, da Ihr einst selbst so gnädig wart, ihr ein goldenes Kettchen zu schenken... Und sie, mein Töchterchen, schläft in dem Eckzimmer, immer bei offenem Fenster... – *Zu Hans:* Sei ruhig, Junge, man muß Seiner Hoheit alles der Reihe nach erzählen. Also, sie schläft bei offenem Fenster... Ich selber habe einen leichten Schlaf, Eure Hoheit wissen sicher selbst, wie sacht wir Alten schlafen. Und Pluto, unser Hund, kann auch nicht groß schlummern, und was der Hans ist, der war fast die ganze Nacht in der Taverne „Zum Apfelgarten". Eure Hoheit erinnern sich vielleicht an die Tochter des dortigen Wirts, an Emma, die auf dem Wettstreit der Schönsten den zweiten Preis erhielt, den ersten erkannten Eure Hoheit damals eben meiner Tochter Ortrud zu.

HANS *unterbricht den Vater ungeduldig:* Die Sache ist die, daß ein Räuber heute meine Schwester durch das Fenster entführt hat. Pluto warf er vergiftetes Brot hin, und abends muß er ein Schlafmittel ins Wasserfaß gemischt haben. Dieser Satansbraten! Auch Helfershelfer hatte er, denn in der nächsten Gasse entdeckte ich Hufspuren. Donner und Doria, wenn ich den Entführer finde, dann... Dann verknote ich ihn zu einem Bündel, das selbst Fausts Weisheit nicht auseinanderkriegen soll! Meine Schwester! Dieser Strolch! Wollt Ihr das dulden, Herzog? Meine Ortrud! Das Blut steigt mir zu Kopfe. Nach rechts und links könnte ich schlagen. Und ich weiß, wer der Entführer ist.

GABRIEL: Das sind nur Vermutungen – man muß eine ordentliche Untersuchung anstellen.

FAUST: Wen verdächtigt Ihr denn dieses in der Tat dreisten Verbrechens?

GABRIEL: Ihr sagt kein Wort, Hans, kein Wort, ehe nicht...

HANS: Ich sage alles, was ich auf dem Herzen habe. Faustulus hat es getan, der Prinz, dieser Bube! Ja, Faustulus. Er hat ihr schon öfter nachgestellt.

FAUST *erhebt sich und sieht ihn drohend an:* Jüngling, besinne dich!

HANS: Mich hat noch niemand feig gesehen! Was schaut Ihr mich so an? Und wenn Eure Augen Dolche wären, ich weiche keinen Schritt zurück. Faustulus war es! Er hat ihr gedroht. Emma und andere Mädchen haben es gehört. So versteckt ihn doch nicht unterm Bett oder auf der Latrine, soll er hierherkommen. Wenn er der Sohn seines Vaters ist, wird er wohl seinem Ankläger ins Gesicht sehen können.

FAUST *setzt sich wieder, mit verhaltenem Lächeln:* Ein prächtiges Exemplar, wirklich prächtig. Warum bist du nicht Soldat geworden?

HANS: Weil ich keine Lust habe, mich für Geld und noch weniger für fremde Interessen zu schlagen. Für meine aber werde ich immer einstehen.

FAUST *immer noch lächelnd:* Wie konntest du nur bei einem solchen friedfertigen Menschen wie Wahrhaft zur Welt kommen?

HANS: Auch Euch konnte ein Faustulus zur Welt kommen.

FAUST: Oh, du ... Versuche mir nicht die Geduld zu rauben. Zuweilen kann auch ich zornig werden, und dann ... Faustulus wird hierherkommen, um deinen Verdacht zu zerstreuen.

HANS: Gut, wir haben unbedingt miteinander zu reden.

FAUST *wieder mit einem Lächeln:* Habt Ihr noch viele von dieser Sorte, Gabriel?

GABRIEL: Eure Hoheit, Ihr kennt Euer Volk noch nicht: in ihm sind Schätze verborgen, die jene Salomons unendlich übertreffen.

FAUST *auflachend:* So, wirklich? Oh, Gracchus van Bond! Aber genug, keine finsteren Gedanken ... ich gebe dir deine Schwester zurück, Hans. Wir werden die Sache um jeden Preis in Ordnung bringen. – *Zum Sekretär:* Bittet den Prinzen hierher. – *Der Sekretär verbeugt sich und geht ab.* – Nur Ruhe, Hans, es wird alles gut enden. Ich bürge dir mit meinem herzoglichen Wort. Gabriel, wie geht die Trockenlegung des Sumpfes an den neuen Befestigungsanlagen voran?

GABRIEL: Schlecht, Eure Hoheit. Die Arbeiter sind oft krank. Wir bemühen uns zwar, sie oft auszuwechseln, aber niemand will diese Arbeit haben.

FAUST *nachdenklich:* Niklas bot schwarze Arbeiter an.

GABRIEL: Die Farbe spielt hier keine Rolle, Eure Hoheit ...

FAUST: Jaja, du hast recht, gewiß, du Anwalt der Unterdrückten. Wenn es mir gelingt... Aber, siehst du, das braucht Zeit. Und von der Seite Zuidkerkens grenzt das Land dieses wahnsinnigen Narren Beeresberg an unser Gebiet. Wenn wir hier einen guten Turm bauen, haben wir gleichzeitig auch diesen schädlichen Sumpf trocken und vereiteln dem Aberwitzigen die Möglichkeit, ein Blutbad anzurichten; ich weiß sehr wohl, daß er schon lange danach trachtet.

GABRIEL: Er wird es nie wagen, Eure Hoheit anzugreifen. Wir indessen würden viele Leute verlieren und in den Herzen anderer einen scharfen Unwillen gegen den Herrscher wecken.

FAUST *mit finsterer Miene:* Hast du je einen Herrscher gesehen, der milder gewesen wäre als ich?

GABRIEL: Wie sollten Eure Hoheit auch nicht milde sein? Verfahrt Ihr am Ende doch immer nach eigenem Willen. Ein anderes wäre es, Ihr müßtet – einer Charta folgend – mit unseren Forderungen rechnen...

FAUST *gestreng:* Darauf hofft nicht, Gabriel. Ein Staat, in dem der Kopf sich dem Leibe untertan macht, wäre gegen die Vernunft.

Faustulus tritt auf. Er trägt ein prachtvolles, mit Spitzen und Borten besetztes Gewand aus granatfarbenem Samt, die Kette des Goldenen Vlieses an den Händen, und auf den Schuhschnallen funkeln Brillanten. Sein spärliches strohgelbes Haar fällt auf die Schultern und ist stark onduliert. Sein Gesicht ist blaß, die Stirn niedrig, das Kinn springt weit vor. Seine Augen sind klein und wäßrig, die große Nase weist übermäßig nach oben.

FAUSTULUS: Ihr habt mich rufen lassen, mein Vater? Aber ich sehe, Ihr seid mit dem Volk beschäftigt. – *Will gehen.*

FAUST: Nein, nein, es geht dich durchaus an. Stell dir vor, diesem ehrbaren Mann, dem Maurer Wahrhaft, wurde diese Nacht die Tochter entführt. Für unsere Stadt, ja für mein ganzes Land ist das ein unerhörtes Geschehen. Dieser Jüngling hier, ein ehrlicher und tapferer Mensch, ist ihr Bruder. Doch selbst ehrlichen und tapferen Menschen kommen mitunter – verzeih mir, Hans, mein Kind – ungereimte Gedanken in den Kopf. Und solch ein Gedanke hat sich in dem stürmischen Kopf meines Hans festgesetzt. Er redet – so lächerlich es ist – von irgendwelchen Drohungen und anderen Dingen, die du an dem Mädchen verschuldet habest. Stell dir vor, Faustulus, er ist sogar geneigt, dich der Entführung der schönen Ortrud anzuklagen. Du entsinnst dich doch, sie war die Königin an unserem Festtag der Arbeit, den ich vor fünf Monaten ausrichten ließ. Sie ist ein sehr schönes Mädchen.

FAUSTULUS *achselzuckend:* Wie soll ich mich aller hübschen Mädchen aus der Stadt entsinnen?

HANS: Er lügt! Verzeiht, Herzog, doch er lügt! Und ich bin sicherer denn je, daß er der Täter ist.

FAUST: Du sei vorsichtiger!

HANS: Prinz Faustulus, habt Ihr nicht erst am Montag beim Springbrunnen mit Ortrud gesprochen, als Ihr von der Jagd heimkehrtet? Habt Ihr sie nicht gebeten, Euer Pferd zu tränken? Habt Ihr sie nicht beim Namen genannt? Und sie mit einer aufbrechenden Rose verglichen? Antwortet.

FAUSTULUS: Vater, befreie mich von diesem Gespräch mit betrunkenen Schreihälsen. Ich spüre trotz des Abstands noch den Geruch ihres ekligen Branntweins. Verschont mich eingedenk meiner anderen Erziehung.

HANS: O nein, mein Freundchen, so kommt Ihr mir nicht davon. Eher soll es Hans den Kopf kosten ... Seid Ihr nicht am Dienstag absichtlich zur gleichen Zeit wieder zum Springbrunnen gekommen? Und habt Ihr nicht wieder Eure Drohlieder gesungen? Und als Ihr die gebührende Antwort von der Schwester erhieltet, habt Ihr da nicht gewarnt, man sage keinem Prinzen ab und ein Prinz nehme sich nach solcher Absage selber, was ihm gefalle?

SCOTT: Und dies wurde gesagt, nachdem das Mädchen erklärt hatte – die Frauen, die dabeistanden, haben es gut gehört –, daß sie einen Bräutigam hat – und dieser Bräutigam bin ich!

FAUSTULUS *seine häßlichen Zähne entblößend:* Oh, wie hätte ich danach wagen können zu drohen? Ich hätte ja die Beleidigung einer so mächtigen Person riskiert ... Ach, übrigens ... eh, mein Wertester ... Wer seid Ihr eigentlich?

SCOTT *aufbrausend:* Ich glaubte, am Hofe unseres Herzogs gäbe es keine Narren ...

FAUSTULUS *mit gespieltem Gleichmut:* Du Rüpel weißt recht gut, daß ich – ein Prinz – mich mit dir nicht schlagen kann.

HANS: So, Ihr könnt es nicht? Nein?! So rufe ich Euch zum Gottesgericht. Womit Ihr wollt, werde ich beweisen, daß Ihr der Entführer der Schwester und der Räuber unserer Ehre seid! Wählt die Waffe!

FAUSTULUS *grinsend:* Versteh, du Vieh, daß ich ein Wesen ganz anderer Art bin. Du würdest doch auch keinen Zweikampf mit einem Hahn austragen? Erklärt ihm das, Vater. Er langweilt mich.

HANS: Ah, ein Wesen ganz anderer Art! Laßt uns die Adern öffnen und sehen, wessen Blut heller ist und sich reicher ergießt. Oder beliebt Euch anderer Wettstreit? Ich verstehe mich auf sechs Handwerke und bin bereit, in jedem ein Meisterstück vorzuweisen. Versucht Ihr dann dasselbe. Zu jeder Probe findet Ihr mich bereit, auch zu einem lateinischen Disput. Oder laßt uns jeden ein Lied verfassen. Das Gottesgericht wird sich überall offenbaren. Wählt! Nun sprich schon, Unseliger, wenn du nicht willst, daß . . .

FAUST: Still, Raufbold. Was soll die Hitzigkeit! Wenn du mir nicht so gefielest, wäre ich längst in Zorn geraten. Meister William, die Frauen mögen Euch dies und das erzählt haben, hier aber gibt Euch der Prinz sein Ritterwort, daß er sich nicht einmal dieses Mädchens entsinnt. Wollt Ihr dem Weibergeschwätz mehr vertrauen?

HANS: Wie oft hab ich gesehen, daß er Trude wohlgefällig betrachtete.

GABRIEL: Kurzum – hier tut eine Untersuchung not. Und da der Herzog selber als Vater des Verdächtigen der menschlichen Natur gemäß nicht unvoreingenommen sein kann, so . . .

FAUST *aufbrausend:* Genug, nun ist es genug, Gabriel! Ich habe mir ohnedies zuviel angehört. Dieses Schauspiel wird am Ende unwürdig. Ich bin der Herrscher, der diese Erde geschaffen hat, und zwar, wie ich sagen darf, aus dem Nichts. Ihr seid gekommen, um darauf zu leben und zu arbeiten, euch meinem Zepter unterwerfend. – *Beruhigt sich ein wenig.* – Das Mädchen wird gefunden werden. Baron Mephisto, schon morgen muß sie bei ihren Eltern sein. Morgen, hört Ihr?! Ich bin sicher, daß Ihr sie zu finden wißt. Keine Widerrede. Ich befehle Euch unwiderruflich und mit aller Bestimmtheit: morgen muß sie zu Hause sein. Den Entführer aber erwartet strenge Bestrafung, wer es auch sei. – *Erhebt sich und will gehen.*

GABRIEL: Auch wenn es Euer Sohn und dieser Baron Mephisto selber sein sollten?

FAUST *einen Augenblick überlegend, dann nachdrücklich:* Welch unsinniger Verdacht! ... Baron, Ihr habt mir, mit einem Wort, die ganze Sache zur allgemeinen Zufriedenheit aufzuklären. Geht, Kinder! – *Lächelt.* – Wieviel Sorgen für einen Vater mit diesen Tausenden von Kindern. Und die Jahrhunderte sehen zu, die Jahrhunderte warten ... Dabei enteilen die Jahre ... Schon sind es nicht mehr viele für Faust. Geht nun, geht. – *Alle durch die untere Tür ab. Lediglich Mephisto bleibt mit Faust zurück.* – Faustina! Ruft mir Faustina. – *Faustina tritt auf.* – Laß auf deine Schulter mich stützen. Komm, lies mir ein Stündchen aus dem Cervantes vor. Und danach werde ich mich an die kostbaren Zeichnungen des großen Leonardo setzen. Was hast du unterdessen getan?

FAUSTINA: Graf Arthur war die ganze Zeit bei mir. Er sagt, er habe ein wichtiges Anliegen an Euch und schon davon an Euch geschrieben.

FAUST: Ich freue mich, daß er da ist, ich freue mich sehr über ihn ... So geht, Baron, und denkt an meinen unabänderlichen Beschluß. – *Mephisto ab. Faust setzt sich wieder.* – Hm, ein Anliegen hat er an mich? Weshalb wirst du denn rot, du weiße Lilie, du Schneeflöckchen, du? Ein Hohelied auf die Natur, nach bittren Stunden schenkt sie auch eine süße. Diese Stunde schreibt sich mit goldenen Lettern ein. Rufe Arthur herbei, hole ihn her, diesen Astrologen und Alchemisten, diesen Wunderling, zu dem sich die eigenen Eltern nicht bekennen möchten. Lach du nur, mein Töchterchen. Du willst nicht? Nun, geh, geh ... Schicke ihn so schnell wie möglich. – *Faustina ab. Faust allein.* – Er ist auch nicht nach seinen Vätern geraten. Die Grafen Stern waren alle Leute von Blut und Eisen. Wie auch sein Bruder Siegmund. Doch dieser jüngere wuchs in aller Stille heran, im Schatten des großen Einfältigen, des Doktor Ägyptus; es war ihm nicht bestimmt, ein Herrscher zu werden, und auch nach des Bruders Tod nahm er den Schild der Väter nur als querköpfiger Gelehrter. Dem Schicksal sei Dank, daß ich in dem dichten Wald, der uns umgibt, unter all den brüllenden heraldischen wilden Tieren des nachbarlichen Adels einen solchen Mann gefunden habe. Er hat ein zärtliches Herz, das Herz eines Dichters. Wo anders sollte ich einen Mann für meine arme Faustina suchen? – *Arthur tritt auf – ein schöner, zarter und sehr blasser Jüngling. Er ist schwarz gekleidet. Auf der Brust trägt er an goldener Kette ein seltsam geformtes Amulett.* – Setzt Euch zu mir, Graf Stern. – *Arthur verneigt sich und nimmt Platz.* – Ich habe mir Eure Horoskope, Eure großartigen astrologischen Berechnungen durchgesehen. Jaja, Jupiter und Venus versprechen, was Ihr wünscht, mein junger Freund. Ich glaube ihnen: Faustina und Ihr seid füreinander bestimmt. Für meine Begriffe haben sich die Planeten als gute Brautwerber erwiesen.

ARTHUR: Habt Ihr bemerkt, Herzog, daß ich in diesem Falle eine noch nirgends im Schrifttum dargelegte und gegenwärtig wohl kaum jemandem vertraute Methode benutzt habe? Ich glaube an nichts Geschriebenes. Große Alchemisten und Astrologen haben den Buchstaben nie vertraut, wenn sie auch mit nebulösen Tropen und Symbolen die wahren Früchte ihrer tiefen Überlegungen und ihrer unermüdlichen Experimente gleichsam schützten. Sie nahmen diese Früchte mit ins Grab. Und so sind es wahrhaft okkulte Wissenschaften. Das sogenannte Traktat des Hermes Trismegistos ist eine freche Fälschung. Ich versichere Euch das, Herzog. Aber die mündlichen Lehren dieses halbgöttlichen Geistes kamen von Schüler zu Schüler zum Teil auf meinen geistigen Vater – Doktor Ägyptus. Von ihm erfuhr ich viele Wahrheiten, die allen verborgen sind, aber ich bin daran gebunden, das Geheimnis bis zu meinem fünfundvierzigsten Jahre zu bewahren, und darf meine Erkenntnisse erst danach einem Schüler anvertrauen, der den gleichen Schwur zu leisten hat.

FAUST: Aber Ihr liebt Faustina?

ARTHUR: Kaum hatte ich in meinem Herzen die süße Unruhe gespürt, die als Beweis für den Spiegel unserer Augen geboren wird, so erriet ich auch schon die Verwandtschaft zwischen der Prinzessin und mir. Meine Berechnungen ergaben, daß ich mich nicht geirrt hatte.

Ich darf Euch nur sagen, Herzog, daß ihre Zahl die Neun ist. Eine vorzügliche Zahl. Und ihr Wort – Pansamicichadir. Ein vorzügliches Wort. Nun, und meine Zahl ist die Drei. Versteht Ihr jetzt? Und mein Wort – Kadimicapixir.

FAUST: Ich freue mich, ja ... Und nun wollen wir Faustina rufen, nicht wahr, lieber Graf? Aber sprecht ihr nicht von Astrologie, sondern nur von Liebe, und in Worten, die weniger schwierig sind als diese okkulten, an denen Ihr Euch so erstaunlich die Zunge brachet. – *Klatscht in die Hände. Der Sekretär erscheint.* – Mein Lieber, rufe meine Tochter.

ARTHUR: Ich glaube aber doch, daß sich die Prinzessin für Astrologie interessieren wird. Tiefe und unvergleichlicher Nutzen sind hier untrennbar mit hehrer Schönheit vereint. Und was die Alchemie betrifft, jenen anderen mir teuren Wissensbereich, so sind hier Experimente in der Tat nicht immer ungefährlich. So manches Mal nimmt der Alchemist unversehens Dämpfe auf, die dem menschlichen Atem feindlich sind ... Kürzlich erst ging eine Vereinigung von Elementen, die ich geheimhalten muß, mit einem solchen Übermaß an Leidenschaft vor sich, daß mich die ausgestoßene Luft sechs Ellen weit wegschleuderte und ich schmerzhaft an die Stelle des Kopfes gestoßen ward, wo sich bei mir der Hügel des Arbeitseifers befindet.

FAUST *die ganze Zeit lächelnd:* Seht Euch also vor, Graf. Werdet nicht zum Opfer übergroßer Liebe zur Erkenntnis. Da ist meine Tochter ... Mein Kind! – *Faustina tritt auf.* – Nun sprecht mit ihr.

ARTHUR *steht auf und verneigt sich tief:* Prinzessin. Nach dem erklärten Willen der Strahlengeister, welche die Himmelslichter bewegen, nach dem Willen der Elemente, welche unseren Leib, unsere animalische und schließlich unsere vernünftige Seele bilden, nach dem Willen Eures Vaters, des weisesten unter den Herrschern, werden wir beide uns zu geistiger und fleischlicher Liebe und zur Fortführung des Geschlechtes der Sterns vereinigen, aus dem einst ein Mann hervorgehen wird, dem man die Krone eines Kaisers aufsetzt. Dies alles ist ebenso wahr wie die Überschneidung zweier Linien, die auf einer Ebene nicht parallel zueinander verlaufen. Hier ist meine Hand, teure Prinzessin. Ihr werdet darin das offene Zeichen eines langen Lebens erkennen wie die Linien, welche die Fruchtbarkeit unserer Ehe voraussagen, und jene Zeichnung, die von einem friedlichen Dasein kündet. So gebt auch mir Eure ersehnte Hand, Prinzessin.

Faustina schluchzt unvermittelt und wirft sich Faust an die Brust.

FAUST: Aber Kind, mein Kind ... Diese Tränen ... Weinst du sie vor Glück? Laßt uns ein Weilchen allein, Graf Arthur. – *Graf Stern verneigt sich und geht verwirrt ab.* – Mein Kind, nun sag, warum die plötzlichen Tränen? – *Faustina hebt den Kopf, will etwas sagen, kann sich jedoch nicht entschließen und verbirgt abermals ihren Kopf an seiner Brust.* – Gefällt er dir nicht? Aber ist er nicht schön, jung, gut und aus edlem Geschlecht? Er mag seltsam sein, das ist wahr, aber er ist nicht töricht. Glaub mir, Faustina, er ist nicht töricht. Du bist seine Reden nur nicht gewöhnt. So beruhige dich doch, du meine Freude. Er wird ein vorzüglicher Ehemann sein. Alle anderen, die ich in meinem Geiste durchgegangen bin, sind so rohe Geschöpfe, daß ich mit Zittern an die Möglichkeit dachte, ihnen deine zarte Jugend anzuvertrauen. So weine nicht, Faustina. Komm, gehen wir zu dir. – *Führt sie behutsam hinaus.*

Aus der unteren Tür tritt Mephisto. Tut, als suche er in den Papieren auf dem Tisch, blickt aber ständig zur Tür, als erwarte er jemanden.

MEPHISTO: Ah, da ist ja unser treues kleines Rattenkind.

Faustulus tritt auf. Er ist sichtlich erregt. Geht schnellen Schritts auf Mephisto zu.

FAUSTULUS: Euch habe ich gesucht.
MEPHISTO: Ich stehe zu Diensten, Prinz.
FAUSTULUS *stützt sich mit einer Hand auf eine Stuhllehne und bedeckt mit der anderen die Augen. Dumpf:* Welche Schmach!
MEPHISTO *nimmt Faustulus' Hand und legt sie sich auf die Brust:* Ermannt Euch, Prinz.
FAUSTULUS *sich reckend, mit funkelnden Augen:* Jawohl – Prinz! Prinz mit jeder Fiber meines Leibes! Prinz mit einer Seele, die den Stolz, Prinz und der Enkel des spani-

schen Königs zu sein, kaum in sich fassen kann. Infantin war meine Mutter! ... Gewiß, der Vater war einst nur ein simpler Ritter, aber er wurde doch für riesige Verdienste vor dem Imperium in den Rang eines Herzogs über Ländereien erhoben, die er dem Neptun abgewonnen hatte. Und ich darf annehmen, daß mein Geschlecht seinen Namen jenem edlen römischen Patrizier Faustus verdankt, dem Glücklichen also, und nicht von dem vulgären deutschen Wort Faust. Aber wie dem auch sei, ich erlaube niemandem – *kreischt und stampft mit dem Fuß auf* – ja: niemandem! –, an meiner Prinzenwürde zu zweifeln ...

MEPHISTO: Solch dreisten Narren möcht ich sehen.

FAUSTULUS: Doch was geschieht ...? – *Wirft sich in den Sessel.* – Was mutet mir mein Vater zu? Was durften diese stinkigen Räuber hier sagen?

MEPHISTO: Es war ungeheuerlich!

FAUSTULUS: Unerhört und ekelhaft, Baron!

MEPHISTO *mit einem Seufzer:* Betrüblich.

FAUSTULUS: Die Gesetze von Gott und Menschen sind in den Schmutz gezogen! – *Lächelt bitter.* – Aber glaubt denn mein Vater an Gott? Achtet er die jahrhundertealten Stützen der Gesellschaft? Es beliebt ihm, die Rolle des Demokraten – des homo novus – zu spielen, und eben das brachte meine arme Mutter ins Grab, die hochgeborene Herzogin Elvira. – *Wird nachdenklich.*

MEPHISTO *den Kopf wiegend, gedämpft:* Es wird noch schlimmer kommen, Prinz ... Wenn wir weiter zusehen ...

FAUSTULUS: Ihr erwartet neues Mißgeschick, Baron?

MEPHISTO: Ich spreche nicht von dem Mädchen. Ich versprach Euch, die Sache ins Lot zu bringen, und ich halte das Versprechen.

FAUSTULUS: Dennoch beunruhigt mich die Sache sehr ... Ich zähle ganz auf Euch. Aber ich sehe eine Falte der Besorgnis auf der Stirn meines klugen Freundes ...

MEPHISTO: Ich denke an Eure Zukunft, Prinz. – *Feierlich:* Mein Prinz, Eure selige Mutter nahm, kurz bevor sie in jene bessere Welt hinüberging, in der sie, wie ich sicher bin, die Lieblingsdame am strahlenden Hofe der Himmelskönigin geworden ist, kurz zuvor also nahm sie diese meine Hände in die ihren, in ihre kleinen glühendheißen und trockenen Hände, maß mich fiebrigen Blickes und flüsterte mit wunden Lippen: „Achtet auf meinen Sohn, achtet auf seine Krone! Dieser Wahnwitzige wird alles verderben. Er ist ein Ketzer, er hat seine Seele dem Teufel verkauft; er ist wie ein Gast hier, und jeder und alles sind ihm nur Spielzeug. – Einmal träumte ich", so sagte mir die Sterbende voll Furcht, „daß sich mein Gemahl auf seinen Mantel setzte, einen Pfiff ausstieß und durch das Fenster davonflog." Das sagte mir Eure liebe Frau Mutter, die selige Herzogin Elvira, und sie war mir – ihr Andenken sei gesegnet – eine wahre Freundin. – *Seufzt tief. Faustulus wischt sich mit dem spitzenbesetzten Ärmel über die Augen.* – Und ich tue, was ich kann, ich gönne mir keinen Schlaf, ich verzehre keinen Bissen in Frieden ... Aber was kann ich ausrichten? Der Pöbel ist verwöhnt. Ich bin sicher, daß der Herzog in die Wahl von Tribunen schließlich einwilligt, und das ist der Anfang vom Ende – dann gerät alles ins Wanken. Und wer weiß, von welchen Schrecknissen der Umsturz begleitet sein wird! Den Herzog schert's nicht. Er ist ein großer Mann, seht Ihr, alles scheint ihm klein zu sein, zu seinen Füßen zu liegen. Verzeiht mir, Prinz, das Herz des liebenden Sohnes soll sich darum nicht etwa empören, aber ich enthülle Euch meine sonst tief verborgenen Gedanken. Heinrich Faust war einst ein großer Mann. Ja, aber er war es! ... Und das ist die Wahrheit.

FAUSTULUS *erschrocken:* Was wollt Ihr damit sagen?

MEPHISTO: Auf dem Throne des Herzogtums Wellentrotz und Trotzburg sitzt jetzt ein fast schwachsinniger alter Mann.

FAUSTULUS: Ist das die Möglichkeit?

MEPHISTO: Es ist die bittere Wahrheit. Die Größe hat ihn blind gemacht. Er ist in sich selbst verliebt wie ein neuer Narziß, die ständige Verbeugung vor sich selbst hat ihm den Verstand geraubt. Narziß ist kahl und grau und alt – und bewundert sich weiter in seiner Schönheit! Indessen weiß ich einen anderen Riesen, den nur die traurigen Überreste des einstigen Riesen hindern, sich zu erheben.

FAUSTULUS: Wer ist das, sprecht.

MEPHISTO: Ihr, Prinz ... – *In prophetischem Ton:* Haltet Euch bereit! Bald wird eine geheimnisvolle Stimme an Euer Ohr dringen und Euch sagen: „Erhebe dich, Sohn

Spaniens, erhebe dich zu großer Tat. Sieh, ohne das Auge zu wenden, auf deinen Stern und geh vorwärts, niemanden schonend, denn du bist zu Großem erkoren, du wirst ein großes Königreich gründen."

FAUSTULUS: Ich höre solche Stimmen öfter. – *Stiert vor sich hin.* – Ich fürchte mich!

MEPHISTO: Habe Mut! – *Klatscht in die Hände. Diener tritt auf.* – Wein! – *Diener ab.* – Trink ein Glas Syrakuser mit mir, mein Kleiner. Glaube mir, du Liebling meines Herzens, ich bin dir eine Stütze, nichts mußt du fürchten. Schlucke die kleinen Kränkungen vorläufig hinunter. Oh, wie werden wir einst mit diesen Scotts und diesen Hansen abrechnen.

FAUSTULUS *grimmig:* Ha, und wie!

MEPHISTO: Auf dem Bauche werden sie zum Thron des Königs Faustulus gekrochen kommen. – *Faustulus kichert und reibt sich die Hände.* – Sie werden in Verzückung geraten, wenn der König sie mit einem Finger heranwinkt und ihnen sagt: „Deine Frau, deine Tochter oder deine Schwester sind mir angenehm aufgefallen – wende dich an meinen Kammerherrn."

FAUSTULUS: Außerdem will ich aber Donna Ines heiraten. In ihr fließt königliches Blut: sie ist schön, sie ist von Rang, von guter Erziehung und streng ... Oh, wir werden ein geradezu religiöses Zeremoniell bei Hofe einführen.

MEPHISTO *listig:* Um so vergnüglicher wird es dann nach Mitternacht zugehen, sobald sechs Kammerdamen die Königin Ines in ihre Gemächer geleitet haben und Ihr selber in traulichem Kabinett bei einem Glas Syrakuser lustigen Liedern lauscht, die Euch rosige Lippen singen; sobald Ihr Euren Spaß mit einer erschrockenen bürgerlichen Tugendsamen treiben könnt oder eine orientalische Schönheit schmecken werdet.

FAUSTULUS: Wie ich Euch liebe, Baron, Ihr seid mir wie ein Vater.

MEPHISTO *die Stirn runzelnd:* Sprich nicht von solchen Dingen, mein Faustulus. Du weißt nicht, welche Wunden meiner Seele du berührst. Oh, Donna Elvira, Donna Elvira ... Meine Herrin ... Beatrice meines armen Herzens ... Aber ich sehe, da ist Wein, laß uns fröhlich sein, machen wir uns ein wenig Mut.

Der Diener stellt Wein und Gläser auf den Tisch. Mephisto gießt einen dickflüssigen Wein in die geschliffenen Gläser, schickt mit einer Kopfbewegung den Diener hinaus und lädt mit spielerischer Geste Faustulus ein.

FAUSTULUS *ängstlich:* Kann auch der Vater nicht hierherkommen?

MEPHISTO: Sei unbesorgt, nein, nein ... – *Beide trinken.* – Und nun laß uns von deinem Mädchen reden. Bist du sehr in sie verliebt?

FAUSTULUS: Wie wahnsinnig. Das ist es ja, daß ein ganzes Meer der widerstreitendsten Leidenschaften in meiner Brust wallt. – *Schlägt mit der Faust an seine Hühnerbrust.*

MEPHISTO: Zeichen, daß dem Adlerjungen die Flügel wachsen. Ich trinke auf die schlanke Taille und die üppige Brust der Mademoiselle Ortrud!

FAUSTULUS: Auf meinen Erfolg! Sie ist in Votusberg?

MEPHISTO: Gewiß, alles wie vereinbart. Aber hier will geschickt verfahren sein. Siehst du, obwohl meine Leute diese kleine bürgerliche Amazone unerwartet raubten, sie im bloßen Hemd aus dem Bett zogen, so zeigte sich doch, daß sie bewaffnet war, daß sie auf der Brust ein vorzügliches und scharfgeschliffenes Toledaner Stilett trägt, das in einer winzigen Scheide steckt. Die Klinge ist nicht länger als sechs Zoll, aber mit dieser Stecknadel kann man sich zu Tode bringen. Kaum von den Fesseln los, sprang sie wie eine Tigerin in die Ecke und schrie: „Wenn mich jemand anrührt, stoße ich mir dieses Spielzeug ins Herz."

FAUSTULUS *erschrocken:* Wäre sie dazu imstande?

MEPHISTO: Man kann nie wissen ... Immerhin ist sie von grober Natur ... In ihr ist so viel Blut und so viel Leben, daß ihr der Tod nicht schrecklich erscheint. Solche Geschöpfe können sich quasi mit einem neugierigen Lächeln das Leben nehmen, mit einer Heiterkeit, als sei ihr dummer Selbstmord ein Triumph des Lebens und nicht des Todes. Sie sind ganz anders als eine verfeinerte, kultivierte Natur wie du. Ihr kennt den Wert des Lebens, haltet an ihm fest und würdet eher alle Erniedrigungen ertragen, als von diesem lieben Leben zu lassen, selbst wenn es sich längst in ekel faulige Krankheit verwandelt hat. Solch edler, echt herrschaftlichen Liebe zum Leben sind Leute, die der Natur so übermäßig nahestehen, nicht fähig.

FAUSTULUS: Aber muß ich dann nicht befürchten ...

MEPHISTO: Nichts mußt du befürchten, sage ich dir: du bist Prinz, du bist klug, und du bist ein schöner Mann. Ortrud ist ein freies, leidenschaftliches und sogar wollüstiges Mädchen. – Wie soll sie dir widerstehen können? Nur versuche nichts mit Gewalt. Das mit deinem Vater erledige ich. Er wird bald andere Sorgen haben. Die Blitze seines Zornes werden bald andere Gipfel finden, neu sich zu entzünden. Trink, Faustulus, Sohn meiner Seele!

FAUSTULUS: Auf alle Eure Pläne, mein großer Freund!

MEPHISTO *tätschelt Faustulus die Wange:* Mein Kleiner. Was werden wir beide alles noch erreichen! Wieviel leichter ist es mir mit dir als mit dem Alten. In dir zeigt sich das verdünnte Blut eines königlichen Hauses, ein vornehmes Blut und Erbe vieler hochherrschaftlicher Gebrechen. Zwei Glas Wein in diesem Most, der durch deine Adern fließt, sind ein zerstörerisch Ferment. Schon gleicht deine Nase einer frischen Feige, der Mund einem griechischen Badeschwamm und die Augen Knöpfen aus Zinn. Ach, bist du schön, mein Kleiner. – *Kichert.*

FAUSTULUS *lacht und langt nach ihm:* Spaßmacher, du ...

MEPHISTO: Wie sollte ich nicht Späße machen?

Faustina tritt auf, bleibt überrascht stehen.

FAUSTINA: Was geht hier vor? – *Begegnet Mephistos Blick und senkt verwirrt die Augen.* – Vater vergaß den Roman über Don Quijote ... Ich wollte nur ... – *Wendet sich, geht, macht dann mit entschlossener Bewegung kehrt.* – Faustulus, erzürne den Vater nicht.

MEPHISTO *der ihr die ganze Zeit spöttisch mit seinen Blikken gefolgt ist:* Ihr selbst, Prinzessin, hütet Euch, ihn zu erzürnen – denn wenn ein Gabriel erst darangeht, einem Mädchen schöne Augen zu machen ... Ich hoffe, Ihr versteht?

FAUSTINA *sieht ihn mit Entsetzen und Abscheu an:* Was wollt Ihr damit sagen?

MEPHISTO: Oh, ich denke, Ihr habt mich verstanden, Prinzessin.

FAUSTINA: Ihr seid betrunken, Baron!

MEPHISTO: Seine Herzogliche Hoheit werden sogar sehr erzürnt sein. Schließlich seid Ihr die Braut des Grafen

Stern. Das hat Seine Hoheit schon beschlossen. Und plötzlich... Ei-ei, wie ungezogen... sonst so ein liebes, bescheidenes Mädchen...

FAUSTULUS: Meine Schwester ist – *rülpst* – eine dumme Pute.

MEPHISTO: Geht schlafen, Prinz. Und Ihr zu Eurem Vater, geht und seid hübsch zärtlich zu ihm, denn Ihr, die zärtlichste aller Töchter, schickt Euch ja an, seinem Herzen einen Schlag zu versetzen. Es fehlt nur noch, daß Ihr ihm Eures Herzchens Geheimnis entdeckt. Sicher würde schon das genügen, den armen alten Mann ins Grab zu bringen.

Faustina schweigt, senkt den Kopf auf die Brust. Mephisto schaut sie mit gekreuzten Armen feierlich ernst an. Faustulus gießt Wein neben das Glas und stößt unverständliche Grunzer aus.

Vorhang.

ZWEITES BILD

Früher Morgen. Ein kleines Zimmer, streng und schlicht möbliert, durch das schwache Tageslicht kaum erhellt. Ein Schreibtisch, auf dem wohlgeordnet Papiere und Zeichnungen liegen. In den Regalen Bücher. Ein großes Porträt Fausts an der Wand.
Es wird an die Eingangstür geklopft. Aus der gegenüberliegenden Tür, die ins Schlafzimmer führt, kommt Gabriel, ohne Überrock und Wams.

GABRIEL: Was gibt es? – *Öffnet die Tür.*

PIETER *hereinstürmend:* Meister, große Ereignisse ... Der Teufel weiß, was in Trotzburg diese Nacht los ist, und Ihr schlaft!

GABRIEL: Was denn, Pieter, erzähl, was geht vor ... Verschnauf erst mal ... Setz dich hierhin und schweig ...

PIETER: Schweigen? O nein, Schweigen ist jetzt fehl am Platze. Ich weiß auch nicht, soll man sich freuen oder soll man trauern. Uff.

GABRIEL: Beruhige dich und erklär dich deutlicher.

PIETER: Der Aufstand ist ausgebrochen, in der Stadt! ...

GABRIEL: Der Aufstand?

PIETER: Jawohl, endlich haben es unsere Unterdrücker soweit gebracht! ... Uff! ... Und nun hört, Meister: Wie man mir erzählte, hatte gestern nacht der lange Hans ein Häuflein der erbittertsten Gesellen im „Apfelgarten" um sich versammelt. Er schlug vor, darüber zu beraten, ob sie auf die Kronenvilla losgehen sollten, um Faustulus die Ortrud zu entreißen. Alle waren überzeugt, daß sie da ist. Und es wurde ordentlich gelärmt und geschrien. Auch der zerlumpte Alte, der mit seinem Weib so viel Unzufriedenheit gegen die Reichen und die Obrigkeit sät, kam angetrollt. Er überschrie sogar den Hans. Und plötzlich taucht in der Taverne – nun wer? – Ortrud in eigner Person auf! Alle waren bestürzt. Und sie erzählte, was ihr zugestoßen war. Die Verdächtigungen erwiesen sich als wahr: Faustulus hatte sie geraubt, aber sie verteidigte sich wie eine Tigerin. Oh, unsere Ortrud ist keine Schüchterne! Ich stelle mir dieses Knäblein Faustulus und unser Teufelsmädchen vor ... Ja, also, sie haben ihr gedroht, sie umschmeichelt, und nachts kam dieser Alguacil, dieser Gendarm Mephisto, und schlug ihr vor, das Weite zu suchen. Er fürchtet wohl, zwischen zwei Feuer zu geraten: den Vater und den Sohn. Und so wollte er den Anschein der Flucht geben. Aber Ortrud, alles andere als des Dankes voll, schwor ihm Rache. Ihre Rückkehr wirkte auf Hans und seine Burschen nicht besänftigend, sondern goß noch Öl ins Feuer. Manche waren schon los, um Musketen, Hellebarden und Fackeln zu holen – da änderte sich plötzlich die Lage. Das ganze Wirtshaus wurde von Landsknechten des Schweizerregiments umzingelt. Faustulus kam, um Ortrud in aller Offenheit frech zu fangen. Nun gerieten auch die bis dahin Zurückhaltenden in helle Empörung. Der Alte, der sich Aufruhr nennt, zog seinen Dolch und rief: „Sterben werden wir, aber als feige Sklaven wird uns keiner sehen!" Die Jungen hatten jedoch wenig Waffen. Da läuft Hans hinaus – ihn hatte dieser Gedanke, wie Ihr wißt, ja die ganze Zeit verfolgt –, schwenkt seinen langen Degen und ruft: „Faustulus, wenn du auch nur einen Tropfen Mannesblut in deinen Adern hast – stell dich mir zum Kampf." Faustulus reitet heran, sagt: „Zu Diensten", zieht die Pistole und schießt, bevor noch jemand einen Ton herausbringen kann, Hans direkt ins Gesicht. Der fällt tot zu Boden. „Drauf auf das Gesindel!" brüllt Faustulus. Es waren eine ganze Menge Schweizer, und alle mit Piken und Säbeln – so ging ein rechtes Gemetzel los. Aber die Kunde lief schnell herum in Trotzburg. Auch ich wurde geweckt. Zusammen mit allen unseren Lehrlingen stürze ich also zum „Apfelgarten". In der Taverne kocht und brodelt es, man hört Waffengeklirr und ab und zu Schüsse. Wieso habt Ihr nur nichts gehört? Sogar die Glocke des heiligen Georg wurde geläutet.

GABRIEL: Ich hatte mich bis zum Abend recht abgeschunden und schlief sehr fest, obwohl mich durch den Schleier des Traums hindurch etwas immer wieder beunruhigte.

PIETER: Nach einer Stunde sahen sich die Landsknechte selber von der städtischen Bürgerwehr umstellt, die schnell zusammengetreten war. Ihr Kommando hatte Mijnheer Scott übernommen.

GABRIEL: Aber ... Und er ...

PIETER: Hier erschien Baron Mephisto und hielt eine Rede. Er führte die Landsknechte zurück und stieß wilde Drohungen aus. Das alles hat sich bisher zugetragen. Die Meister haben sich im Rathaus versammelt. Auch die Kaufleute machen Anstalten, sich im Güldenen Hause zu treffen. Alle Gesellen stehen unter Waffen. – *Gabriel schweigt und ist in Nachdenken versunken.* – Ich bin zu Euch entsandt worden, Mijnheer Gabriel, um Euch sogleich ins Rathaus zu bitten.

GABRIEL: Der Herzog wird die Schuldigen bestrafen ... Ich habe geglaubt, der Herzog werde die ganze Sache bereinigen. Ja, nur wird sich die Stadt mit einer milden Strafe für Faustulus zufriedengeben? Und den Sohn bestrafen? ... So wie die Umstände es verlangen, ist er dem älteren Brutus verteufelt ähnlich ... Ein harter Konflikt zur ungelegenen Zeit zudem.

Die Tür fliegt auf. Scott eilt herein. Er trägt einen Brustpanzer aus Stahl und einen Helm, an den hohen Stiefeln sind Sporen.

SCOTT: Bist du hier? Ah, Pieter ... Geh auf die Straße, Pieter. – *Pieter ab.* – Freund, es ist vollbracht. Die Stadt ist bewaffnet. Die Schandbarkeiten des Sohnes überzeugen die Verdienste des Vaters, die der Altersstarrsinn ohnehin längst verdunkelte. Es wird das Ende der Herzogsmacht sein.

GABRIEL: Ich sehe, daß der Bürgerkrieg entbrannt ist, aber ich weiß nicht, wieso du von unserem Sieg überzeugt bist? In der Stadt sind an die siebentausend Landsknechte, in der Engelsburg steht Artillerie, dazu die zahlreichen Sbirren des Barons Mephisto ...

SCOTT: Die Engelsburg und die Kanonen habe ich schon am Morgen in Besitz genommen. Und damit nicht genug, ich habe auch den Staatsschatz an uns gebracht und den Landsknechten einen hübschen Batzen versprochen, wenn sie passiv bleiben. Außerdem ist die Bevölkerung vollends in den Harnisch gebracht und steht unter Waffen. Vor der Kathedrale stehen Tausende von Männern, ja sogar Frauen. Und vor dem bewaffneten Trotzburg sind selbst die Landsknechte nicht mehr als eine Handvoll Leute.

GABRIEL: Vom militärischen Standpunkt aus bist du klug verfahren. Vielleicht aber muß man nicht soweit gehen?

SCOTT: Vor allem muß man den Gegner in die Knie zwingen, dann läßt sich reden.

GABRIEL: Du hast ihn noch lange nicht in die Knie gezwungen. Es kostet den Herzog bei seinen Verbindungen nichts, einen ganzen Haufen von Feinden gegen uns ins Feld zu führen und Trotzburg von den Heeren der Nachbarfürsten belagern zu lassen. Und was wird im Innern der Stadt vor sich gehen? Die Gesellen werden die sofortige Erfüllung ihrer Charta fordern, die Meister werden sich hartnäckig zeigen und . . .

SCOTT: Angesichts der Kriegsgefahr werden die Gesellen zurückhalten. Bei allgemeiner Gefahr haben die unteren Schichten den oberen gegenüber stets zurückgehalten.

GABRIEL: Und die ständig wachsende Unzufriedenheit mit den Kaufleuten? Diese Handelsleute rahmen die Sahne von unserer Arbeit ab. Das Volk verlangt ihre Vertreibung . . . Schon gut, wenn es nicht die Läden stürmt und plündert. Andererseits würden die Kaufleute, die mit ihren Schiffen Waren von uns holen, Trotzburg alsbald in eine sehr schwere Lage bringen, wenn sie den Handel mit uns einstellten. Das Herzogtum Wellentrotz kann von eigenem Brot nicht leben. Ich sehe noch eine Unzahl anderer Schwierigkeiten. Und in solcher Zeit ohne Faust sein . . .! Sein Genius ist sehr hochfahrend, seine Pläne sind oft schwierig, beinahe unerfüllbar, nicht alles in der Stadt geht einen guten Gang, aber wer will die Weisheit dieses Herschers in Abrede stellen? Wo ist schließlich eine Stadt in diesem Universum, die blühend wäre wie Trotzburg?

SCOTT: Das sind Gedanken zur unrechten Zeit.

GABRIEL: Im Gegenteil. Es gibt nur einen Ausweg: Man muß sich einigen mit Faust.

SCOTT: Mit dem Güldenen Haus muß man sich einigen. Die Kaufleute mögen die Aufkaufpreise vorläufig erhöhen und die Prozente für die Schuldrückzahlungen ermäßigen wie auch die Preise für die eingeführten Waren, sogar für Getreide. Ich habe ihnen bereits erklärt, es sei besser, die riesigen Gewinne um ein Fünftel herabzusetzen, als bei einem Aufruhr den Verlust ihrer Warenlager und für Jahre den Handel mit Trotzburg zu riskieren. In einigen Jahren, so habe ich ihnen erläutert, könnte Trotzburg unterdessen seine eigene Handelsflotte haben. Mit dieser

Drohung von der eigenen Flotte hielt Faust sie in Grenzen; wir können dasselbe.

GABRIEL: Mein Freund, Fausts Drohungen waren eine Fata Morgana, immerhin wurde sie ihm sicher eher geglaubt als uns. Der Preis für Getreide ist leicht herabzusetzen! Aber ist das Volk erst einmal der Herr, werden sich die Kaufleute schwerlich retten können, wenn sie vier Fünftel und nicht nur eins nachlassen.

SCOTT: Ich rede mit den Gesellen. Und ich wiederhole: Der Hinweis auf die allgemeine militärische Gefahr, die der Stadt droht, wird nicht ohne Eindruck bleiben. Man muß mit den Kaufleuten gnädig sein, die Meister bei der Stange halten, die Gesellen mitreißen und die Aufrührer, die keiner festen Beschäftigung nachgehen, einfach einsperren. Ich finde leicht einen Vorwand, um den Alten, der sich Aufruhr nennt, und sein Häuflein Zigeuner, Straßenfeger, Badewärter und Ruderknechte in den Turm zu stecken. Hans war mein Schwager, aber als Politiker sage ich, daß sein Tod unsere Aufgabe sehr erleichtert. Die Stadt muß Republik werden, doch darf sie natürlich zu so kritischer Zeit nur wenige regierende Köpfe haben.

GABRIEL: Vielleicht nur einen?

SCOTT: Wir werden uns auf zwei Tribunen einigen ... Hans, das Idol der Gesellen, wäre nun sicher sogar überflüssig.

GABRIEL: Du glaubst wie ein Politiker zu sprechen, Scott. Vermenge nicht Klugheit mit Verschlagenheit, Mannesmut nicht mit Hasard und Ideale nicht mit Ehrgeiz. Laß uns ins Rathaus gehen. Wir werden eine Delegation zu Faust entsenden und ihn bitten, in unserer Stadt der Herrscher zu bleiben. Wir werden seine Macht durch die Kontrolle der Volksversammlung einschränken, und dieser Volkswille soll vor ihm durch zwei Tribunen repräsentiert sein. Alle schwebenden Probleme, von der Bestrafung des Faustulus bis zu den Forderungen des Volkes, werden wir dann ohne größere Mühe lösen. Die Autorität des Herzogs gilt allen sehr viel.

SCOTT: O ja, du und Faust – Ihr würdet euch einigen! ... Er – Autorität, o ja ... Und von der anderen Seite – Nachgiebigkeit und Vorsicht. Und dazu noch Fausts Weite und Gewandtheit ... Oh, ihr beiden würdet ...

GABRIEL: William Scott, hier hast du meine Hand. Man achtet dich für deinen Verstand, für deinen eisernen Willen und deine schöne Rednergabe. Auch ich achte dich. Willst du teilhaben an dem Triumvirat, als einem Übergang zur zunehmenden Regierung des Volkes? Dann wollen wir uns die Hand geben. Dein Plan aber ist für mich nicht annehmbar. Du willst dich auf die Kaufleute stützen, du willst eine dir getreue und von dir bezahlte Bürgerwehr schaffen, du willst Diktator werden – an des Herzogs Statt, das ist dein Plan. Und dagegen werde ich kämpfen. Ich will Faust nicht eintauschen gegen dich. Und Trotzburg wird nicht mit dir gehen, bis auf die Kaufleute vielleicht und die reichen Zünfte, die darin ihre eigne Herrschaft sehen könnten. Du verstehst mich und ich dich. Hand in Hand oder Kampf?

SCOTT: Welch ein Argwohn! Ich bin Republikaner und Demokrat wie du. Und außerdem, wie sollte ich gegen dich gehen können? Hält nicht das ganze Volk dich für seinen Gerechten? Wenn du deine Hand von mir zurückziehst, wer würde sich nicht von mir abwenden?

GABRIEL: Weder ich noch du, noch sogar der große Faust sind hier wichtig. Wichtig ist Trotzburg. Trotzburg muß das Beispiel einer neuen Ordnung zeigen, die große Brüderlichkeit aller, die da arbeiten. Das Ideal ist von großem Maß, die Erfüllung schwer, Zeit und Vorsicht sind vonnöten. Und es wäre ein Verbrechen, wollten wir durch einen Fehler solche Horizonte in Zweifel stellen. Aber, mein Freund, Vorsicht heißt nicht, die Macht über die Stadt an die Oligarchie des Goldes abzutreten. Oder glaubst du, wir hätten nur die Wahl zwischen einem dummen Despoten und dem Goldsack? Dann würde ich kein Zaudern kennen. Gäbe es hier nicht einen dritten Ausweg – so wäre alles besser als die Monarchie. Faust jedoch ist nicht einfach ein Herrscher, er ist kein Kronenträger, sondern ein über die Maßen aufgeklärter, großer und uns liebender Mann. Die Krone ist hier nur ein Hindernis. Seine Macht ist die Macht des Genius. Und hier entsteht die Aufgabe für uns: Wir wollen diese Macht nicht, weil wir die Freiheit wollen. Die Freiheit ist mehr als Faust. Faust jedoch gegen einen Isaac Segal oder einen Justus Peeperschalk, gegen den Rat der dickwanstigen Meister der reichen Zünfte eintauschen – das niemals. Eher wollte ich den Tod. Ein freies Trotzburg – und nichts anderes. Und ich sehe dieses Trotzburg in der Zukunft vor mir, ich sehe, daß auch Faust – ihr Vater – ihrer Befreiung dienen muß.

SCOTT: So sprich du im Rathaus und zum Volk, ich werde schweigen.

GABRIEL: Deine Hand! – *Drückt ihm die Hand, und ein freudiges Lächeln geht über sein Gesicht. Scott bleibt kühl.*

Vorhang.

DRITTES BILD

Platz mit Springbrunnen. Auf der einen Seite das Zunfthaus der Maurer, ein graues Gebäude in spätgotischem arabeskem Stil mit einem Turm in der Mitte. Auf der Gegenseite das Gebäude des Staatsfiskus. Es wird von vier Bürgerwehrleuten in Helmen und mit Arkebusen bewacht. Sie gehen in einem Gewölbegang langsam auf und ab. Das Gebäude wirkt wuchtig und düster, es ist aus dunklem Stein und hat vergitterte Fenster. Im Hintergrund eine gotische Kirche mit Glockenturm. In der Mitte ein großer Springbrunnen, der Fortuna mit dem Füllhorn darstellt, aus diesem sprudelt Wasser, das sich in großem Fächer in ein breites, von allegorischen Bronzefiguren umstandenes Bassin ergießt. Der Springbrunnen befindet sich auf einem großflächigen Sockel, zu dem sieben Granitstufen hinaufführen.
Auf dem Platz wimmelt es von bewaffnetem Volk. Es sind zumeist Gesellen der verschiedensten Zünfte. Dazu eine große Anzahl Frauen, von denen einige Waffen tragen. Kinder laufen in der Menge hin und her. Stimmengewirr, von ferne Trommelschlag, vom Glockenturm anhaltendes Sturmgeläut. Den Springbrunnensockel besteigt der Stadtherold – in schwarzem Gewand, auf der Brust das Wappen Trotzburgs, das eine stilisierte Woge darstellt, die sich an einem Turm bricht.

HEROLD: Ruhe! Ruhe!

Scott besteigt die Tribüne und gibt mit dem Hut ein Zeichen. Vier Maurer tragen auf einer Bahre den in einen schwarzen Mantel gehüllten Leichnam des langen Hans zur Treppe, stellen die Bahre quer zu den Stufen und ziehen die Kapuze vom Kopf des Toten. Das blutige Haupt wird sichtbar. Bewegung in der Menge, Lärm, dann Totenstille.

SCOTT *laut:* Bürger von Trotzburg, mächtige Zünfte, die ihr dieses Land dem Meer entrissen und in einem Vierteljahrhundert diese Stadt erbaut habt – der Welt zum Staunen. Der Sohn des Herzogs dieses Landes – Prinz Faustulus – hat in der Nacht die Schwester unseres Freundes Hans geraubt, die Tochter des alten Meisters Wahrhaft, desselben Mannes, der die ersten Steine zu unserer Kirche und zu unserem Rathaus gelegt hat. Als das Mädchen entfloh, folgte ihr der Prinz mit seinen gedungenen Totschlägern und ermordete den Bruder, der seine Schwester verteidigte. – *Starke Bewegung in der Menge, dann wieder Stille.* – Wir werden Gericht fordern über den Mörder. Aber wer sollen seine Richter sein? Sein Freund und Verführer, der ungeheuerliche Alguacil, der Fluch und Schande dieses Landes ist? Oder sein Günstling – der Richter van der Gogh, dümmlicher Pedant und treuer Hund jedes Mächtigen? ... Oder der Herzog? Aber ist er nicht sein Vater? Überall rühmt man unsere Ordnung und das Leben in unserer Stadt. Besser ist es als bei den Nachbarn – doch wieviel Unrecht bleibt ungesühnt! Wieviel Bedrückung knechtet uns noch! Wir ehren den Herzog, doch fordern auch wir Achtung! Er hat Trotzburg gebaut – aber wir mit ihm! Wir und er sind zum wenigsten gleich, er aber hält uns unter der Vormundschaft seiner Kreaturen, als seien wir ohne Verstand. – *Allgemein beifälliges Gemurmel.* – Faust ist weise, aber auch die Zünfte sind weise! Und sie wollen ebenso berühmt, frei und reich sein wie er. Wie oft war davon schon die Rede. Wie oft haben sich die Zünfte schon dafür verwandt, allen Leuten der Arbeit, den Schöpfern des Landes und der Stadt, zwei Tribunen zu wählen, Mitregierende des Herzogs, die der Volksversammlung strenge Rechenschaft schuldig wären. Wir haben diesen Wunsch lange und in Liebe gehegt, die Stadt trägt ihn unter ihrem Herzen wie eine Mutter ihr Kind... Aber man läßt unser Kind nicht zur Welt kommen. Der Herzog will Alleinherrscher sein. Doch wir sind erwachsen geworden, wir kennen unsere Rechte, wir kennen auch unsere Kräfte, und wir erklären – wir, das große Trotzburg –, daß wir nach den jüngsten Vorgängen diesen Zustand nicht mehr dulden können.

Stürmische Erregung geht durch die Menge.

RUFE: Hoch Trotzburg! Es lebe das arbeitsame Trotzburg!

Fahnen werden geschwenkt, Trommelwirbel und Hörnerklang.

HEROLD: Ruhe! Ruhe!

HOUNT *stellt sich fast neben Scott:* Höre, großes Volk, deine Morgenröte bricht an!

Bewegte Begeisterung in der Menge.

Scott: Wenn es uns bitter ist unter ihm, der weise und gut ist, wie wird es uns unter seinem Nachfolger ergehen? Seht ihr nicht, daß der Alguacil für uns Ketten und Knechtschaft bereithält?

RUFE: Nieder mit ihm! Er ist ein Satan – wir alle wissen es. Nieder mit Baron Mephisto!

Gellende Pfiffe von verschiedenen Seiten.

SCOTT: Bürger, zögern wir nicht länger, wählen wir unverzüglich die beiden Tribunen, entsenden wir sie zu Herzog Faust als Gleiche zu einem Gleichen, damit sie mit ihm über unsere Not und über unsere Ehre reden. Das große Trotzburg wird durch ihren Mund mit seinem ersten Bürger sprechen, nicht aber ein Sklave mit seinem Herrn.

RUFE: Ja, jawohl! Bravo, William Scott! Ein Hoch den Tribunen!

SCOTT: Bürger, die Meisterversammlung im Rathaus hat schon Rat gehalten. Der von euch allen geachtete Meister der Freimaurer, Gabriel van Bond, hat dort gesprochen. Die Meister schlagen euch vor, den Meister Gabriel und den Meister William Scott zu Tribunen zu wählen. Seid ihr mit diesen Personen einverstanden?

RUFE: Ja, ja ... Es lebe Scott! Es lebe van der Bond!

Lang anhaltende Rufe.

SCOTT: Sind alle mit diesen Namen einverstanden – William Scott und Gabriel van der Bond, die Freimaurer?

Lebhafte Zustimmung.

RUFE: Ja, alle, alle ...

Trompetenschall und Trommelwirbel.

AUFRUHR *drängt sich nach vorn und bleibt auf der untersten Stufe zum Springbrunnen stehen:* Gebt mir das Wort.

SCOTT: Bist du Bürger dieser Stadt?

AUFRUHR: Bürger der Welt bin ich. Gebt mir das Wort! – *Steigt zwei Stufen höher.* – Trotzburg, Stadt meines Herzens, Menschen, die ihr mir lieb seid, Erwachte, handelt rasch, ohne Zögern und ohne Erbarmen! Noch ist es Morgen. Möge bis zum Mittag nicht ein Reicher und nicht ein einziger Dickwanst mehr mit heiler Kehle unter euch sein. Tragt ihren Plunder auf diesem Platz zusammen, ihre errafften Goldhaufen, und diese beiden mögen es an euch aufteilen ... Faustulus nehmt gefangen und gebt ihn mir ... Ich werde euch einen Spaß machen mit ihm! Den Alten aber setzt verkehrt herum auf einen Esel und laßt ihn davonreiten, daß er sich andere Dummköpfe als Lakaien suche ...

Murren in der Menge. Hier und da Bewegung, die sich ungleichmäßig ausbreitet. Die Einhelligkeit ist gestört.

SCOTT *entschlossen:* Genug damit! Gesellen, Mitbürger, wir haben keine Zeit, uns das boshafte Geschwätz dieses kindisch gewordenen Alten anzuhören.

AUFRUHR *verstört:* Wie – was soll das?

SCOTT: Geh, Alter, geh ... Wir müssen unsere Sache gut machen, nicht sie verderben ... Niemand hier will dich hören. Wir sind nicht Tiere, die sich von der Kette losreißen, sondern Menschen, die stolz und kühn sich die Freiheit zu eigen machen.

Zustimmendes Gemurmel. Die Wogen des Einverständnisses beginnen am Springbrunnen und laufen von da aus über den ganzen Platz.

AUFRUHR *fassungslos:* Was sind das für Töne?

Gabriel betritt den Sockel, nimmt Aufruhr behutsam bei den Schultern und führt ihn die Treppe herunter.

NEID *steht in den vorderen Reihen, schwenkt ihre Lumpen, schreit:* Leute, hört ... Seht zu, daß diese Schlaufüchse dem Volk das Glück nicht entreißen. Da einmal die Stunde der Freiheit geschlagen hat und das Soldatenpack sich noch schwach zeigt, nehme jeder, was er kann, von diesen Reichen. Und was er hat, ist sein! Schwestern und Brüder, ist es nicht so, wie ich sage?

GABRIEL *ruhig:* Stör uns nicht, Alte, stör uns nicht ... Führ sie beiseite, Pieter.

SCOTT: Bürger, geht alle in die Zünfte! Bleibt unter Waffen! Das militärische Kommando übernehme ich. Freunde und Gefährten, heute gehorcht ihr der von euch gewählten Macht, morgen werdet ihr selbst ihr Befehlshaber sein und ihr den Kopf abschlagen können, wenn wir es nicht anders verdienen.

Laute Zustimmung, dann klingt die Erregung ab. Feierliche Entschlossenheit. Alles geht ohne überflüssigen Lärm vor sich, als verstünde sich das, was geschieht, von selbst. Überall ernste Gesichter, zusammengezogene Brauen und Hände, die ihre Waffen fest umklammern.

HOUNT: Höre, Volk! – *Schlägt die Trommel und deklamiert dann laut:*

Erwacht ist eine Herrscherstadt,
ein Riese majestätisch:
die Große Trotzburg wuchs am Morgen
aus Ebenen empor.

Vor ihr die Woge bös entfloh,
die von Geburt ihr Schöpfer
und die sich auf dem Meeresgrund
ihr Zauberschloß erbaut.

Die Freiheit wünscht der Riese sich
mit Tausenden von Köpfen,
in jedem Herz ist er allein
geborn auf Ewigkeit!

Er spricht zum Herzog: Heinrich,
mein erster Bürger du,
geh unter Gleichen nun voran,
doch König bin nur ich!

Nur ich in allen atme, ich
in allen schaff und sing,
hörst du mein Lachen donnergleich,
und fühlst du meine Macht?

Vollbracht ist seltsam fremder Traum,
ein Riese kam zur Welt!
Groß-Trotzburg schuf sich ihren Thron
in dieses Landes Grenzen.

Kling lauter, lauter, meine Stimm,
hör zu, ich bin wie trunken
vom Zauber deines Morgenrots,
Groß-Trotzburg, Riese du!

Zu den Waffen, Bürger. Entweder er wird heute geboren, euer flammender, in allen lebendiger, ewiger und siegreicher Riese, oder es verweht ein heiliger, bezaubernder und furchtbarer Traum. Stadt, o Stadt, Ruhm sei dir! Es schlägt zu deinen Ehren der Trommler Gunter Hount.

Schlägt mit aller Kraft die Trommel. Von allen Seiten antwortet ihm Trommelschlag. Ein machtvoller Stimmenchor fällt ein.

Erwacht ist eine Herrscherstadt,
ein Riese majestätisch:
die Große Trotzburg wuchs am Morgen
aus Ebenen empor.

Die Gesichter werden hell, rhythmische Wellen der Erregung laufen über das Meer der Köpfe, aller Augen sehen bewegt geradeaus; manche Bürger umarmen sich. Die Trommeln dröhnen, der Gesang wird immer einmütiger.

Vorhang.

Orangerie in Fausts Palast. Zahlreiche Apfelsinenbäume und Palmen. Ein warmer sommerlicher Mittag. Die breiten Fenster sind geöffnet. Ein großer Kakadu und zwei bunte Papageien schaukeln schreiend auf ihren Trapezen. Daneben andere südliche Vögel. Unter Palmen eine halbrunde Marmorbank in antikem Stil. Faust sitzt in langem, mit einer Goldkordel umgürteten Samtrock auf der Bank und liest, indem er wegen seiner Weitsichtigkeit das kostbar in Leder gebundene Büchlein weitab hält. Zu seinen Füßen liegt ein schöner schneeweißer Windhund.
Faustina tritt auf. Sie trägt ein weites weißes Gewand, ihr Haar ist offen und nur von einem leichten Perlennetz zusammengehalten. Sie bringt auf silbernem Tablett einen goldenen Becher mit kühlem Trunk.

FAUST: Hör dir das an, Töchterchen:
„Ed era il cielo all'armonia sì intento
Che non se vedea in ramo mover foglia
Tanta dolcezza avea pien l'aere e'l vento."
„So lauschte der Himmel hingegeben der Worte Harmonie von seiner Liebsten, daß nicht ein Blättchen auf allen Zweigen sich rührte. So viel Wonne erfüllte die Luft und den Hauch des Windes." – *Trinkt aus dem Becher.* – Siehst du, da ich dich verheirate, bin ich zu meinem Petrarca zurückgekehrt. Denn auch ich habe geliebt. – *Schweigt einen Augenblick.* – Obwohl ich, als ich liebte, keinen Petrarca las. Ja nicht einmal Gedichte schrieb. Die Leidenschaft brodelte und wollte überschäumend sich in schöne Formen nicht fügen ... Komm, setz dich zu mir, du meine Jugend ... – *Faustina setzt sich.* – Nun aber, in diesem zauberhaften Sommer und inmitten der pappelbewachsenen Täler, im Park des Falkenturms mit seinen Springbrunnen, in dem Schloßgarten mit seinen Statuen, hier, in den Zauberhainen des fernen heißen Südens, träume ich von der Liebe wie von einem fernen, längst verlassenen Ufer. Nicht um meinetwillen, natürlich ... Nach des Gedankens Mühen über Plänen und Zeichnungen, nach

harter, zäher Arbeit an meinem eisernen Menschen, sowie ich nur Lust verspüre zu entspannen, denke ich an dich, an deine Jugend und deine Schönheit, an die so neuen reichen Empfindungen, die dich erwarten – und Petrarcas schwelgende Strophen kommen mir ins Gedächtnis, steigen aus den Tiefen seiner Schatzkammer wieder auf ... Mit dir zusammen erlebe ich wie in sanftem Traum noch einmal die Liebe, und ich hoffe, mit deinen Kindern in ebensolchem goldenen Lichtgewand die glücklichste Zeit unseres Daseins von neuem zu erleben – die bezaubernde Kindheit. – *Streicht über ihren gesenkten Kopf.* – Aber was hast du, Faustina? Du siehst gar nicht aus, als liebtest du. Nein, ich lese Kummer in deinen blauen Augen. Du weißt doch aber, daß wir zusammen bleiben? Graf Stern hat sich hier, in meinem Schloß, niedergelassen. Als unermüdlicher Bauherr werde ich große Umbauten vornehmen. Ich werde euch ein zauberhaftes Nestchen neben meiner Wohnstatt schaffen. Wir werden uns nicht trennen. – *Pause.* – Noch eine Weile in diesem Frieden ... Dann will ich wieder in die Werkstatt ... Oh, mein eiserner Mensch! Ich glaube, ich habe eine Seele für dich gefunden. – *Schließt die Augen und lehnt den Kopf an die hohe Marmorlehne der Bank. Faustina sieht ihn unter Tränen an und küßt ihm plötzlich heftig Stirn und Hand. Faust öffnet lächelnd die Augen.*

FAUSTINA: O mein Vater, großer Faust!

FAUST: Töchterchen, was ich bisher getan habe, ist noch nicht viel ... Wozu den Chor der Schmeichler wiederholen: großer Faust! Ich muß, hörst du, ich muß bis zu meinem Tod noch einen Schritt nach vorn tun. Glaub mir, Töchterchen, ich habe oft sehr zu leiden.

FAUSTINA: Vater!

FAUST: Doch, doch ... Ich habe oft zu leiden. Ich habe viel gebaut, ich baue noch und ich werde weiter bauen ... und ich sorge mich darum, daß die Menschen, die mir helfen und die den undankbarsten und schwersten Teil der Arbeit auf ihren Schultern tragen, immerhin mehr oder weniger zufrieden sind ... Und dennoch sind sie so arm ... und so ausgezehrt ... und altern so schnell. Ich habe den Arbeitstag verkürzt – keiner arbeitet mehr als neun Stunden, da ich eine Ablösung eingeführt habe. Aber auch das ist schwer. Ich bezahle gut, aber kann ich ihnen Reichtum verschaffen? Können sie davon reisen oder ihren Verstand an Literatur und Kunst entwickeln, können sie ihre Kinder erziehen, wie ich dich erzogen habe? Kann ich ihnen all die tausend Dinge geben, die man Überfluß heißt? Und dabei ist der Überfluß erst die Luft für den wirklichen Menschen. Nichts von alledem kann ich! Dazu müßte man mit Gewalt oder mit alchemistischem Gold die ganze Welt zwingen, mit dem Tribut ihrer Arbeit meine Stadt zu unterhalten ... Oder wir müßten unsere Arbeitsleistung um vieles erhöhen, um aus eigenen Kräften hundertmal mehr zu erzeugen. Wir sind arm, Faustina, arm sind wir ... Wir Menschen müssen zuviel arbeiten, rohe, grobe Sklavenarbeit tun, obwohl doch jeder Mensch dazu geschaffen ist, ein Schöpfer zu sein, Meister seines Faches und Herr über sich selbst. Dieses Rauhbein Niklas, dieser Seewolf mit einem Marmorherzen, schlägt vor, unser Glück auf den gekrümmten Rücken schwarzer Menschen zu bauen. Stelle dir vor, wir lebten in lichten, schaffensfroh stimmenden Palästen, umgeben vom Glanz aller Geistesgaben, und du stiegst dann auf langer Treppe in Kellergewölbe hinab und kämst in eine Hölle, wo Menschen zähneknirschend die Befehle anderer ausführen und dahinsterben, weil ihre Muskeln erschöpft, ihre Knochen gebrochen, ihre Sehnen gezerrt, weil sie zerrieben sind am Widerstand der Materie ... Furchtbar! Nicht einmal Tiere, nein, auch Tiere will ich nicht für ewig in solchen Kellern haben, Faustina. Man nennt mich grausam ... Doch, doch ... Ich weiß es, man nennt mich grausam, nimm nur das Trockenlegen der Sümpfe, wo Fieber die Menschen dahinrafft. Und doch habe ich ein weiches Herz. Oft träume ich von einem kleinen Esel als einem Märtyrer, von einem geduldigen Eselchen, das in trostlosem Dasein unter erdrückender Last einem frühen Alter entgegengeht. Das Eselchen blickt mich in stummem Vorwurf an ... „Jegliches Wesen dürstet nach Erlösung", hat der Weise von Tarsos gesagt. Indessen wäre meine Schwäche gleich der Schmach, und mein Wikinger Niklas, ein Mann aus Feuer und Eis wie das Nordlicht, dürfte meiner spotten, hätten mich meine Leiden nicht zur schaffenden Tat getrieben. Und nun, Töchterchen, habe ich mich entschlossen, eiserne Menschen zu bauen! Eiserne, die nicht leben, aber die lebendig arbeiten. Ich bin durchaus bei

Sinnen, bin auch kein Zauberer, wie Dummköpfe munkeln. Schon habe ich den Körper meines eisernen Knechts fertig, nur die Seele, das bewegende Element macht mir noch Kopfzerbrechen ... Und du sollst wissen, daß ich gerade höchst festliche Tage erlebe: Ich habe eine Seele gefunden. Der Dampf wird seine Seele sein! Ha-ha-ha ... Du denkst, ich habe den Verstand verloren, nicht wahr, mein Kind? Doch, doch! Wasser dehnt sich unter der Wirkung von Feuer aus, und sobald ... – *Steht mit glänzenden Augen auf und gestikuliert lebhaft.*

MEPHISTO *eintretend:* Hier also finde ich Eure Hoheit. Man sucht Euch, Herzog. Die Stadt ist in Aufruhr. Bewaffnete Banden haben schon den Staatsschatz, die Waffenmagazine wie die Kanonen der Engelsburg an sich gebracht – kurzum alles, was sie zu solchem Falle brauchen. Bevor Ihr mir befehlt, die Landsknechte gegen sie zu führen und die ganze Teufelsbrut zu zerschlagen, müßt Ihr, Eurem Ruhm als Humanist getreu, die Anführer zu überreden suchen, den Unfug zu lassen. Indessen sind sie schon selber erschienen, um Euch zu überzeugen, daß Ihr der Macht entsagen müßtet.

FAUST: Welch ein Unsinn, welch ein Gefasel!

MEPHISTO: Da sind sie!

Der Sekretär geleitet Gabriel und Scott herein.

SEKRETÄR: Der Anordnung Eurer Hoheit zufolge bringe ich diese Leute zu Euch, da die Angelegenheit keinen Aufschub duldet.

FAUST: Geht ihr alle, laßt mich mit ihnen allein. – *Alle außer Faust und den beiden Tribunen ab. Faust mit drohender Stimme:* Ihr habt einen Aufruhr angezettelt?

GABRIEL *ruhig:* Ich hoffe, Ihr hört uns an, wir werden uns kurz fassen.

FAUST *setzt sich:* So redet.

GABRIEL: Gestern hat Euer Sohn, als er das von ihm geraubte und ihm entflohene Mädchen verfolgte, den Hans Wahrhaft getötet, den Bruder erschlagen.

FAUST *aufspringend:* Ihr sprecht die Wahrheit? Dann – geht und sagt dem Volk, es möge Ruhe bewahren. Der Mörder wird seine Strafe finden. Hört ihr?! Faust verspricht euch das. Ich weiß Gerechtigkeit zu üben und auch der Richter meiner Kinder zu sein! Er wird bestraft werden, selbst wenn ich mir das rechte Auge aus dem Kopfe reißen müßte, wie ich mir Faustulus aus dem Herzen reiße!

GABRIEL: Das ist nicht alles, Herzog, hört uns zu Ende. Versteht doch endlich, Herzog, Ihr, der klügste Mensch dieser Erde: Trotzburg ist groß geworden und will frei sein. Es will nicht länger einen Patron, Beschützer oder Herren haben. Es will in Euch nur seinen ersten Bürger, seinen Konsul sehen. Bleibt bei dem Herzogtitel, wenn es Euch gefällt, aber die Stadt besteht darauf, daß Ihr zwei Tribunen als Ratgeber anerkennt, die vor dem Volk verantwortlich sein sollen. Ihr seht sie vor Euch. Ich beschwöre Euch, Herzog, laßt nicht den Zorn die hellen Augen Eures Genius verdunkeln. Wir werden bescheiden sein, Herzog. Wir werden Euch treue Mitarbeiter sein. Wir kennen den Abstand, der uns von Euch trennt. Nicht weil Ihr Herzog seid – das ist Schall und Rauch, nicht mehr –, sondern weil Ihr Heinrich Faust seid und wir bescheidene, einfache Arbeitsleute sind. Aber dem Volke stehen wir näher, und Euer Werk gedeiht unendlich besser mit uns als mit jenem Ungeheuer Mephisto, diesem Alguacil, den Ihr zwischen Euch und das Volk gestellt habt.

FAUST: Gabriel, William, was könnt ihr mir für Ratschläge geben? Ihr seid Kinder, noch seid ihr geistig nicht geboren ... Aber gut, ich mache euch zu meinen Ratgebern, doch wird es eine Farce werden, an die ich meine kostbare Zeit verschwende.

SCOTT: O nein, Herzog, Ihr müßt vor dem Volk einen Eid ablegen, daß Ihr nichts unternehmt, wogegen wir beide unser einmütiges Veto einlegen, und daß Ihr alles tut, worauf wir gemeinsam bestehen.

FAUST: So ist das also? Mit anderen Worten – regieren werdet ihr?

GABRIEL: Zieht keine voreiligen Schlüsse, Herzog, bitte. Ich wiederhole, daß wir unseren Platz kennen.

FAUST: Nein, nein und nochmals nein! Das ist kindischer Vorwitz, die Wurzel neuer Unordnung und neuer Mißverständnisse. Nein, sage ich. Das Volk soll sich beruhigen und an seine Arbeit gehen. Hört ihr, meine Antwort ist nein. Und Ungehorsam werde ich mit Gewalt beikommen.

GABRIEL: Bedenkt es gut, Herzog! Eure Worte bergen großes Unheil.

SCOTT: Ihr wollt Gewalt anwenden? Ihr findet uns gleichfalls dazu bereit. Wir weichen nicht zurück. Ihr wollt Blut? So soll es fließen.

FAUST: Und auf eure Häupter kommen.

SCOTT: Und wenn! Wir gehen mit Stolz im Purpur unseres für die Freiheit vergossenen Blutes in die Geschichte ein. Es wird das Brandmal auf der Stirn des Tyrannen sein.

FAUST: Ihr Dummköpfe, ich werde euch vernichten, ich werde diese ganze Stadt wie einen Ameisenhaufen zerstören und mir eine andere aufbauen.

SCOTT: Trotzburg wird frei sein oder fallen!

FAUST *geht beiseite, bleibt nachdenklich stehen:* Ich muß es gut bedenken. Blut ist wider meinen Sinn. – *Preßt die Hand an den Kopf.* – Soll ich das Experiment wagen? ... Sie werden es schon einsehen ... Und ich werde ihre Fehler hernach korrigieren. Ich brauche ohnehin jetzt alle Kraft für den eisernen Menschen. – *Kehrt zu den beiden zurück. Laut:* Tribunen der Plebejer! Sei es gewagt. Mit euch gemeinsam regieren will und kann ich nicht. Wählt: Entweder ich bin der alleinige Herrscher von Wellentrotz und Trotzburg oder ihr regiert ohne mich. Ich werde mich in fremde Gefilde begeben, um neues Leben zu schaffen. Ich werde nicht arm, wenn ich dies Herzogtum verliere. Ihr aber seht, daß ihr nicht Bettler werdet, da ihr mich verloren habt.

GABRIEL: Ihr solltet darauf nicht bestehen – die Wahl ist schwer.

SCOTT: Doch längst getroffen. Lieber die Freiheit, mit allen ihren Gefahren, als den weisesten aller Herrn!

FAUST: Du bist dir sicher, junger Schotte, daß du das Volk auf deiner Seite hast?

SCOTT: In diesem Augenblicke – ja. Und sollte das Volk später reuig werden, so mag es Eure huldvolle Rückkehr erbitten und Euch unsere Köpfe zum Geschenk bringen.

FAUST *erheitert:* Gabriel, da hast du einen entschlossenen Mann, gib auf ihn acht. Denn du bist unscheinbar wie jeder ehrliche Demokrat, der aber hier sprüht schon ganz hübsch.

GABRIEL: In ihm versammeln sich in diesem Augenblick die ganze Wärme und alles Licht, das Trotzburg strahlt!

FAUST: So übernehmt die Herrschaft. – *Die Tribunen verneigen sich. Da wird die Tür aufgerissen, und wie ein aufgeplusterter Pfau kommt Faustulus hereinstolziert, hinter ihm Mephisto, düster und verärgert.* – Du ... du Verbrecher! Du hast die Frechheit, mir unter die Augen zu treten?!

FAUSTULUS: Nicht ich bin der Verbrecher, sondern Ihr, mein Vater.

FAUST: Du Mörder des armen Hans, dieses starken und begabten ...

FAUSTULUS: Ich schwöre beim allmächtigen Schöpfer, ich habe ihn versehentlich getötet und in verbriefter Notwehr – und wer es anders bezeugt, ist ein Lügner und meineidiger Schuft. Doch Ihr, reden wir von Euch! Ihr habt es gewagt, die Krone diesem Bürgerpack abzutreten, eine Krone, die Euch nicht gehört! Nie und nimmer hätte der Kaiser Euch zum Herzog dieser blühenden Lande gemacht, hätte er nicht gleichzeitig die Heirat mit meiner Mutter zuwege gebracht, der Infantin Elvira, denn niemand konnte größeres Recht auf dieser Erde haben als das Königshaus des großmächtigen Spanien. Ihr herrscht über das Land, solange Ihr lebt, aber ich als Nachfolger und Ahnherr des künftigen herzoglichen Geschlechtes, das gewiß einst ein königliches sein wird, sage Euch: Ich schwöre bei Gott, daß nicht ein Herrscher in nah und fern zögern wird, mir Hilfe gegen Eure Entscheidung zu bringen, da Ihr Europa ein verderbliches Beispiel bietet. Nehmt Eure Entscheidung zurück – ich fordere es!

FAUST: Ein Faust nimmt sein Versprechen nicht zurück, Prinz.

FAUSTULUS *außer sich:* So hört mich an, Vater: Es gibt auf der Welt auch den heiligen Aufruhr, und so wird dieser sein, den ich gegen Euch unternehme! Die Stimme des Himmels und das Vermächtnis altehrwürdiger Ordnungen rufen mich! Niemand wird mich verurteilen können! Ich werde mich an die Spitze eines Heeres stellen und mir die von Euch aufgegebene Stadt unterwerfen. Ich schwöre das bei der Muttergottes und dem Heiligen Jakob, Spaniens Patron!

FAUST: Du solltest mehr Ruhe zeigen ... Du speist wie ein Vulkan.

FAUSTULUS: Ahnen und Enkel suchen durch mich Verkündigung!

MEPHISTO *mit giftigem Lächeln:* Auch er ist nun ein Element, Eure Hoheit.

FAUST *zu Gabriel:* Siehst du, mein hochgesinnter Gracchus, wie oft habt ihr mich der Menschenopfer geziehen, die das Trocknen der Sümpfe, der Ausstich der Kanäle und der Wegebau forderten... Jetzt willst du mit deinen Freunden – Träumern, dem Harmodios und dem Thrasybulos verwandten Patrioten – etwas Größeres, wie ich glaube, Chimärisches, bauen, aber hab acht, auch dieser Versuch wird Blut kosten, wie du die Sache auch wendest. Doch immer, wenn ich unseren Mitmenschen und Bruder opferte, habe ich auch etwas errichtet. Wirst auch du etwas errichten, großer Stoiker?

GABRIEL: Eure Absage, nach vereinbarten Grundsätzen mit uns zu regieren, wird gewaltige Schwierigkeiten nach sich ziehen...

SCOTT *ungeduldig:* Die Stadt ist herangewachsen! Sie wird alle Feinde niederringen. Der Herzog kann seinen Herolden befehlen, in der Stadt, in allen Burgen, Dörfern und Siedlungen von Wellentrotz auszurufen und bekanntzugeben, daß er dem Thron entsagt hat. Mehr fordern wir nicht. Trotzburg wird nie die Herrschaft des Faustulus anerkennen.

FAUSTULUS: Sie wird es, frecher Maurer! Meinen eisernen Schuh werde ich auf euren Kopf setzen!

Scott zuckt die Achseln.

FAUST *setzt sich auf die Bank:* Mir wird traurig zumute, sehr traurig... So will also das Leben seinen zornigen Gang gehen und fordert, daß ich mich beiseite halte. Und doch strauchelt es sichtlich über unwegsames Gefilde, über Dornen und Steine... Wie traurig. Erwachsen seid ihr also geworden, meine Kinder: du, mein Sohn Faustulus, und du, mein Sohn Trotzburg. Und ihr wollt aufteilen, ohne den alten Vater anzuhören? Gut, mag es so sein. Ich wasche meine Hände in Unschuld. – *Mit resignierter Gebärde:* Nicht wie Pilatus, der das Lamm der Hinrichtung überantwortete, denn das schwöre ich: Keiner von euch ist diesem Lamme gleich. Ihr seid erwachsen, seid zum Manne geworden. Es ist zum Lachen, aber es sei! Ich gräme mich euretwillen, um des Blutes willen, das vergossen werden wird, um der Kräfte willen, die sinnlos vertan werden. Aber ihr wollt es nicht anders. Und darum geschehe es. Gehe das Leben seinen zornigen Gang, wohin es immer will – ich werde ihm den Weg nicht verstellen, meine verlorenen Söhne! Dennoch frage ich dich ein letztes Mal, Gabriel, dich, der du klug und noch bei deinen Träumen ein Mann des Bejahens bist, ich frage dich zum letztenmal – wähle: Entweder bleibe ich wie bisher der alleinige Herrscher über das Schicksal der Stadt und des ganzen Landes, oder die Herolde greifen zu den Trompeten und verkünden, daß Heinrich Faust dem Thron entsagt hat, ohne einen Nachfolger zu bestimmen.

GABRIEL: Wenn das die Wahl ist, Herzog, so sage ich zwar bekümmerten Herzens und mit Befangenheit in der Brust, aber auch mit dem Glauben an mein Volk und mit Zuversicht auf den Triumph der Wahrheit: Wir wählen den zweiten Weg!

SCOTT *erleichtert:* Ah!

FAUST: Faustulus, mein Sohn, dich frage ich: Willst du deinem Vater gehorchen und dich auf eine lange Jahre währende Reise um die Welt begeben, um zu lernen und seelisch zu wachsen? Ich gebe dir mein Wort, daß ich alles tun will, um dich glücklich zu sehen. Oder willst du um die Herzogskrone kämpfen, der ich entsagt habe, und Blut vergießen?

FAUSTULUS *hysterisch:* Ich gebe die Krone nicht her! Nein, nein, nein ...

FAUST: Ihr habt gewählt. Von der Höhe des Falkenturms werde ich dieser frevelhaften Komödie zuschauen. Bitter ist meinem Herzen dieser kindische Streit. Doch ihr müßt eure Lehre durchlaufen! So lernt am Geschehen, wenn ihr mein Wort mißachtet. Die Herolde werden es verkünden. Dir, Faustulus, lege ich keine Hindernisse in den Weg. Und ihr, Tribunen der Plebejer, werdet doch nicht verlangen, daß ich, der euch alles abgetreten hat, euch noch die Steine aus dem Wege räume.

SCOTT: Wir sagen Euch im Namen der Stadt unseren Dank. Der Kampf gegen Euch, den großen Mann, hätte für uns wohl den Untergang bedeutet. Der Kampf gegen andere schreckt uns nicht.

FAUSTULUS: Wir werden sehen, ob du auf dem Schlachtfeld noch immer so singst.

FAUST: Und Ihr, Baron Mephisto, geht mit mir?

FAUSTULUS: Er steht zu mir.

MEPHISTO: Ich bleibe bei dem Prinzen, Eure Hoheit.

FAUST: Ah, so ... Nun denn ... Wessen Stolz auch immer brechen wird, ich werde recht behalten, ihr unglücklichen hochfahrenden Kinder. Noch heute gehe ich in meinen Falkenturm. Er ist mein. Und alle Leiden über den, der es versucht, mich dort anzutasten. – *Gabriel verneigt sich. Faust mit majestätischer Gebärde:* Und nun geht, arme Kinder. Auch du kannst gehen, Faustulus, und Ihr, Baron. – *Alle verneigen sich und gehen ab. Faust allein.* – Welch Wohlgeruch ringsum ... und die Menschen, die es ohnedies nicht leicht haben auf dieser Erde, rüsten zu wahnwitzigem Kampf. Doch ich sehe, daß Worte bei ihnen nicht fruchten. Eiserne Moira, vorerst hast du gesiegt ... Nimm sie in deine Lehre, wecke ihre Vernunft und führe mir meine verirrten Kinder auf schweren Wegen wieder zu ... Es ist bitter ... Doch noch bleiben mir drei Kostbarkeiten, die mich aufrecht halten: meine schöne Faustina, mein eiserner Mensch und der Glaube, daß sie alle zu mir kommen werden. An die Arbeit denn, Faust. Harre deiner Stunde und schaffe an deinem Werk.

Faust langsam ab. Aus der gegenüberliegenden Tür tritt Mephisto und schleicht ihm nach. Er bleibt an der Tür zu Fausts Arbeitszimmer, durch die dieser abgegangen ist, stehen und blickt hinter ihm her.

MEPHISTO: So also hast du das Spiel gewendet? Du wirst es verlieren ... Dieser Faust ist eine rechte Wunderkiste ... Aber wieviel Zauberstücke du auch verborgen hältst – ich schwöre es bei meiner Mutter, du wirst verlieren. Schon bist du auf ein Inselchen zurückgedrängt, ringsum von stürmischen Wellen umgeben. Alles wirst du verlieren! Kann es noch Zweifel geben, wer bei unserem Kampf gewinnt? – *Der Kakadu schreit laut: „Faust, Faust, Faust." Mephisto droht ihm mit dem Finger.* – Dummer Vogel.

Vorhang.

Ein kleines Zimmer im Bischofspalast. Von der Decke hängt eine blaue Lampe herab, die ihr mildes Licht ausbreitet. Seitlich, rechts und links, stehen Sessel und Diwans, in einer Ecke steht eine Statue von solcher Schönheit, daß schwerlich zu sagen ist, ob sie die Madonna oder Hera darstellt. Davor flackern drei Heiligenlämpchen. Mitten im Zimmer, unter der Lampe, steht ein runder mit einem kostbaren Tuch gedeckter Tisch, auf dem sich silberne Schüsseln mit den Resten eines üppigen abendlichen Mahls befinden. Bunte Gläser und verschiedene Karaffen und Flaschen mit Wein. In Sesseln sitzen, zurückgelehnt, behaglich ihren Wein trinkend, Bischof Wilfried, Richter Jan van der Gogh und Baron Mephisto. Der Bischof in violetter Seidensoutane, ein türkisbesetztes goldenes Kreuz auf der Brust, auf dem weißen Haar ein violettes Käppchen. Hände und Gesicht sind blaß und aristokratisch, an den rundlichen Fingern stecken zahlreiche Ringe, die Lippen glänzen vom Wein, die Wangen haben einen rosigen Hauch, die starke Nase erweckt einen wohlmeinenden Eindruck, die Augen blicken freundlich. Er ist zwar sehr füllig, aber wohlproportioniert. Der Richter ist ein hagerer Mann, in einem Talar aus schwarzem Atlas. Der vorn schon kahle Schädel ist am Hinterkopf von langem, schütterem Haar bewachsen. Der Richter trägt eine Kette. Die bräunlichen Hände haben langgliedrige Finger. Das Gesicht ist gelbgrün. Die einfältig blickenden Augen haben großes Augenweiß, die Brauen sind wie in ständiger Verwunderung nach oben gezogen.

BISCHOF *Wein trinkend:* Ihr habt mich vollauf beruhigt, mein lieber Baron. Und Euer Rat dünkt mir der Gipfel der Verständigkeit. Vorläufig also keinerlei Lebenszeichen von uns. Und sie – *mit Nachdruck* – werden es ihrerseits natürlich nicht wagen, uns anzutasten. Vor allem mich nicht, den Diener des Altars, den die ganze Heiligkeit der römischen Kirche schützt. Sobald der Prinz mit einer starken Armee zurück ist, werden wir uns zu ihm begeben und allen kund und wissen tun, daß Faustulus der legitime Nachfolger des Thrones ist – ich in einem Hirtenschreiben und van Gogh in einem Gerichtsentscheid – und daß die Aufrührer sich einer strengen Untersuchung und strenger Strafe schuldig gemacht haben – auf Erden wie im jenseitigen Leben. Vorderhand aber – Ruhe... Ach, ich liebe überhaupt nichts so sehr wie die Ruhe, denn seht, Freunde, der Mensch ist nichts anderes als sein Magen. Ist dieser Magen verstimmt, so habt ihr einen Pessimisten vor euch, arbeitet er jedoch nach Gebühr, so trefft ihr auf edlen Verstand, ein offenes Herz, eine glückliche Natur. Ja ich muß euch gestehen, mein Gebet heißt statt „erlöse mich von dem Übel – erlöse mich von der Verstimmung des Magens". Denn, meine Freunde, was man in alten Zeiten für eine Versuchung des Satans hielt, ist lediglich eine Störung der Ernährung. Dämpfe, die aus den entzündeten Innereien und dem Gehirn aufsteigen... Glückseligkeit dagegen ist nichts anderes als eine außerordentliche Harmonie in den Gefilden des Verdauungsapparates. Alle Häretiker, Freunde, litten an einem Katarrh. Weshalb sie auch die Katharer, also Ketzer heißen. Die Kirchenväter haben die Fasten vorgeschrieben, wie heute die Ärzte zur Diät raten. Der Magen, Freunde, ist mehr als der Kopf. Denn keine mit unseren Augen aus Büchern verschlungene Weisheit läßt uns den Herrn begreifen, doch nehmen wir den Leib Christi in Gestalt von Brot und Wein durch unseren Mund und unseren Magen in uns auf... Mit der Materie wie mit dem Göttlichen verkehrt so der Mensch durch den Magen: Er ist der Platz für unsere Bindungen ans Universum. Plato gab dem Kopf den Vorrang, Hippokrates dem Herzen und Aristippos den Geschlechtsorganen, aber wir kennen Menschen ohne Hirn, ohne Herz und ohne Geschlecht, Menschen ohne Magen jedoch kennen wir nicht...

MEPHISTO *laut applaudierend:* Bravo, bravo... Erheben wir uns und singen: Ruhm dem Bischof.

MEPHISTO und RICHTER *erheben sich und singen im Baß:*

Dominus Episcopus,
Vir Sapientissimus,
Stomaco fortissimus,
Vivat longum saeculum,
Ad salutem paecorum!

Der Bischof dankt, indem er seine fleischige weiße Hand auf das Herz legt.

RICHTER: Mich ... mich lieben sie nicht ... und dabei bin ich – ich schwöre es bei der Alma mater meiner lichten Jugend – unter allen gelehrten Doktoren von Bologna der einzige, der alle Feinheiten des römischen Rechtes kennt ... Unter meinen Händen ist der Justinianus wie die Orgel in einer Kirche. Sofort finde ich in ihm jeden Akkord, den ich brauche. Ich erinnere mich an ihre Klage gegen mich beim Herzog. Der Herzog ließ mich rufen und befragte mich. Ich aber kam ihm mit einem Furioso von Latein. Dann erschien er, den Urteilsspruch zu hören. Beim Barte des Papinianus! Dieses eine Mal trat ich von allen Normen des Gerichts zurück und gab jenen Leuten auf den Rat des Barons Mephisto recht, fällte Beschlüsse, wie der große Alguacil sie mir zugeraunt hatte. Denn ich weiß, wäre ich anders verfahren, der Herzog, ein miserabler Jurist, hätte mich aus Trotzburg davongejagt. Viel besser bin ich mit dem jungen Herzog dran. Was sind eigentlich Gerechtigkeit und gesetzesgemäßer Gerichtsentscheid? Wo gibt es ein anderes Kriterium? Die Weisen legten ihre Weisheit in die Hände des Richters, wie man die Nahrungsmittel und ihre Zutaten in die Hände einer guten Köchin legt. Daraus bereitet er dann die gerichtliche Soße, mit der er jeden casus übergießt, indem er zusammenstellt, was zusammengehört, und zwar nach Geschmack – nach dem seinen oder dem eines namhaften Gastronomen.

MEPHISTO: Bravo, bravo! Exzellenz, erheben wir uns und singen wir dem Richter zum Ruhm.

BISCHOF und MEPHISTO *erheben sich und singen:*

> Vivat judex optimus,
> Vivat vir doctissimus,
> Semper servus regibus,
> Sed dictator legibus.

MEPHISTO: Gericht und Kirche. Welche Worte! Die ganze Seele eines Polizisten besteht aus einem nur: Gericht und Kirche zu stützen, wie jene Gesellschaft und Thron stützen. Und was die Armee angeht, sofern sie wirklich etwas zu sagen hat, so gehört sie zur Polizei. In übernationalen Dingen regiert noch immer die Macht. Und die Ordnung wird nur dann überall ihren Sieg feiern, wenn das Universum nur eine Kirche, nur ein Gericht und auch nur eine Polizei kennt.

BISCHOF: Amen.

MEPHISTO: Ich schlage vor, daß wir uns nicht auf das traditionelle Vivat beschränken, sondern daß jeder von uns ein Lied zu Ehren des anderen singt: der Richter für den Bischof, ich für den Richter, der Bischof für mich. Abgemacht?

RICHTER: Abgemacht ... Als Student hab ich ja einst in vulgärer Umgangssprache Verse verzapft. Ruhe, ich muß meine Gedanken sammeln ... ein Motiv suchen ... Hm-hm ... ja, ich glaube, das geht.

Gottes Kirche ist gar groß!
Hm-hm ... ja, groß ...
Und ihr Ziel ist gar hoch ...

Fährt in höherem Ton fort:

Und jedem Versuch,
Ordnung zu stürzen,
wird sie zum Fluch,
was reimt sich auf stürzen? ... Ah – würzen!

Im Baß:

Hm ... stürzen ...
Sie ist die Säule öffentlicher Macht.
Und Furcht wie Hoffnung stehn auf Wacht.
Hm, ja ... Wacht ...
Ihr dient der Tod, ihr dient die Sünde –
ach daß mir jetzt ein Reim hm ... erstünde.

Im Baß:

Hm ... Sünde ...
Unter den angenehmsten Seiten,
die uns Ordnung kann bereiten ...
Hm, bereiten ...
ist, daß im reichen Schloßpalast
wir immer finden für Prälaten
ein warmes Plätzchen, das uns paßt ...
O je, da muckt der Vers ... Wir finden
für Prälaten ... für Prälaten ... zum Teufel auch ...
Prälaten ...

Genug! – *Im Baß:* Basta!

Alle lachen dröhnend, stoßen an, trinken.

MEPHISTO: Jetzt bin ich dran. – *Singt:*

Zum Ruhm der ruhmesreichen Richter
stoß ich hier in das Horn:
Nun zittre, ekliges Gelichter,
es tritt zur Tat Gericht nach vorn.
Zwei Füchse zerren hinterher
alte Gewichte, schrecklich schwer.
Gute Gevattern sind Kaufmann und Gericht,
Gewichte stehn dem Richter zu Gesicht.
Wölfe bringen dann das Schwert getragen,
daß von allzu kühnen Schultern
der Kopf gesetzlich ist zu schlagen,
denn das Gesetz bedenke kalt –
daß es selbst Kind der Gewalt.
Der Affe trägt die Kette,
mit der die Schuld der Richter fesselt.
Und an solcher Kette tanzt
selbst der Richter voller Glanz,
daß ihn die Wahrheit richtet,
wie die Macht befahl zu richten.
Aus trübem Nebel schleppt nach hier
ein Esel furchtbar viel Papier.
Was man befiehlt – ist da zu finden.
Denn auch ein Richter muß sich binden.
Die Kinder der Macht sind anfangs nackt,
bis das Gericht sie in Kleider packt.
Selbst wenn sie noch nicht Hosen tragen,
wagt sich doch keiner darob zu beklagen.
Wer weiß Dinge, frag ich zumal
mehr gelobt als Gerichte und Tribunal?

RICHTER: Bravo... sehr wahr! Ruhm dem Tribunal... Nichts geht darüber. Ich frage Euch: was ist Gott? Ein Richter! Das ist so wahr, wie ich betrunken bin.

BISCHOF: Hochschätzbarer Baron, die Kirche besingt dich als den Vertreter hoher List.

Die listige Schlange führt die Ahnin Eva in Versuchung
und überließ die Ahnen so dem Zorn des Herrn.
Der Sündenfall war aber auch ein Heil,
denn mit der Reue ging der Mensch in zagem Schritt

und ward bereitet, Christus anzunehmen.
Es gäbe, glaubt mir, ohne Schlange noch kein Kreuz,
weshalb auch Moses in der Wüste
einst ans Kreuz hängt Schlangen, kupferne, als
Glaubenszeichen.
Und Christus selbst sagt: sei im Herzen sanft,
der Taube gleich, verbirg der Schlange Schwanz
im Hirn.
Und drum verneig ich mich vor Mephistopheles, der
Schlange.
Nicht Feind ist, wer nicht rein – dem Reinen ist
doch alles rein.

MEPHISTO *mit tiefer Verbeugung:* Dürfte ich mich als würdiger Vertreter jener alten Schlange betrachten, so würde ich Euch in ihrem Namen danken. Jene Schlange war schwarz wie die Nacht, unermeßlich und unendlich. Bis ein Wahnwitziger sich erhob, den die Babylonier Ramman nannten ... Er ließ die Strudel des Äthers wogen und schuf das Licht. Das ewige Dunkel, der harmonische Kreis, die stille Bewegungslosigkeit ward in Stücke zerteilt, und aus diesen Stücken entstand diese armselige Welt. Aber diese Sphären werden verfließen, Himmel und Erde werden vergehen, wie die Propheten geweissagt haben. Die alte Schlange lebt nicht nur in diesem versklavten und vernunftlosen Dasein, sondern auch in einer Unmenge von Schlangen und Schlänglein, Drachen und Würmern, die an diesem Dasein nagen, um den Verfall zu beschleunigen. Die Welt ist eine Hölle, die im Feuer des Lichtes lodert, das unauslöschbar sei, wie das Evangelium meint. Aber dieses sündige Dasein wird allmählich von jenem großen Wurm gefressen werden, der gleichfalls unsterblich ist. Es ist von den fernen Nachfahren des Adam gesagt, sie würden ihren Fuß auf das Haupt der Schlange setzen. Der Text ist verfälscht. Man wollte euch sagen, daß ihr der Kamm für die Krone auf dem Schlangenhaupt sein werdet, daß die Schlange euer Fundament stützen wird; eine Schlange im Staat ist der große Alguacil, sie ist Polizist und Zensor, sie löscht das Licht, sie bestätigt die alte Ordnung, die sich selber und alles ringsum dem Untergang nahe bringt, auf dem Rücken der Schlange aber thront die Kirche, ihre Helferin. Dies ist ein großes Geheimnis. Trinkt einen Becher starken Weins, einen vollen runden Becher, ihr Münder der Ordnung. Denn wahrlich, wahrlich, ich sage euch: Wenn wir die Veränderung nicht aufzuhalten vermögen, so wird dieses schnöde Leben sich schließlich ins Nirwana zurückwenden, zur Glückseligkeit des Schlafs, zu jenem Heil, das die Heiligen erträumten, und es triumphiert die wahre Ordnung, die Ordnung des großen schweigenden Friedhofs, der die erstorbene Bewegung birgt. Trinkt!

RICHTER: Ich schwöre es bei Gajus – ich habe nichts verstanden, aber unser Baron ist so ein lieber kleiner Schelm, daß ich mit ihm selbst auf das Wohl des Satans trinken würde. – *Trinkt.*

BISCHOF: Baron, wer will die Tiefen des Alls enträtseln? Schon die Alten stellten die Frage: „Weißt du, der du auf dem Gipfel des Alls sitzest, woher alles rührt und wozu du selbst da bist? Oder weißt auch du das nicht?" Wo ist vollkommenes Wissen? Warum in den Strudel tauchen? Ich ziehe es vor, an der Oberfläche zu schwimmen, und sage:

Koste aus die kurze Zeit,
Eintagsfliege Mensch,
kaum entflammend, schon ausgelöscht,
flüchtig – brüchig ist die Zeit.

Mag die unsterbliche Seele die ewigen Fragen lösen, nicht aber der vergängliche Körper. Baron, hier, dieser mein sterblicher Leib, gekleidet in violette Seide: er ist warm, er atmet, er freut sich, er denkt, er will – jawohl, immer er und nur er, die Seele spüre ich nicht! Wenn sie sich nach dem Tod des Körpers entledigt, mag sie dann nachgrübeln über das, was ihre körperlosen Augen wahrnehmen. Aber solange ich von Fleisch und Blut bin, glaube ich auch an die Kirche von Fleisch und Blut, an eine große, alle bindende Institution. Diene man ihr, wie sie einem dient. Zu Freunden rede ich bei einem guten Tropfen gern offen. – *Trinkt.*

Es wird an die Tür geklopft. Ein Klosterbruder tritt ein.

KLOSTERBRUDER: Hochwürdiger Vater, der Graf von Stern bittet, Euch seine Aufwartung machen zu dürfen.

BISCHOF: Aber natürlich – führ ihn herein.

Graf von Stern, in Reitkleidung, tritt ein.

GRAF: Freunde, ich komme, um Euch mein Bündnis anzubieten.

BISCHOF: Ihr kommt vom Herzog, erlauchter Graf?

GRAF: Im Gegenteil, er wollte mich vor diesem Schritt zurückhalten, doch Größeres führt mich zu Euch, trotz meiner Abscheu vor jeder Art Unordnung. Freunde, unser Sieg steht außer Zweifel. Die Sterne verheißen dem Aufruhr schmähliche Niederlage. Prinz Faustulus wird den Thron besteigen, der Vater sein Einverständnis geben und die Regierung des neuen Herrschers ohne Wolken sein. Ebenso wolkenlos wird das Leben meines künftigen großen Schwiegervaters ... Mich und meine Braut erwarten ein langes friedvolles Leben und eine zahlreiche Nachkommenschaft. Die Konstellation des Gestirns ist die denkbar glücklichste für uns.

MEPHISTO: Verzeiht, Graf, aber ich würde gern genauer wissen, was Herzog Faust Euch schreibt.

GRAF: Er schreibt, wie ich schon sagte, daß er meine Beteiligung am Heerzug des Sohnes nicht billige und es vorzöge, mich in seinem Schloß neben ihm und meiner schönen Braut zu sehen. Aber er schreibt weiter, daß er beschlossen habe, bei dem Streit zwischen seinen Kindern strengste Neutralität zu wahren, und daß er darum nicht darauf beharre.

MEPHISTO: Und was habt Ihr ihm darauf geantwortet?

GRAF: Ich habe ihm meine Gründe dargelegt.

BISCHOF: Astrologische?

GRAF: Gewiß.

MEPHISTO: Sagt, Graf, haben Euch die Sterne noch nie belogen?

GRAF: Diese Frage ist eine Lästerung! ... Nein, niemals. Freilich kam es vor, daß ich irrte, als ich das Horoskop stellte, post factum jedoch fand ich den Fehler stets und konnte mich überzeugen, falls daran überhaupt noch zu zweifeln war, daß ich ohne diesen Fehler die Zukunft ebenso klar vor mir gesehen hätte, als sei sie längst Vergangenheit. Außerdem bin ich im Besitze eines okkulten Systems, das mündlich auf meinen seligen Vater im Geiste, den Doktor Ägyptos, kam, und zwar von Hermes Trismegistos selber.

MEPHISTO: Ich hörte, daß dieser Ägyptus ein Erzgauner

und obendrein totaler Dummkopf gewesen sei... Da sieht man wieder, wozu Verleumdung sich versteigen kann!

GRAF: Oh, Schmähreden gegen meinen heiligen Lehrer werden sich rächen! Der Haushofmeister meines Vaters, Julius Barfuß, vermaß sich einst zu der verleumderischen Behauptung, der Doktor trinke immer im Turm, wo er Beobachtungen zu machen vorgebe, alten Jerez, und dies in Gesellschaft seiner frommen Verwandten Rachel Lewi, einer edlen und schönen Frau, und er, Julius, habe durchs Schlüsselloch beobachtet, wie sie die Kleider abgelegt und stumm einen bacchantischen Tanz getanzt hätten.

MEPHISTO: Oho!

GRAF: In der gleichen Nacht, da Barfuß dies meldete, hatte er ein furchtbares Gesicht. Eine weiße schimmernde Gestalt. Sie trat leise in sein Schlafzimmer und sagte: „Für die Schmähung der Heiligen!" Dann stieß sie Barfuß mit unglaublicher Kraft einen Eisenstab gegen den Leib und verschwand. Barfuß erhob ein jämmerliches Geschrei. An der Schlagstelle bildete sich ein großer Bluterguß, aber der Freche zeigte keine Reue, nein, er behauptete sogar, es sei kein überirdisches Wesen gewesen, sondern der verkleidete Doktor Ägyptus. Und so traf ihn ein neues Unglück: Auf mein flehentliches Bemühen hin jagte ihn mein seliger Vater aus dem Schloß.

MEPHISTO: Womit die Rechtschaffenheit des Doktors erwiesen wäre.

GRAF: O ja, er war ein großer Mann. Einmal...

Es wird heftig an die Tür geklopft. Der Klosterbruder stürzt mit erschrockener Miene herein.

KLOSTERBRUDER: Hört Ihr nichts, Hochwürden? Der Hof ist voller bewaffneter Leute. Der Tribun kommt schon die Treppe herauf und mit ihm Bewaffnete. Ich habe Angst...

Verwirrung im Zimmer.

BISCHOF: So haben sie es denn gewagt? Oh, mein Magen, mein Magen...

RICHTER: Der Aufruhr greift selbst nach der Hoheit des Gerichts? Wo könnte man sich verstecken? Ein dunkler Winkel findet sich doch überall.

MEPHISTO: Was mich betrifft – gehabt euch wohl!

Mephisto breitet mit raschen Bewegungen seinen dunklen Mantel mit dem roten Futter aus, setzt sich darauf und fährt mit einem Pfiff aus dem geräuschvoll aufspringenden Fenster.

Herein kommen Scott, hinter ihm Soldaten und Gesellen mit Fackeln.

SCOTT: Bischof Wilfried, Richter Jan van der Gogh! Hiermit seid Ihr Eurer Ämter in Trotzburg enthoben. Es gibt keinen Einspruch – der Beschluß wurde auf Anraten beider Tribunen vom Rat der Stadt gefaßt. Ihr habt unverzüglich die Stadt zu verlassen.

BISCHOF: Und unser Hab und Gut?

SCOTT: Ihr seid ohne Hab und Gut hierhergekommen. Nützliche Arbeit habt ihr in der Stadt nicht verrichtet. Was ihr fälschlich für Euer Hab und Gut haltet, gehört der Stadt Trotzburg. Geht! Die Pferde sind bereit. Hauptmann, Ihr geleitet diese Herren an die Grenze. – *Macht schroff kehrt und geht ab.*

Zurück bleiben der Hauptmann und einige Soldaten.

HAUPTMANN *rauh:* Vorwärts!

Vorhang.

Park und Obstgarten am Fuß des Falkenturms. Augustnacht. Das Plätschern eines nicht sichtbaren Springbrunnens. Früchteschwere Bäume, ein Spalier von Teerosen im hellen Mondlicht. Links der düstere Falkenturm mit seiner Marmorbrüstung und eine breite Treppe mit Balustrade und Blumenvasen. Weiter rechts eine niedrige, gleichfalls mit Vasen geschmückte Mauer, dahinter ein Weg, dessen eine Seite Gebüsch begrenzt. Hin und wieder schlägt eine Nachtigall. Ständiges Grillengezirpe. Die Turmuhr gongt langsam die elfte Stunde.

Auf dem mondbeschienenen Weg erscheint zu Pferde ein geheimnisvoller Ritter. Das bläulich-matte Licht spielt auf seiner silbernen Rüstung, dem Schild und dem Helm mit offenem Visier. Er trägt einen langen weißen Umhang, der auch das Pferd fast bis zur Erde bedeckt. Das Pferd ist weiß. Ein sehr aufrecht schreitender, zierlicher junger Page in silberner Kleidung, mit einer straußenfedergeschmückten Kappe führt das Pferd am Zügel. An seinem Gürtel hängt ein kleines goldenes Horn. Der Ritter hält eine Harfe in den Händen. Sie bleiben stehen. Der geheimnisvolle Ritter richtet sich in den Steigbügeln auf und sieht sich nach allen Seiten um. Dann streicht er leise über die Saiten, die in süßem Akkord aufklingen.

Pause. Der Ritter beginnt zu singen und begleitet sich dazu auf der Harfe.

RITTER:

Starker Säfte voll ist unsre alte Mutter,
randvoll füllt ihr Milch die Brust,
süß ist's unsichtbaren Wurzeln,
leis zu saugen warmer Erde Säfte.

Flüstert leis das Laub, schwellend reift die
Frucht,
naht der Tod aus nördlichen Gefilden,
um so üppiger lebt alles ringsumher,
rauscht und schluchzt der Brunnen.

Spannend die Kräfte, schafft sich das Leben den Samen.
Herbstliche Träume wehen uns an.
Voll ist das Land von unermüdlichem Zauber,
und an die Rückkehr des Frühlings denkt schon das Leben.

„Immer siegt der Tod, der Tod siegt immer",
klagt die Stimme herbstlicher Wasser.
„Immer wird Leben wiedergeboren",
antworten leise die Gärten,

Träume aus Mondesstrahlen, Gedanken in blauenden Schatten,
Duft von vergehenden Rosen . . .
Und zu des Brunnens Murmeln singt Nachtigall
das Lied von leidvoll-frohen Tränen.

PAGE *stößt ins Horn, lauscht dem Klang nach und singt dann in kindlichem reinem Alt:*

Hehe-hohe!
Erwacht, wer süßem Schlummer hingegeben,
wer tot ist, stehe auf,
und segne jeder
diese Kraft, die selbst sich schafft –
der Liebe Frühling, Hymne an das Leben.
Hehe-hohe!

Sie lauschen eine Weile und ziehen dann weiter.

Faustina, in einen großen venezianischen Schal gehüllt, tritt scheu und rasch auf die Veranda, blickt angespannt zum Weg und eilt die Treppe herunter.

FAUSTINA: Elf Uhr. Die Taube brachte mir einen Brief, in dem er versprach, um diese Zeit hier zu sein . . . Wie sehr fürchtete ich, zu spät zu kommen. – *Pause.* – Der Vater konnte lange nicht einschlafen. Er hat die ganze vorige Nacht gearbeitet, er wird gewiß bald wieder erwachen, sein Elexier trinken und sich an die Arbeit setzen. Der alte Wenzel schläft schon längst, und weiter ist niemand im Schloß, denn der Page ritt mit einem Brief zu Arthur, der Gärtner ist zu Hause bei seinen Kindern . . . Und dennoch habe ich Angst . . . Vielleicht nicht, weil man uns entdecken könnte, sondern vor dem Wiedersehen. Ich zittere, und die Nacht ist doch so warm. Ich bin so froh, ihn nach so langer Zeit wiederzusehen, zugleich aber wünschte ich, daß er nicht käme. Weiß ich doch, wovon er reden wird... Ach, Vater, wie ich dich liebe, du mein armer, großer Vater. Mir scheint, ich höre Hufschlag. Er ist es!

Auf dem Weg erscheint Gabriel auf einem Rappen. Er ist in einen Mantel gehüllt und führt ein zweites Pferd mit. Er sprengt heran und steigt über die Mauer.

GABRIEL: Faustina!
FAUSTINA: Hier bin ich.
GABRIEL: Oh, du Liebe. – *Umarmt sie.*

Langes Schweigen. Man hört das Wasser plätschern.

FAUSTINA: Setz dich zu mir. Der Vater ist eingeschlafen. Und niemand ist zu Hause.
GABRIEL: Wir dürfen hier nicht verweilen. Ich habe dir ein Pferd mitgebracht. Es ist zu spät, noch zu überlegen. Eine Minute zuviel verdirbt oft das ganze Unternehmen. Komm, Faustina. Oder bist du unschlüssig?
FAUSTINA: Aber wir wollten doch... Warum so plötzlich?... Das hast du mir nicht gesagt...
GABRIEL: Um dein ewig zögerndes Köpfchen nicht zu quälen.
FAUSTINA: Gabriel, ach Gabriel, es ist so schwer. – *Weint.*
GABRIEL: Früher oder später muß es doch geschehen... wenn du mich liebst.
FAUSTINA: Gabriel!
GABRIEL: Du selber sprachst mir schließlich von deinen für mich so freudigen Hoffnungen, nun? – *Faustina lehnt sich an seine Schulter.* – Dann ist es auch besser für dich, du bist bei mir. Die Erklärungen vor deinem Vater hältst du nicht aus, das weiß ich.
FAUSTINA: Aber wird er einen solchen Schlag überstehen?
GABRIEL: Faust ist stark. Vielleicht wird er, allein geblieben, seinen Stolz sogar schneller aufgeben und der Stadt zu Hilfe kommen. Die Belagerung dauert schon den zweiten Monat an. So tapfer unsere Kämpfer auch sind, auf der Seite der Verbündeten ist ein erschreckendes Übergewicht der Kräfte. O Faustina, ihr lebt so ruhig hier... Hier ist eine solche Idylle – und da liegt schwarze Sorge auf allen Gesichtern... Unter den wohlhabenden Bür-

gern herrscht mürrische Unzufriedenheit über meine Anordnung, daß alle Arbeiten gemeinschaftlich zu organisieren seien, und über meine Steuern. Zugleich treibt ein gefährlicher Haufe junger Kerle sein Unwesen, Heißsporne, denen sich Taugenichtse, Trunkenbolde und alle möglichen Verrückten angeschlossen haben. Sie haben sich den alten Ausländer zum Anführer erkoren, diesen Wahnbesessenen, der sich Aufruhr nennt. Und daneben die tausend Kleinigkeiten, die niemand vorhergesehen hat und die fast immer äußerst gefährlich sind, weil der kleinste Fehler die brüchige, oberflächliche Harmonie unserer Republik zerstören kann. Ich mahne, drohe, ich arbeite, ohne auszuruhen. In dem Schuster Beveeren habe ich einen prächtigen Helfer gefunden. Auch der Sänger Gunter Hount unterstützt mich tatkräftig. Und überhaupt kann ich mich nicht darüber beklagen, daß es in der Stadt keine großartigen Menschen gäbe. Sämtlichen Gesellen kann man des Lobes nicht genug sagen. Doch ich bin müde. Ich habe keine Minute Ruhe und keine Minute Freude, Faustina. Oft nicht eine Stunde Schlaf und nie einen Tropfen Zärtlichkeit. Meine Mutter starb vor drei Jahren. Und noch früher starb, ganz jung, meine warmherzige Frau, die mir auch keine Kinder zurückließ. Diese sanften Wesen hatten mich aber an Zuneigung und Zärtlichkeit gewöhnt. Ich habe zwar auch damals hart gearbeitet, doch wenn ich nach Hause kam, tauchte ich in einen warmen See von Frieden und Liebe... Jetzt bin ich sehr allein. Ich verehre dich, Faustina. Ich habe nicht geglaubt, daß ich ein menschliches Wesen so verehren kann. Dein Fernsein ist wie eine Wunde in meinem Herzen, aus der all mein Blut rinnt. Aber ich brauche mein Blut, meine ganze Kraft. Wenn du wüßtest, wieviel Begeisterung es in Trotzburg gibt, wie viele heiße Worte, wie viele große Begebenheiten und stolze Augenblicke, die die Seele erheben... Aber auch eine finstere Frage hängt über ihnen allen... Und es gibt Tote und Verwundete... Ich rufe dich an einen unfrohen Platz. Du siehst, was für ein Egoist ich bin! Doch ich schwöre dir bei der Freiheit und beim großen Trotzburg, dem ich mit aller Liebe diene: Wenn ich nicht glaubte, daß ich und meine Kräfte der teuren Stadt jetzt so vonnöten sind, diesem Leuchtfeuer der Armen und Versklavten, dieser

Hoffnung der Weisen und Wahrheitsliebenden – so dürfte ich keinen Funken Selbstachtung mehr haben. Und ich sage dir: Deine Gegenwart wird Freude in mein Herz gießen, es wird meine Kräfte verzehnfachen, und alle werden wieder neuen Mut fassen, wenn sie hören, daß Fausts Tochter auf unserer Seite steht und daß sie die Frau eines bescheidenen Tribunen geworden ist. Denn wir lieben uns doch? Wenn ja, dann müssen wir die Gefahr auch gemeinsam bestehen. Sobald sie vorüber ist, will ich die rotgrüne Schärpe ablegen, da ich auf einem jährlichen Wechsel der Tribunen beharre. Dann werde ich mich im stillen mit der Ausarbeitung gerechter Gesetze für das gerettete Trotzburg befassen und einen großen Plan für seine Wirtschaft erarbeiten. So bleibe ich ein Ratgeber für mein Volk, aber ich werde die Macht weder in meinen Händen behalten noch sie William Scott überlassen. Die große Stadt soll über sich auch nicht den Schatten eines Herrschers spüren. Wir beide werden dann ein Leben voll Ruhe, sinnreicher Arbeit und zärtlicher Liebe führen. Dazu ruft mich mein friedfertiges Herz. Doch wie viele Gefahren und wie viele Kämpfe gilt es bis dahin zu bestehen. Du aber willst zu so einer Zeit fern von mir sein? Schreit denn dein Herz nicht auch: Geh nach Trotzburg, geh zu deinem Gabriel?!

FAUSTINA: Gabriel, ich liebe dich von ganzem Herzen. Du bist klug, du bist edel, du bist ein Heiliger; deine hehren Gedanken sind für mich Religion. Immer werde ich bereit sein, mein Leben für dich und deine Sache zu geben. Aber Faust ... – *Weint.*

GABRIEL: Entscheide dich, Faustina. Bald schlägt es Mitternacht. Dein Vater kann jeden Augenblick von seinem kurzen abendlichen Schlaf erwachen ... Er wird dich rufen.

FAUSTINA: Und ich werde nicht mehr bei ihm sein, ich werde ihm nicht antworten ... Er bleibt allein ... allein. – *Weint.*

GABRIEL: Und ich? Dort unter den Schrecken der Belagerung, vielleicht unter dem Dolch eines gedungenen Mörders?

FAUSTINA *umarmt ihn heftig:* Wie ihr mir leid tut ... alle beide ... – *Schluchzt. – Hinter der Szene Fausts Stimme: „Faustina!" Ein Glöckchen klingelt. Faustina fährt erschrocken auf.* – Er ist wach ...

GABRIEL: Du darfst nun nicht mehr zögern ... Und du sollst wissen, daß ich nicht wiederkomme. Also sprich, und verurteile mein Herz zum Leid. Du mußt wählen.

FAUSTINA *hüllt sich fester in den Schal:* Fort, schnell! Möge er mir diese Untat verzeihen. Oh, mir wird schwindlig. Halte mich fest. – *Gabriel springt über die Mauer und stützt Faustina, die ihm folgt. Er setzt sie auf ein Pferd.* – Wäre ich gläubig, würde ich jetzt beten. O Erde, unsere Mutter, allmächtige Natur, sei meine Richterin. Verzeih, Vater, verzeih!

Gabriel wendet ihr Pferd. Man hört verhallenden Hufschlag. Der Springbrunnen plätschert. Die Nachtigall schlägt. Der Wind schaukelt die reichen goldenen Früchte an den Apfel- und Birnenbäumen. Plötzlich dringt aus der Ferne der Klang des goldenen Hornes, darauf die Stimme des Pagen.

PAGE:

Hehe-hohe!
Es ruf zurück, wer diese Nacht
an Liebe leiden muß!
Mit Leiden gilt es zu bezwingen
die Feindin Liebe.
Fort – Einsamkeit, wir wollen leben!
Hehe-hohe!

FAUST *kommt im Schlafrock, barhäuptig, auf einen Stock gestützt, in den Garten:* Faustina, mein Engel, bist du hier? – *Horcht.* – Wo mag sie sein? Merkwürdig. Das ist ganz gegen ihre Gewohnheiten. Faustina, Faustina! Ich bin wa-ach! ... Zu dieser Stunde bereitet sie mir sonst mein aromatisches Elixier ... Oder ist sie irgendwo eingeschlummert? – *Vom Turm schlägt es Mitternacht. Ein Wanderer kommt zur Mauer, bleibt stehen, lauscht.* – Töchterchen!

WANDERER: Eure Hoheit ...

FAUST: Wer spricht da?

WANDERER: Ein treuer Diener. Eure Tochter und der Tribun Gabriel kamen eben an mir vorübergeritten. Sie jagten wie der Wind gen Trotzburg ... Ich fürchte, Hoheit, sie ist Euch entflohen.

FAUST: Was ist das für ein Schwätzer dort hinter der Mauer? Wärest du in Reichweite, so würde ich meinen

Stock an deinem verdammten Schädel zerschmettern! Was krächzt du da, erbärmlichster aller Verleumder, den diese Erde trägt?! – *Geht in das Schloß zurück, rufend:* Faustina! Wenzel, Wenzel! Faustina! Page! Ist denn niemand da? – *Der Wanderer lacht laut, entfernt sich auf dem Weg, geht ab. Es ist still. Leise plätschert das Wasser. Der Mond wird heller. Dumpf hallen Fausts Rufe aus dem Schloß. – Faust kehrt zurück. Er geht tiefer gebeugt. Der graue Bart ist zerzaust, er setzt sich auf die Bank, auf der zuvor Faustina und Gabriel gesessen haben.* – Geflohen? Faustina? Vor mir? Es kann nicht sein. Mit meinem Feind geflohen? Undenkbar. – *Starrt schweigend und düster vor sich hin.* – Sie hat mich verlassen, mich allein gelassen? Aber für wen? Für diesen blassen Phantasten? Wie soll ich das verstehen ... Sie hat nie ein einziges Wort ... Geflohen, sie ist geflohen wie Jessica vor Shylock ... In so einer Nacht ... Geflohen wie Desdemona ... Und ich bin allein wie Lear. Wie weit, wie fern waren mir diese Gestalten, und nun ist all ihr Kummer auch der meine ... Doch nein, Faust, noch glaubst du es nicht, du glaubst es ja gar nicht ... Die sanfte zärtliche Faustina ist geflohen – vor dir geflohen! Hat in ihrer Seele, wie in schwarzer Nacht, ihre Liebe, all ihre Pläne verborgen. Und mich betrogen! – *Bedeckt sein Gesicht mit den Händen. Dumpf:* Ihren Vater betrogen, der sie grenzenlos liebt ... Ich sehe, du beginnst es zu glauben, alter Narr. Ha! Und auch noch Tränen, hast du geglaubt, daß du jemals noch weinen wirst? Jetzt ist die Jugend von dir gegangen ... Jetzt leidest du Kälte. Trotzburg, Faustulus und nun Faustina. – *Mit schwacher Stimme, fast kindlich schluchzend:* Meine Kinder! – *Hebt stolz den Kopf:* Faust – du bist allein. Über dir die Weiten des Himmels, unter deinen Füßen der Erdball. Vor dir der Tod – hinter dir ein bitterer Weg mit den Gräbern Verstorbener. So stehst du allein. – *Erhebt sich, verschränkt die Arme auf der Brust.* – Irgendwo ist Leben und Kampf – doch ohne dich ... Du wirst nicht mehr gebraucht. Das ist der Tod. Ja, Alter, das ist der Tod. Hörst du Totengeläut? Alles ringsum ist voll Leben ... – Da fällt eine Frucht, die den Samen in ihrem süßen, saftigen Körper trägt ... Aber was sein Alter erreicht hat, stirbt. Ja, Faust, das ist der Tod, wenn dich niemand mehr braucht, niemand dich liebt und niemand deine Liebe wünscht. Man hat dich aufgegeben. Wie? Mich – Faust? Ich werde nicht mehr gebraucht? Und wo ist der neue Titan? Wer tritt an meine Stelle? Gabriel? Scott? – *Lacht bitter.* – O nein, nein sage ich ... Und doch bist du tot. Sie haben dir das Geschöpf deines Genies genommen, sie haben dir auch deine Tochter genommen und dich für überflüssig erklärt. Soll ich Rache nehmen? Beweisen, daß ich genauso bin? Zerstören? Aber du bist tot, Faust, und nun Schaden stiften hieße sich in einen Vampir verwandeln. Alle haben sich mit einemmal abgewandt. Und du bliebst zurück mit deinem Genie, deiner Liebe, deinen Ideen, mit deinem eisernen Menschen ... All das ist mit dir in der Gruft begraben. Du mußt es glauben, Faust, du bist gestorben. Es ist gewiß. Denn lebtest du, wäre da die sanfte Faustina von dir gegangen, ohne Abschied, ohne ein Wort? Wäre sie gegangen, gleichgültig, ohne einen Blick? ... Sogar dem Toten gibt man den Abschiedskuß. Aber der Leib des Menschen ist stark, auch der eines alten. Ich bin tot, doch mein Leib lebt ... Niemand ist mehr da, ich bin allein ... Nun, dann entschlaft, meine Gedanken, mein Schmerz. Laßt uns ruhen. Ich will in den Turm gehen und auf diese Welt herniederblicken ... Ich bin unnütz geworden? Also gut! ... Vielleicht wird es ihnen leid tun, werden sie erschrecken und einem zweiten Faust das Herz nicht wieder brechen. Ihr trachtet einander nach dem Leben wie die Tiere, und zeigt keine Reue. Mit einem Lächeln werft ihr jene beiseite, die euch unendlich lieben – ihr ... Seid ihr zu Tieren geworden? ... Ihr werdet eure Lehre bekommen. Und Faust schreibt auf die letzte Seite: So habe ich gelebt und gedacht, dies habe ich den Menschen erschlossen, sie aber wurden zu Tieren, und Faust geht von ihnen ... Möge irgendwann einmal ein Wunder geschehen, mögen irgendwann die Menschen einen zweiten Faust verdienen! – *Erhebt sich mühsam.* – Das Alter hat mich mit einemmal überwältigt. Die letzten Tropfen der Jugend, meines Lebenselixiers, sind vergossen. – *Geht langsam und gebeugt ab.*

Das Wasser plätschert. Die Nachtigall schlägt. Hell leuchtet der Mond. Schwer fällt eine goldene Frucht von einem Zweig.

Vorhang.

SIEBENTES BILD

Auf dem Falkenturm. Eine geräumige Wehrplatte mit Zinnenkranz. Klarer Himmel, heller Mondschein, Sterne. In geheimnisvolles Licht getaucht liegt die weite Ebene, mit flachen Wäldern und Dörfern, in denen Lichter flimmern. Dicht am Meer, wie ein Haufen glühender Kohlen, liegt Trotzburg; ringsum die Feuer der Belagerer. Faust steigt langsam die Treppe herauf und tritt aus dem breiten, dunklen Treppenschacht ins helle Mondlicht. Er hält einen Becher in der Hand. Langsam tritt er an die Brüstung und stellt den Becher auf den Wehrkranz. Er setzt sich daneben auf die Brüstung und hält Ausschau.

FAUST: Das Testament ist geschrieben: Fausts letztes Wort an die Menschen. – *Pause.* – Leb wohl, Natur, zauberhafte Unermeßlichkeit, von Licht durchdrungen, bebend von Bewegung und möglichem Leben ... – *Hebt den Kopf zu den Sternen.* – Welch ein Zauber! Wie riesenhaft alles, wie genial! Und jedes Teilchen wird zum Nichts vor dem Ganzen. Hier eintauchen ... Und man versinkt, und es bleibt keine Spur ... Und doch lebt das Allgemeine in der Welt für die Myriaden seiner Teilchen ... Ja ... Es ist gut so eingerichtet. Es ist gut so, mit allem Leid, das darin eingeschlossen ist. Diese Welt ist schön ... Faust stirbt nicht, weil er mit der Welt hadert, sondern weil er alt ist und weil diese Zeit nicht mehr die seine ist. – *Senkt den Blick.* – Du warme, grünende, mit Wassern spielende Erde ... Leb wohl! ... Ich habe dich geliebt ... Du kannst eine wunderreiche Arena für die Heldentaten eines leuchtend schönen und göttlich-weisen Geschlechts werden ... Wann wird diese Zeit kommen? Wird sie je kommen? Ist er keine Mißgeburt, kein Fehlschlag eines blinden, sich selber erschaffenden Daseins – der Mensch in seiner durchschnittlichen Erscheinung? Vielleicht auch das. Dieses Drama steckt voller Rätsel, die Zukunft hat das Lächeln einer Sphinx. Habe ich dieses Lächeln nicht geliebt? ... Ich liebe dich, gnaden- und grenzenloser, in allem lebendiger Pan ... Doch seltsam ... Was für eine große

Form zerbricht ... Denn das darf ich sagen – ohne mich und meinesgleichen gäbe es nicht diese Ordnung, diese Schönheit, diesen Glanz. Atome wissen nichts voneinander oder von sich selber ... Und hier zerbricht eine solche Form ... Jeder Mensch ist etwas Majestätisches und auf seine Weise Höheres, ist in seinen Möglichkeiten etwas überaus Reiches, in seinem Geist aber ein geringeres Licht. Hier indessen vergeht nicht einfach nur ein Mensch, sondern Faust, in dessen Hirn sich die goldenen Fäden des Daseins zu einem wunderbaren Zauberknoten verbinden ... und doch – nichts schwankt, nichts erbebt, alles bleibt ungerührt ... Es heißt, Cäsars Tod sei von Zeichen begleitet gewesen ... Bin ich denn so viel geringer als Cäsar? Eher müssen die Chroniken lügen. Wenn wenigstens ein erhabenes Antlitz aus den Himmeln mir sein allumfassendes Abschiedslächeln schenkte, wenn mir wenigstens ein Donnerrollen sagte: vorbei! Wenn sich – für mich allein, in meinem letzten Augenblick – wenigstens ein überirdisches Wesen regte, wie ruhig und süß wäre mein Tod! Doch nein. Es gibt für den Menschen keinen Gott auf der Welt. Die Welt im Ganzen besteht ohne den Menschen ... Faust ist ein Nichts! ... Oh, welch ein Nichts!
Nun erst hab ich erfahren, wie klein ich bin, wie allein, wie losgelöst ... Großer Faust, Herzog von Wellentrotz und Trotzburg, gelehrtester Mann der irdischen Menschheit. Wo bist du? Ich habe dich verloren ... Ich sehe dich nicht ... Ich ersticke an der Unendlichkeit. Faust, wo bist du, wo? Erde, wo bist du? Und wo ist Faust auf dir? Der Tod ist schrecklich, doch ist dies das Leben? ... Überall glühen Sonnen, nur Sonnen ... die Ewigkeit. Oh, mein Geist ... Hinter mir Ewigkeit, vor mir unendlich ewige Ewigkeit ... Doch horch! Ich höre Musik, Seele, bist du es, vergehst du? Welch eine Musik! Was ist das ... Schwebe ich ...? Welche Kraft ... Ich schwebe ... Ich falle ... Strudel ergreifen mich ... Da, Stimmen! Was ist das? ... Wer singt da im Chor? ... Die Sterne? Es singt die ganze Welt. Sie trägt mich fort, sie sinkt, sie steigt ... Ich kann es nicht fassen, ich kann ... Wie süß, welch ein Grauen ... welch eine Harmonie. In unwiderstehlicher Woge ergießt sich ein klarer heller Choral, ein vernichtender Klang in meine arme, enge Brust. Er strömt und strömt, und süß ergibt sich mein Herz ... Welche Wucht, maßvoll und doch ohne

Maß, welch ein Rhythmus, eingewiegter Äther, sanfter Sturm der Gezeiten, freies Lied des Raumes. – *Musik erklingt.* – Ewiges Gebären, Kinder ohne Vater, Kräfte der Verwandlung, Wogen ohne Ende! Drama ohne Anfang, Schaffen ohne Hände, unwiederbringlicher Kreis bloßgelegter Geheimnisse. Verstand ohne Verstehen, Ziel zielloser Kräfte, heller, buntrauschender Flug unzählbarer Flügel! Hoch und gering – alles ist in sich gleich, ewiger Anbeginn, Korn vom Korn ... Alles ist an seinem Ort, jeder Augenblick Gesang, alles ein wundersamer Reigen: wer zu kämpfen geboren, sei treu dem Kampf – denn üppig wuchert das Aufsässige, wird Schicksal. Mächtiges Streben hat frohen Raum: Die Ewigkeit eint alle Bewegung in gemeinsamem Chor ...
So also singst du, Natur? Das also lehrt deine Stimme? Mein Blut verjüngt sich, es jagt vom Herzen zum Hirn und singt ein Lied. Das gleiche ewige Lied wie die Natur, es weckt versunkene Gedanken, der niedergedrückte Geist faßt neuen Mut; im Strudel der Elemente, im Wirbel der Weltschöpfung, hier auf der Erde, an diesem Ort find ich mich von neuem. Ich bin es, ich! Vor mir leuchten vergessene Ziele, wie schäumender Wein glüht funkelnd vor Leben meine Vernunft ... Leben will ich und schaffen! – *Wie erwachend:* Was war das? Ein Traum? Was durchlitt meine Seele? Einsamkeit? Aber bin ich nicht Teil des Universums, Teil der Menschheit? Bin ich nicht Teil meines Werkes? Man hat es nicht verstanden? Man wird es verstehen. Und Faustina? Vielleicht waltet hier ein verhängnisvolles Mißverständnis? Hast du dich nicht als Knabe manches Mal verirrt? Und wartet nicht dort, in deiner Werkstatt, der eiserne Mensch auf dich, der schon den Anflug seiner Seele kennt? Wie ist mir? Ich wollte gehen, ohne das Begonnene zu vollenden? Freiwillig gehen, ohne meine Absichten erfüllt zu haben? Schäm dich, grauhaariges Kind! Du mußt leben, solange die Brust atmet, das Herz dir schlägt und dein Hirn arbeitet. Und sieh, deine Brust atmet tief, das Herz schlägt kräftig, und der Verstand ist ungetrübt ... Der Tod naht zu seiner Zeit. Eile, solange dieses Hirn lebt, eile, daß du eine Spur hinterläßt, die weit und tief ist, daß du deinen Brüdern und Enkeln voraus eine Sprosse höher klimmst auf der Leiter menschlicher Allmacht.

Aus der Ferne die Stimme des geheimnisvollen Ritters.

RITTER:

Es würgt der Tod, und trüber Nebel steigt,
gelb sind die Blätter und trocken,
doch Fäulnis, Verwesung sind nur ein Trug:
du vergehst nicht, du wirst nicht zerstreut.

Gieß aus deine Frucht, deinen Samen gebier,
und leg dich zum Winter zur Ruh,
an der irdischen, wunderschaffenden Brust
im Frühling aufs neu zu erstehn.

Gefühl zu Gefühl, Idee zu leuchtender Idee,
zu einem komme das andre,
messend und zählend zähl und miß,
was Künftigem gibt das Vergangne.

Der Klang des goldenen Horns. Der Page kommt geritten und singt.

PAGE:

Hehe-hohe!
Wer trübe sinnt im Mondeslicht,
such in der Seele Halt;
das Leben pulst in Sternenstille,
in Gedanken, Gefühlen, im Traum,
schafft das Gesetz der Liebe.
Hehe-hohe!

FAUST *der aufmerksam gelauscht hat, beugt sich über die Ebene und antwortet plötzlich laut:* Hehe-hohe!

Vorhang.

ACHTES BILD

Dünen im Nordosten von Wellentrotz. Triste Hügel, hier und da mit Heidekraut bewachsen. Links, inmitten der Hügel, erhebt sich ein großer schwarzer Stein, der etwa die Gestalt einer Pyramide hat – der sogenannte Teufelsstein.
Im Hintergrund das finstere Meer. Nacht. Wolken jagen über den Himmel und werfen phantastische Schattengebilde auf den Sand. Der Mond verschwindet. Der Hintergrund liegt in Finsternis, hin und wieder zuckt ein schwaches Wetterleuchten. Mephisto tritt auf. Er trägt einen langen schwarzen Mantel, dessen spitzgeschnittenes Ende hinterherschleift. Seinen Kopf bedeckt eine große sackartige Kapuze. Das Gesicht ist bösartig verzerrt und nachdenklich.

MEPHISTO: Endlich. – *Bleibt stehen.* – Verfluchtes Trotzburg! ... Verfluchter Faust! ... Hätte ich je gedacht, daß aus meinen Mühen ein so schreckliches Hindernis für den Sieg der Ordnung erwachsen könnte? – *Setzt sich auf einen Vorsprung zu Füßen des Teufelssteins, beißt sich wütend in die geballte Faust und stößt einen seltsamen Laut aus, der wie ein unterdrücktes tierisches Aufbrüllen oder ein Schluchzen klingt.* – Mutter, ich bin der Verzweiflung nahe. Oh, ich weiß – der endgültige Sieg wird unser sein! Aber wo bin ich mit meinen Anstrengungen? ... Schneller, schneller muß es gehen, die Sehnsucht verzehrt mich ... Ich will Ruhe. Die lausige Brut dieses Erdenkreises ist mir zuwider. Wir sind hilflos geworden. Unsere Zauber wirken nicht. Die Dinge versagen uns den Gehorsam ... Wir schwimmen gegen einen zielstrebigen Strom. Wir müssen bitten, uns verkriechen, wie Schatten vor dem Ungeheuer Morgenlicht ... Koste es, was es wolle, aber Faustulus muß morgen siegen ... Also ans Werk. – *Geht langsam und gewichtig auf den Teufelsstein zu und macht seltsame Gebärden, als winke er von allen Seiten jemanden herbei. Dann besteigt er den Stein, legt zwei Finger in den Mund und pfeift durchdringend.* – Hui, hoio! Tut euch auf, ihr tiefen Gräber! Macht frei den Weg, Platten in Kathedralen und Grüften! Ich schneide die Erde mit der Schärfe des Pfiffs, mit der Sichel bösen Zaubers, dem Pflug letzter Zerstörung. Hui, hoio! Rührt euch, erhebt euch, feste Gebeine und vermoderte und selbst der Staub. Teile, die ihr verweht seid, sucht euch! Auferstehe, Vergangenes, um zu zerstören! Hoio, hoio, hui. Rostige Panzer, Schwerter und Spieße, wollt ihr wohl rasseln! Klirren und Dröhnen will ich vernehmen! Hoio, hui. Steht auf im Mondenschein, ihr Alten – Familien, Geschlechter und Sippen. Die Urenkel der Sklaven haben Aufruhr erklärt. Sie spotten eurer mißgeborenen Nachfahren. Zu Hilfe, ihr Toten, der Ordnung zu Hilfe. Aus dem Nebel der Abteien, hervor unter Weiden und Zypressen, von den Schlachtfeldern, hervor unter Sand und Nesseln, aus Meereswogen wie prächtigen Mausoleen – steht auf und eilt euch. Tretet an. Aus Wolken web ich euch hundert Fahnen, die Krähen singen das Kampfeslied. Vorwärts marsch, ihr rostigen Kolonnen. Hoio – . . . hui! – *Ein Stöhnen, Trappeln und Rasseln hebt an. Hinter dem Stein hervor staken langbeinige gefesselte Pferde mit hängenden Köpfen. Auf ihnen gefesselte Reiter. Nebelhafte Fahnen wehen. Krähen umschwirren krächzend das Totenheer. Die Visiere sind heruntergelassen. Nur hier und da sieht man knöcherne Schädel mit den leeren schwarzen Löchern anstelle der Augen und der Nasen, mit grauenerregend gefletschten Zähnen.* – Mehr . . . mehr! – *Er winkt nach allen Seiten.* – Paladine des Gewesenen, furchtbare Ahnen, Kräfte des Gesicherten, hierher, hierher. – Zu Hilfe euren mißgeborenen Nachfahren: Laßt die Knechte nicht über die Erde gebieten! – *Pfeift.* – Ah, ein ruhmreiches Heer . . . Wirklich. Morgen soll, in einem schweren Augenblick, kaltes Entsetzen das Herz der Gegner erfassen. Zittern werden sie, die Streiter für dieses elende Leben, die Krieger der Ordnung dagegen werden den helfenden Zugriff der Totenhand spüren. Und ihr, erhabene Gebeine, ritterliches Gewürm, ihr Rostigen und Verschimmelten, ihr werdet erscheinen, der Panik die Krone aufsetzen, und der Sieg wird euer sein, denn mit euch ist meine Mutter, die euch mit dem Rachen des Todes verschlungen hat und nun wiederum ausspeit – die Mutter Nacht. O ihr ruhmreichen Krieger. Laßt mich euer Kriegsgeschrei hören! – *Ein schweres Stöhnen geht durch die Dünen hin. Dazwischen ein schriller Schrei. Die Krähen krächzen lauter.* –

Mephisto verschränkt die Arme auf der Brust. – Unseliges Gesindel ohne Stamm und Geschlecht, Gras ohne Wurzeln, versuch es, gegen all diese Glorie anzukommen. Bravo, bravo, meine Knochensoldaten! Ihr werdet siegen. – *Geheul, Zähneklappern, Knochenrasseln, Eisengeklirr.* – Bleibt, ohne euch zu rühren, in diesem Tal, ihr Auferstandenen! Wenn ich euch pfeife, zieht ihr zum Schlachtfeld ... Mutter, nun ist unsere Sache gewonnen. Ich danke dir für die Freigabe der Toten: sie werden dir neue mitbringen, und dein Gewinn soll groß sein, gewaltige Wucherin.

Plötzlich ertönt ein harmonischer Klang, als hätte eines Giganten Hand eine riesige Saite angeschlagen. Die Wolken zerteilen sich. Helles Mondlicht überflutet das Tal. Über dem Meer geht am Horizont ein grünleuchtender Stern auf. Dicht am Ufer, über dem Wasser, wird eine durchscheinende grünliche Frauengestalt sichtbar. Wie aus weiter Ferne ertönt Speranzas melodische Stimme.

SPERANZA: Wage es nicht, armseliger Dämon, deine schwarzen Zauber in die Kämpfe des pulsierenden Lebens zu mischen!

MEPHISTO: Leeres Gespenst, das ich mit meinem Atem zerblasen kann, willst du mir das verbieten?

SPERANZA: Du legst den Staub des Vergangenen auf die Waagschale? So werde ich die Träume des Künftigen auf die andere legen – das ist meine Kraft! Du hast die Ahnen der Unterdrücker aus ihren Gräbern gerufen, ich rufe die erleuchteten Enkel der sich Befreienden!

Speranza hebt die Arme. Der grüne Stern leuchtet heller und schlägt eine flimmernde Brücke über das Wasser. Auf ihr kommen, immer zahlreicher werdend, undeutliche weiße und grüne Gestalten auf das Ufer zu. Sie schwingen Palmenwedel und Eichen-, Myrthen- und Lorbeerzweige. Weiße und blaue Taubenflügel, rote Fahnen, hohe Leuchter, von denen blaues Licht scheint, werden sichtbar.

CHOR *in harmonischem, einschmeichelndem Gesang:*

Wir sind ewig mit euch und ewig in euch,
wir dürsten nach Leben und werden auch leben,
wir sehen mit einer Milliarde Augen
euch weben an goldenem Faden.

Wir hören auch des Opfers Stöhnen
und heißes Flüstern irdischen Gebets.
Wir hören die kündenden Worte des Dichters,
das Tosen der Arbeit, die Schreie der Schlachten.
Wir sind ewig mit euch, und über die Zeiten
strecken wir aus die Hände zu den Herzen der Väter:
Euer Leben ist von uns umspannt
wie eine Brücke von den Toten zu den Enkeln.
Ihr habt uns gerufen, und wir kommen:
Denn wir sind mit euch und dürsten nach Leben.
Und sind schon Teil von eurem Leben.
Wir helfen weben goldenen Faden.
Kein Schicksal wird ihn je zerreißen,
kein Teufelsspuk und keine Totenkälte,
ihr habt in Kampf gelebt – auch unser harrt der
Kampf:
Mit Kampf wird einst besiegt die Hölle!

Alles verschwindet. Mephisto bleibt allein auf dem Stein zurück.

MEPHISTO *setzt sich:* Wie bin ich müde ... Die Beine meines Erdenleibes zittern ... Der Geist will diese abgetragenen Lumpen abschütteln. Ich bin fast zu Tode erschöpft ... Und dennoch, einst wird das Rad der Zeit stillstehen. Mag es sich jetzt immer schneller drehen, es wird auch wieder langsamer werden. O du kühler stiller Mond, ich labe mich an der kahlen Landschaft deiner toten Regionen, laß diese halb menschlichen Augen sich an ihrem Bild satt trinken. Wie gut wäre es, dort auszuruhen, in einem stillen Winkel, in Gefilden, wo der Tod seinen eisigen Thron schon errichtet hat. Verfluchte Erde, mit meinen Füßen trete ich in dein Gesicht, stirb du so schnell wie möglich! ... Und was dich Mißgeburt auch immer nährt, du wirst sterben! Ich speie auf dich, du räudiger Klumpen Schmutz! Mond, nimm meinen Kuß. – *Streckt sich – mit todbleichem Gesicht, schwarz und dünn – immer mehr, bis er sich plötzlich still in die Lüfte hebt und auf die toten Gefilde des Mondes zufliegt.*

Vorhang.

NEUNTES BILD

Am Leuchtturm. Der Horizont ist von hohen Deichkämmen verdeckt. Links der hohe Leuchtturm, dessen Leuchtfeuer abwechselnd in grünem und rotem Licht blinkt. Ein Stück Mondsichel steht über einem Deich. Sterne flimmern. Die Ebene vor den Deichen liegt dunkel, dorther dringt anhaltendes Stöhnen. Die Landschaft wird allmählich heller, Leichen und Pferdekadaver werden erkennbar. Hier und da regt sich jemand.
Mephisto, in schwarzem Mantel, führt einen hinkenden Rappen am Zügel. Auf dem Rappen sitzt Faustulus – zusammengesunken, zerschunden, ohne Panzer und Helm.

FAUSTULUS: Wo wollt Ihr hin?
MEPHISTO: Jetzt geht es meinen Weg hinab ...
FAUSTULUS: Ich habe Angst.
MEPHISTO: Schweig! ... Sieh an, da zappelt noch einer ... Oh, der hochweise Astrolog. Seid Ihr es nicht, Graf Arthur von Stern?
ARTHUR: Ja, ich bin es ... Gebt mir zu trinken! ...
MEPHISTO: Wozu – Ihr seid gleich tot. Wenn Ihr Euch jetzt noch satt trinkt, wird Euch die Sonne morgen oder übermorgen nur um so häßlicher blähen.
ARTHUR: Wie, ich sterbe?
MEPHISTO: Und ob, Ihr seid in Stücke gehauen.
ARTHUR: Aber die Sterne ...
MEPHISTO: Haha, haha!
FAUSTULUS: Du mit deinen Sternen, Schwager! Fluch deinen Prophezeiungen, Fluch allem auf dieser Welt. Ich friere, und ich habe Angst. Ich will nicht sterben.
ARTHUR: Ich auch nicht ... Oder war denn alles nur Betrug? Wer hat sich da so bösen Spaß mit mir gemacht? Man wird geboren, wird betrogen, man naht sich einer Schale Liebe und muß in der eigenen Blutlache verenden ... mit schwacher Hand den Geiern wehrend ... O wie ich leide – an Körper und an Geist.
MEPHISTO: Sieh in die Sterne, und labe dich an ihnen. Bald werden deine Augen gläsern sein. Du wirst eine

schöne weiße Leiche abgeben, auch wenn die Sonne scheint ... Und dann wirst du vermodern, und auf diesem Sand wird ein wenig Gras wachsen. Klagend wird es im Winde flüstern, die Sterne aber werden nur lachen. Haha! Von wegen Sieg! Von wegen Nachkommen! Und langes friedliches Leben! Haha! He, du, Prinz ohne Reich, wir reiten weiter.

FAUSTULUS: Wohin?

MEPHISTO: Auf meinen Weg.

Beide über die Bühne ab.

ARTHUR: Die Sterne haben gelogen!! Sterben und nichts verstanden haben ... Die Sterne ... Wohin werde ich fliegen ... Genug des Schmerzes ... genug gedürstet ... Unfaßbar ... O Schlaf ...

Vorhang.

ZEHNTES BILD

Ein kleines Haus am Rande Trotzburgs, in dem sich Faust unerkannt aufhält. Arbeitszimmer und Werkstatt, die durch einen Teppichvorhang getrennt sind. Dämmerung. Das venezianische Fenster, dessen Bord mit Blumentöpfen vollgestellt ist, leuchtet in abendlichem Blau. Einfache Möbel, ein massiver Tisch, Bücher, ein Globus, Retorten, überall mechanische Teile. Faust am Fenster. Er hat einen schwarzen Talar an, liest in einem großen Buch; er trägt eine Brille. Läßt nachdenklich das Buch sinken. Hebt dann den Kopf.

FAUST: Es wird Frühling. Die Tage sind länger geworden ... Ob ich das Fenster öffne? Versuchen wir's. – *Öffnet das Fenster.*

Sogleich kommt die neunjährige Golda ans Fenster, ein barfüßiges Mädchen in malerisch zerlumptem Kleid und mit zerzaustem Blondhaar.

GOLDA: Machst du das Fenster auf, Großpapa?

FAUST: Ja, Golda.

GOLDA: Paß auf, daß du dich nicht erkältest.

FAUST: Es wird doch Frühling ... Und du gehst schon barfuß?

GOLDA: Ich bin auch jung, aber du bist alt. Warum siehst du mich so an? Weil ich so zerlumpt herumlaufe? Du darfst nicht denken, daß wir arm sind. Papa sagt immer: In Trotzburg gibt es keine Armen mehr. Die Armut ist mit Faust davongegangen, sagt er ... Ich habe schöne Kleider ... Aber ich zerreiße sie immer alle, Großpapa. Mama sagt, du bist ein Reißteufel, Golda. Mit den Schuhen ist es genauso ... Aber weißt du, ich kann es gar nicht leiden, wenn ich immer vorsichtig sein muß. Ich hab ein weißes Tüllkleid mit blauem Gürtel zu Hause, Großpapa, aber darin darf man doch nicht auf den Baum klettern, oder was meinst du?

FAUST: Nein, nein, das geht nicht.

GOLDA: Na, siehst du ... Und was denkst du, wie gern ich auf den alten Birnbaum klettere und von oben in dein Fenster sehe, wenn du zauberst.

FAUST: Wenn ich zaubere?

GOLDA: Na ja, wenn du deine Maschinen machst ... Weißt du, was Papa von dir sagt? Er sagt: Dieser Opa ist ein bißchen verrückt, er baut ein Pere ... ein Pere ...

FAUST: Ein Perpetuum mobile.

GOLDA: Jaja, so sagt er immer.

FAUST: Dein Papa hat aber nicht recht. Das Perpetuum mobile habe ich schon entdeckt – es ist die Welt. Was ich mache, sind einfach leichte Zügel, damit die Eselchen das Schwere leichter ziehen können.

GOLDA: Dann bist du also gar kein Zauberer?

FAUST: Nein, Golda.

GOLDA: Ach, das kannst du mir nicht erzählen! ... Weißt du, was Papa noch sagt? Er sagt: „Dieser Mijnheer Dampfer sieht jemandem sehr ähnlich. Wenn ich nicht wüßte, daß dieser andere weit weg ist und jetzt gar nicht in Trotzburg leben möchte, würde ich glauben", sagt Papa, „daß er es ist." Ich weiß nicht, wen er meint. Ist dir denn gar nicht langweilig?

FAUST: Nein.

GOLDA: Obwohl du immer nur arbeitest und schreibst und liest?

FAUST: Nein, Golda, trotzdem nicht.

GOLDA: Hast du denn keine Frau?

FAUST: Nein, ich habe keine.

GOLDA: Und Kinder oder Enkelkinder?

FAUST: Sie sind weit weg.

GOLDA: Wenn ich dein Enkelkind wäre, ich hätte dich nicht fortgelassen. Du bist doch ein guter alter Mann. Und ich komme gern, um dich nur anzusehen ... Deine Märchen erzähle ich hinterher immer meinen Freundinnen, und sie gefallen allen. Erzähl mir ein Märchen, Großpapa ...

FAUST: Also komm schon, kriech durchs Fenster. Ich freue mich auch immer, wenn du kommst, weil du nämlich eine kleine Goldmaus bist.

Behend klettert Golda durch die Blumentöpfe hindurch zum Fenster herein.

GOLDA: Da ist sie, deine Goldmaus ... – *Blickt sich um.* – Bei dir ist es ja schon finster.

FAUST: Wir machen gleich die Lampe an. – *Zündet eine große Lampe an.*

GOLDA: Hast du eine schöne Lampe ... Wie ein weißer Luftballon ... Ich setz mich in deinen Sessel, weißt du. Hier ist es schön; ich hab nämlich kalte Füße.

FAUST: Komm, nimm einen Schal um die Schultern.

GOLDA: Oh, ist der weich. Jetzt fühle ich mich richtig wohl.

FAUST: Abwarten, abwarten ... Ißt du gern Honig, Golda? Ich hab nämlich noch welchen da. – *Holt einen Honigtopf und Backwerk aus dem Schrank.* – Siehst du, auch Zwiebäcke hab ich noch.

GOLDA: O fein, die tunk ich in den Honig, und du erzählst mir was ...

FAUST *auf- und abgehend:* Also hör zu, Golda: Es war einmal ein weiser und reicher Mann. Er hatte eine überaus schöne Tochter und einen reckenhaften Sohn. Er liebte sie beide sehr und wünschte alles Glück für sie. Darum suchte er der Tochter einen Bräutigam, und dem Sohn verhalf er zu einem hohen Amt am Hofe des Königs. Er nahm den Bräutigam, einen schönen Jüngling, bei der Hand, führte ihn zu seiner Tochter und sagte zu ihr: „Hier, meine Tochter, hast du einen Gemahl. Sieh, wie wohlgestalt und schön er ist, wie lockig sein Haar. Er stammt aus einem berühmten Geschlecht und ist noch reicher als wir." Die Tochter aber sprach kein einziges Wort und schlug nur die Augen nieder. Und der Bräutigam küßte ihr die Fingerspitzen. Dann ging der Vater zu seinem Sohn, ließ ihn in goldene Gewänder kleiden, reichte ihm einen kostbaren Stab, setzte ihm einen Stirnreif aus Brillanten auf und sagte: „Geh in den Palast des Königs – und du wirst sein liebster Mundschenk sein. Ehren und Freuden erwarten dich im Dienste des Königs." Aber der Sohn sprach kein einziges Wort, kleine Golda. Und es wurde Nacht. Der weise Mann saß auf der Treppe vor seinem Haus, unter den Bäumen seines Gartens. Es war dunkel. Da sah er, wie seine Tochter in einem weißen Kleid aus dem Haus trat, in den Garten ging und verschwand. Es schien dem weisen Mann, als sei sie verwirrt gewesen und als habe sie sich ängstlich nach allen Seiten umgeblickt. Den Vater hatte sie nicht bemerkt. Es war ganz still. Nur ein Laubfrosch ließ sich mit hellem Quaken vernehmen. Marienkäferchen flimmerten und führten über den Büschen ihre Reigen auf. Der weise Mann ging seiner Tochter nach ... Er durchschritt den Garten und den Hof, wo die Wagen und Pflüge standen. An ihnen vorbei kam er in den Pferdestall, wo die Arbeitspferde und die Maulesel untergebracht waren. Immer noch folgte er der weißen Mädchengestalt. Im Pferdestall roch es nach warmem Mist. In der äußersten Box stand ein Eselchen mit großem Kopf und sehr langen Ohren. Durch eine Öffnung fiel das Licht der ewigen Sterne. Das Eselchen gähnte schläfrig und wedelte träge mit dem Schwanz. Die Tochter ging zu dem Eselchen und umschlang seinen Hals. Dann küßte es seinen rauhen Kopf. Und das Eselchen beleckte mit grober Zunge die Hände des Mädchens. Sie aber sprach zu ihm: „Du, mein einziger Bräutigam. Nie will ich einen anderen haben." Da kehrte der weise Mann verwirrt und erschrocken nach Hause zurück und konnte seine Gedanken lange nicht sammeln. Sein altes Herz tat ihm weh. Indessen schlich sich sein Sohn an ihm vorbei. Er war in einen schwarzen Mantel gehüllt und hatte sich den Hut tief in die Stirn gezogen. Verstohlen ging er zu der Pforte hinaus, die vom Garten in den Wald führte. Im Vorgefühl, daß sich etwas Wichtiges zutragen würde, erhob sich der Vater und ging seinem Sohn nach. Im Wald war es stockdunkel, und überall war ein geheimnisvolles Rascheln. Die Eule schrie. Der Sohn aber lief zu einer tiefen, feuchten Höhle und kroch auf allen vieren in einen niedrigen Spalt. Nun wußte aber jedermann, daß in dieser Höhle eine Schlange lebte, und selbst am hellichten Tage hatte man Furcht, dieser Höhle zu nahe zu kommen. Dem weisen Mann wurde es unheimlich zumute. Und er kehrte um. Vom Turm schlug es eben zwölf Uhr. Ob meine Tochter wohl noch bei dem Esel ist? dachte er und ging, danach zu sehen... Er rieb sich die Augen, weil er meinte, schlecht zu sehen, obwohl der Mond aufgegangen und es recht hell geworden war und überhaupt alles ringsum in zauberhaftem blauem Glanz lag. An der Tür zum Pferdestall stand nämlich ein stattlicher Jüngling in grauem Wams mit grauem Hut, an dem zwei Kranichfedern steckten. Er hielt die Tochter des weisen Mannes umfaßt und sagte: „Du weißt, daß ich die Arbeit liebe, daß ich stark bin und duldsam. Der böse Zauber wird aufgehoben sein, sobald du meine Frau bist. Von da ab wird mir für immer die Gabe der menschlichen Rede verliehen sein, und ich werde mit deiner Liebe und Hilfe das

Haus des Glücks für uns und andere bauen – für alle die Arbeiter, die ohne Arbeit sind, für alle Familien, die keinen Herd haben, für alle Gelehrten, denen die Bücher fehlen, für alle Köpfe, Herzen und Hände, die alles vermögen und denen das Schicksal sagte – nein!" Der weise Mann war sehr verwirrt. Er wußte nicht, was er von all dem halten sollte. Dann ging er in den Wald, weil er in großer Sorge um den Sohn war. Der Sohn saß in hellem Mondenschein auf einem Baumstumpf neben der Höhle. Zu seinen Füßen lag die erschlagene Schlange, und er wühlte in glitzernden Brillanten, Rubinen und Smaragden, die er mit vollen Händen aus goldenen Vasen und Dosen hervorholte ... Der weise Mann rief ihn an: „Sohn, was tust du da?" Und dieser antwortete: „Ich habe das Glück gefunden und es allein für mich erobert, denn ich will dem König keine Gläser reichen." Der weise Mann sagte: „Auch deine Schwester hat ihr Glück gefunden ..." Und das war die Wahrheit. Sie hatten es selber gefunden, sie hatten ihr Glück sich von einem Ort geholt, an dem zu suchen dem weisen Mann nicht im Traum eingefallen wäre. Der weise Mann fühlte tiefe Beschämung. Dann aber wurde er wieder froh und sagte sich: So will ich ihr Glück wenigstens ein bißchen bereichern, indem ich die Erde näher an die Sonne bringe und ein Luftschiff auf den Mond sende, um Silber zu holen, und viele andere schwierige Dinge mehr ... Und so sitzen sie und treiben alle solche Dinge, weil sie sich gut vertragen ... Da sieh, Golda, deine Mutter sucht dich.

FRAU *kommt zum Fenster:* Ist mein Töchterchen vielleicht bei Euch, Mijnheer Dampfer?

GOLDA: Hier bin ich, Mama. Ich esse Honig, und der Großpapa erzählt mir ein Märchen.

FRAU: Schnell nach Hause mit dir. Nach dem Honig wirst du wieder kein Abendbrot essen und nach dem Märchen nicht einschlafen können. Ihr verwöhnt sie mir, Mijnheer Dampfer.

FAUST *streichelt Goldas Kopf:* Kinder sollen so viel Glück wie möglich erfahren, Frau Kate.

GOLDA *gibt Faust einen herzhaften Kuß:* Dann mach weiter die Zügelchen. Vielen Dank für den Honig und das Märchen. – *Klettert aus dem Fenster.*

FRAU: Guten Abend, Mijnheer Dampfer.

FAUST: Guten Abend, Frau Kate. Und du schlaf fest und süß, Goldmaus. Halt, da fällt mir ein: Hast du heute morgen den Brief ins Haus des Tribunen gebracht?

GOLDA: Aber ja, nur sie haben gesagt, der Tribun ist gestern zur Arbeit nach Zuidkerken gefahren ... Sie legen dort die Sümpfe trocken, wie bei Faust.

FAUST: Und seine Frau?

GOLDA: Sie hat immer mit ihren Kindern zu tun. Sie haben ihr den Brief bestimmt nicht gleich gegeben. Ich habe gesehen, wie ihn Pieter Baas auf den Tisch gelegt hat, an dem der Tribun arbeitet.

FAUST: Na gut, mein Vögelchen ... das hast du fein gemacht. Und nun leb wohl.

GOLDA: Leb wohl, guter Großpapa ... Du bist so gut ... – *Läuft weg.*

Faust allein.

FAUST: Ich gebe auf ... Mein Stolz schweigt ... Die Kinder hatten recht. Nur ein Winter trennt uns von der Belagerung, und schon blüht Trotzburg auf. Oh, ihr tapferen, ruhmreichen Kinder! Wie sie sich halten ... Faustina hat vor drei Monaten einen Sohn geboren ... und er heißt Heinrich Faustus. Dabei habe ich ihn noch nicht einmal gesehen. Aber wie hätte ich den Gang nach Canossa tun können, ohne ihnen den eisernen Menschen fertig gebaut zu haben, nun jedoch komme ich nicht mit leeren Händen, ich habe meine Zeit nicht nutzlos vertan. Ja, man muß Frieden schließen. Faustulus lebt als Schmarotzer an fremden Höfen und spinnt alberne Intrigen ... Es wäre schade, müßte mein ... unser Trotzburg abermals eine Belagerung bestehen. Ah, jetzt ist es dunkel, sicher werden sie nun meine Zeilen lesen und gleich kommen ... Ich muß sagen, ich bin erregt. – *Es wird an die Tür geklopft.* – Tochter! – *Stürzt zur Tür und reißt sie auf. In der Tür steht Mephisto, er trägt seinen schwarz-roten Mantel.* – Du? Hier ist kein Platz für dich.

MEPHISTO *tut einen Schritt ins Zimmer:* Wir müssen miteinander reden. – *Wedelt mit dem Mantel nach der Lampe, die halb verlischt und nur noch als bleicher Fleck im Dunkel glimmt. Auf schwarzem Grund sind nur der schöne weißhaarige Kopf Fausts und Mephistos leichenblasse Maske zu erkennen.*

FAUST: Du nimmst meine Zeit vergebens in Anspruch, böser Geist. Du hattest nie Macht über mich, nun aber kannst du weniger gegen mich ausrichten denn je.

MEPHISTO: Also vergibst du? – *Faust schweigt.* – Bittest du um Vergebung? – *Faust schweigt.* – Natürlich, wie kann es anders sein ... In diesem leeren Herzen ist kein Leben mehr, kein Feuer, kein Blut. Deinen Ruhm haben sie dir zertreten, die Tochter haben sie dir genommen, dem Sohn die Existenz vernichtet, frech heben deine Feinde das Haupt, spotten deiner triumphierend, baden sich in ihrem stinkigen Spießerglück, solange Haß und Neid ihren Ameisenhaufen nicht in Aufruhr bringen. Und du? Du kommst sabbernd gekrochen, hinfälliger Recke, daß sie dir liebreich den Rücken klopfen. Weißt du, warum ich mich entsetze und deiner schäme? Weil im Gedächtnis der Jahrhunderte man doch recht lange noch erkennen wird, daß wir uns nahe waren, und weil der übelriechende Schatten deines selbst mich überraschenden Niedergangs mittelbar auch auf mich fällt, mich, den stolz gebliebenen Geist; weil, wie ich dir nochmals sagen muß, die Tränen deiner Greisenschwäche meine makellos schwarzen Flügel für lange besudeln werden. O du Jämmerlicher, dich hielt ich für den ersten unter den Menschen! Und wenn du es sogar gewesen bist, was ist der Mensch dann wert, wenn der erste ist wie du – ein erweichtes Gehirn in klapperndem Schädel, ein krankes, altes Tier, das Frieden und Ruhe will, einen Platz hinter dem Ofen derer sucht, die ihn verhöhnen. Ausgeburten des eigenen Bluts ... Als ewiger Feind allen Gebärens überkommt mich fast traurige Verachtung, angesichts dieser Resultate. O Schmutz, o Schmutz! Und das wagt zu existieren!

FAUST: Spare dir deine Rhetorik für melancholische Studenten auf.

MEPHISTO: Du wirst bald sterben, Faust!

FAUST: Das weiß ich lange. Ich sehne nicht den Tod herbei, fürchte ihn aber auch nicht.

MEPHISTO: Du könntest weiterleben.

FAUST: Um welchen Preis?

MEPHISTO: Du mußt auferstehen! So kitzle deinen Stolz, mein Faust! Sag nur: Wir wollen sie zerstampfen. Weide dich an süßer Rache! Stell dich, tinanengleich, vor sie und sprich: Auf mein Wort ward Trotzburg geboren, und auf mein Wort wird es untergehen! Gib mir die Hand, und ich gebe dir ein langes Leben, ich schwöre es bei meiner Mutter!

FAUST: Du willst, daß ich meine Kinder erschlage, um meine Tage zu verlängern? O nein! ... Sie sind mehr wert als ich.

MEPHISTO: Jämmerlicher Mann, was redest du da? Bescheiden, erniedrigt, geduckt. Und du, du bist – Faust?

FAUST: Ich bin Faust, der seinen Wert erkennt.

MEPHISTO: Dein Wert war mir schon immer nichtig, aber deine sklavische Unterwürfigkeit macht ihn noch geringer.

FAUST: Und ich sage dir: Ich bin Faust, der seinen Wert erkennt ... So weiß ich auch, daß du mein Schatten, daß du nur Leere bist, daß jeder Schlag meines Pulses mehr wert ist als deine ganze durchsichtige Existenz, daß jede Bewegung meiner Pupille mehr Sinn hat als all deine phantasmagorische Klugheit.

MEPHISTO: Sieh einer an!

FAUST: Ich weiß nur wenig, weil die Menschheit noch in ihrer Wiege liegt, aber so viel weiß ich, daß du nichts bist als ein armer einfältiger Teufel.

MEPHISTO: Wie ich staune. Haha-ha! Du leckst die Hand, mit der Faustina wohltätig die Strümpfe ihres Herrn Gemahls stopft, und an mir willst du dich gütlich tun ... Aber bitte, ich will dir zuhören ... Doch denk daran, dann ist die Reihe an mir, Faust! Denke daran, und ein Kälteschauer soll bis ins Innerste deines hinfälligen Leibes dringen.

FAUST: Du bist ein armer, einfältiger Teufel. Und das weiß nicht nur ich, jeder Bauer weiß das. Die Mönche mögen behaupten, du wärst furchtbar, stark und listig – das Bäuerlein stellt dich als den Dummkopf dar, der du auch bist. In seinen Märchen foppt dich jedes Hänschen, und jeder Kaspar im Puppentheater verwalkt dich samt deinen Gespensterschergen, dem Tod und dem Gendarm. Ich begegnete einmal einer herzkranken, alten Frau, die häufig an Halluzinationen litt, und sie erzählte mir: „Heut war so ein armes kleines Teufelchen bei mir, ich hab ihm Milch gegeben, weil es mir so leid tat. Und dabei habe ich ihm aus Versehen die Pfote abgequetscht. Hat das kleine Ding geschrien. Es zitterte am ganzen Leibe, das Arme, wagte sich nicht näher heran, hockte im Brennholz und piepste: ‚Großmütterchen, du hast meine Pfote, bitte, gib mir meine Pfote wieder!'" Sie täten ihr leid, die armen Dinger, erzählte sie, die liebe Sonne habe sie ganz verrückt gemacht, und sie rackerten sich so ab – und brächten doch nichts zustande – weder für sich noch für andere. – *Lacht leise.* – Nun, wie steht's, Mephisto, soll ich dir das Pfötchen wiedergeben, das dir Trotzburg mit eherner Ferse abgequetscht hat? Wir leben, und wir kommen voran! Und du bist unser immer gleicher grauer Schatten, der trübe Hintergrund unserer lichten Gedanken, der Herrscher über den Abschaum, Herrscher über schäbigen Schutt. Man nennt dich Beelzebub, den König der Fliegen. Doch selbst dies ist zuviel der Ehre, du Gebieter über pestiges Aas, Vorbote flüchtiger Erschlaffung, die dem ewigen Pulsschlag des Daseins zuweilen widerfährt... Wenn die Fliege ihrem Ei entschlüpft, erhebt sie sich auf ihren dünnen Flügelhäutchen immer noch höher als du. Du siehst ihren großartigen und festlichen Flug nur deshalb nicht mit Neid, weil du zu blind bist, um dessen Größe und Geheimnis zu verstehen und die eigene Leere und hoffnungslose Flachheit zu erkennen. Willst du dein Pfötchen wiederhaben?

MEPHISTO: Ihr lebt also, und ihr kommt voran? Wisse, du verstiegener Mensch, daß allein die Nacht existiert und daß ihr und alle eure Welten nur ein lächerlicher Zufall seid, ein dummer Zufall, Irrtum eines Augenblicks, an den sich einst niemand mehr erinnern wird, Minutenfunken einer Nacht, die euch in ihren Schlünden begraben und dann wieder dahindämmern wird. Doch ehe sich dieser Traum, den ihr Universum nennt, in den Unendlichkeiten auflöst, wird er häßlich verfallen, und eure alte gelbe Sonne wird rot werden, blau und schwarz – und schließlich erkalten... Dieses erstarrte Sonnensystemchen wird sich sinnlos durch den Äther drehen, mit größerem Sinn freilich noch – haha –, als ihr euch mit euren Hoffnungen dreht und wendet! Ihr armen Wesen seid nicht nur existent und bewegt euch also – was in unseren Augen schon sinnlos ist und nur halbe Existenz heißt –, nein, um das Maß dieses totalen Zufalls voll zu machen, ihr fühlt auch noch und – o weh, o weh! – seid denkende Wesen!... Wie ist das alles dumm, wie unermeßlich dumm! Ihr Spielzeugmaschinchen, ihr winzigen Marionetten des Unabänderlichen, seid obendrein mit einem Wahn begabt, den man Vernunft nennt und der euch nur Leiden einbrockt, denn das Leiden ist nötig um des Gleichgewichts willen. Da eine Dummheit wie die Bewegung nun einmal geschehen ist, muß auch jemand für diese Absurdität, für diese gemeine Störung der ewigen Ruhe bezahlen und die Rechnung begleichen – deshalb ist euch das Leid gegeben. Euer Schmerz ist der Beginn der Rückwärtsbewegung des Pendels, das ich dann zum Stillstand bringe. Die Welt vergeht, zuvor noch verlischt die Sonne, und davor noch wirst du verfaulen, und ohne Spur wird jener Traumfetzen verwehen, den du dein Bewußtsein nennst!

FAUST: Mephisto, kannst du noch sagen, wie du geboren wurdest?

MEPHISTO: Ich bin Teil der Allmutter, ich war vor aller Ewigkeit! Ich kam aus den heiligen Tiefen des Dunkels, als sich das trübe Chaos erhob. Ich wurde geboren, wie ich noch bin – als Sehnsucht nach dem Gleichgewicht, das einst gestört wurde, und ich kehre zur wonnigen gewaltigen Ruhe zurück, sobald sie wieder eingerichtet ist.

FAUST: Armes, dummes Teufelchen. Deine Mutter, von der du mit der rührenden Ehrfurcht eines Grünschnabels sprichst, der bei einem rechten Krähwinkelscholasten in die Lehre gegangen ist, die gibt es gar nicht. Sie existiert nicht einmal auf die Weise, wie du erzählst. Denn überall ist Fülle, und überall ist Leben. Und immer war Leben. Armer, dummer Teufel. Sieh dich an, wie mager und wie blau du geworden bist. Du zerschmilzt schon in dem Schatten meines Zimmers. Soll ich dir nicht dein Pfötchen wiedergeben? Du glaubst, daß der finstere Winkel, wo du geboren wurdest, vor allen Ewigkeiten lag, dabei war er nur die Abfallgrube dieser Welt, wohin man allen Abschaum, alles Gerümpel und allen Plunder wirft. Dort bist auch du entstanden, ein Parasit, eine Wanze des Universums, und als du ausgekrochen warst, hast du aus deiner Abfallgrube dein Ideal des Chaos in die Welt der ewig sich wandelnden Harmonien gebracht. Der Abschaum der Welt, eine Materie, die ihre Zeit zu Ende gelebt hatte und die noch einmal ins Feld gezogen ist – das ist deine Mutter. In den Windungen des Gehirns, wo reinigende Prozesse die giftigen Sekrete unseres Organismus sam-

meln, der Abfall nervlicher Tätigkeit, da entsteht deine trübe Halbexistenz, doch auch von dort wird dich das sonnengeborene, edlen Sauerstoff führende Blut vertreiben. Gewürm des Abgrunds, Spinne, Frucht der Verwesung, du bist am Leben, weil es immer Abschaum geben wird auf der Welt... Das eine wird für das Leben umgeschmolzen, das andere stirbt zu seiner eigenen Ruhe... Das Reich des Lichtes aber baut sich immer höher, der Gedanke wächst und wird zum größten, wenn auch jüngsten Element, und du wirst vollends erbärmlich sein, niemand wird mehr die Hölle fürchten. Bist du doch nur Verirrung. Soll ich dir nicht das Pfötchen wiedergeben?

MEPHISTO: Wer bist du, daß du es wagst, mit solcher Sicherheit zu sprechen? Wie kannst du so vermessen sein, deine Vermutungen gegen mein Wissen zu halten?

FAUST: Ich bin reich und stolz, ich brauche mich nicht mit fremden Federn zu schmücken. Gewiß, du hast recht, was ich hier sage, sind Vermutungen. Doch du sprichst vom Alpdruck des Zerfalls, ich dagegen rede vom ersten Schimmer hohen Strebens. Du weißt? Hör auf. Niemand kann sich endgültigen Wissens rühmen. Aber alle leben. Wir schaffen – du aber bist Staub!

MEPHISTO: Haha! Jetzt bist du aufs Glatteis gegangen! Ich habe dich immer ein Wunderkistchen genannt. Wohlan, weiser Faust, wisse, daß du morgen sterben wirst. Ich hoffe, du glaubst nicht etwa an die Unsterblichkeit der Seele? Morgen wirst du sterben, hörst du – sterben, sterben... – *Neigt sich zu Faust und flüstert heiser:* Sterben... und für immer.

FAUST: Die Welle kehrt zurück, und wie sie geht, kommt eine neue wieder. – *Es wird an die Tür geklopft.* – Faustina! Sie kommt mit dem Kind! Mein Enkel – Heinrich Faust, Bürger von Trotzburg, du letzte Hoffnung meiner Erdentage! Weiche, Gespenst, das Leben kommt!

Die Lampe leuchtet hell. Mephisto ab. Die Tür springt auf. Auf der Schwelle steht Faustina, in grünem Mantel mit weißem Pelz, lächelnd. Zärtlich drückt sie das eingemummte Kind an sich.

FAUSTINA: Liebster Vater. Du, du bist es... Oh, wie bin ich gelaufen!... Laß mich deine Hände und dein graues Haar küssen. – *Weint.*

FAUST *gleichfalls weinend:* Töchterchen!... Mein Enkel! Oh, ihr Lieben, ihr Lieben... – *Lange Umarmungen.* – Wie geht es euch, Faustina, wie geht es dir? Du bist glücklich, nicht wahr? Du liebst Gabriel doch?

FAUSTINA: Ja, Vater, ich bin glücklich. Ich liebe meinen Mann und mein Söhnchen so sehr, mein kleines, herzallerliebstes Engelchen... Du mußt ihn dir ansehen. Aber hast du es auch warm genug? Du glaubst ja nicht, was für ein reizendes Körperchen er hat... Er kann auch schon lachen. Und er ist dir ganz ähnlich. Wirklich, er weiß eben, daß er dir ähnlich sein muß.

FAUST *macht sich am Kamin zu schaffen:* Ich mach gleich Feuer... Laß ihn noch in Decken, bis das Feuer an ist. – *Im Kamin flackert Feuer auf.* – Faustina, wie konntest du nur alles so vor mir verbergen? Oh, du Liebes, ich will dir ja keine Vorwürfe machen... Nein, nein... Nur – warum? Ich verstehe nicht, warum? Mich hat es sehr geschmerzt. – *Stochert im Feuer, tritt dann zu Faustina.*

FAUSTINA: Ich hatte Furcht, Vater... Du hattest mir schon einen Mann auserwählt, und Gabriel mochtest du nicht... Du warst so angetan von deiner Macht, obwohl du mich liebhattest...

FAUST: O du alter Tyrann! Die eigene Tochter fürchtete dich. Wie mußte es in den anderen aussehen? Dabei haben sie deine Herrschaft so lange geduldet. Zeig mir unseren Heinrich... Mein Gott, ist er groß. So ein großer, so ein riesiger Bursche!

FAUSTINA: Er ist jetzt drei Monate und vier Tage alt, aber er sieht aus wie ein halbes Jahr.

FAUST *nimmt das Kind auf die Arme:* Ich halte ihn sorglich, Faustina... Henry, Henry! Sieh doch, er hat seine rosige Patsche in meinen Bart gesteckt... Henry, du mein Glück, zarte Knospe, du mein neues Ich. Du hast einen weisen Blick, und du lachst wie die Seligkeit, wie die Liebe, wie der Frühling, wie die Morgenröte, wie die Hoffnung...

Leise kommt Gabriel herein.

GABRIEL: Herzog!

FAUST *dreht sich um:* Lieber Schwiegersohn, was seid Ihr für ein schlechter Bürger. Bin ich ein Herzog? Ich bin Doktor Faust, Bürger zu Trotzburg. Hört, was ich von eurem Sohn sage: Er ist weise. Seht doch, seht ihr nicht, welch übermenschliches Bewußtsein auf seinem Gesichtchen liegt? So ist es bei allen neugeborenen Menschenkindern. Sie wissen noch etwas Wichtiges, dasselbe, was auch die schweigenden Toten erfahren. Aber weder diese noch jene können sprechen, und wir können nicht mehr, als in dieser Weisheit zu lesen: bei den Kindern in den Augen, bei den Toten auf der Stirn und auf den Lippen ... Und dann, wenn die Kinder sprechen lernen, vergessen sie diese Weisheit, sie beginnen zu leben und ihre eigenen Dinge zu treiben ... Seht nur, wie er lächelt! Henry, dein Vater ist gekommen. O ja, er kennt Euch, Ihr seid ein Mann des Glücks!

Vorhang.

ELFTES BILD

Derselbe Platz wie im dritten Bild. Er ist fast leer. Nur hin und wieder geht jemand vorüber. Vor dem Fiskus steht eine Wache.
Aus dem Gebäude der Maurerzunft kommen die Kaufleute Segal und Peeperschalk. Sie gehen langsam bis zum Proszenium.

SEGAL: Die Sache ist sonnenklar ... Wenn wir den Bogen überspannen ...
PEEPERSCHALK: ... wird er zerspringen.
SEGAL: Ganz meine Meinung ... Es ist zwar ein Skandal, wie unsere Gewinne gesunken sind, aber ...
PEEPERSCHALK: Aber immerhin – Gewinn bleibt Gewinn.
SEGAL: Ganz meine Meinung ... Wir könnten die Volksversammlung natürlich ins Bockshorn jagen, drohen, daß wir die Stadt verlassen, aber ...
PEEPERSCHALK: Aber man könnte uns sagen: Bleibt, wo der Pfeffer wächst.
SEGAL: Ganz meine Meinung ... Ich hatte sehr auf die Anständigkeit des Tribunen Scott gerechnet und einen anderen Ausgang unseres heutigen Gesprächs erwartet. Ihr wart zu schnell mit euren Vorschlägen bei der Hand.
PEEPERSCHALK: Mit einem Wort – er hat uns hinausgeworfen.
SEGAL: Ganz meine Meinung.

Ihnen entgegen kommt Mephisto, als Mönch verkleidet.

MEPHISTO: Hochachtbare Kaufleute, verweilt ein wenig, nehmt meinen friedlichen Segen entgegen. Haha! Erkennt ihr euren Freund nicht mehr?
PEEPERSCHALK: Das ... das ist doch der Baron!
MEPHISTO: Pst, leise, ich bitt euch! Was hat euch Scott gesagt?
PEEPERSCHALK: Ein Melodrama hat er aufgeführt.
SEGAL: Es war ein reines Tugendstück.
MEPHISTO *wiegt den Kopf:* So muß ich ihn mir selber vornehmen. Ich habe doch eure Vollmacht, nicht wahr?

BEIDE: Und ob!

MEPHISTO: Dann auf Wiedersehen! Er kommt gerade. – *Die Kaufleute ab. Scott kommt, mit rot-grüner Schärpe über der Schulter, die Treppe des Zunfthauses der Maurer herunter. Mephisto tritt zu ihm und verneigt sich tief.* – Hochmächtiger Tribun, gestattet mir ein Wort.

SCOTT *zerstreut:* Was willst du, Mönch?

MEPHISTO: Es wäre mir lieber, wir könnten uns woanders unterhalten.

SCOTT *lächelnd:* Geheimnisse?

MEPHISTO: Von größter Wichtigkeit sogar.

SCOTT *aufmerksam:* Was kannst du mir schon sagen, Mönch? Ich bin beschäftigt; sprich hier und schnell.

MEPHISTO: Laßt uns in Euer Arbeitszimmer gehen. Ich bin es – Baron Mephisto, der ehemalige Alguacil.

SCOTT *auffahrend:* Wie? Ich werde auf der Stelle befehlen, Euch festzunehmen.

MEPHISTO: Wie Ihr wünscht. Doch seid Ihr ein kluger Mann. Ihr werdet verstehen, daß ich nach Trotzburg und geradewegs zu William Scott nicht komme, um müßigen Geredes willen. Ihr solltet für alle Fälle anhören, worum es geht ...

SCOTT: Worum es geht? Zwischen uns haben lange Reden keinen Sinn. Wenn Ihr mich für klug haltet, werdet Ihr begreifen, daß ich mit Schönrednerei nicht zu überzeugen bin. Zur Sache also, Baron. Was wollt Ihr von uns? Bringt Ihr ein Angebot von Faustulus?

MEPHISTO: Faustulus ist ohne Hoffnung. Seine Sache ist verspielt.

SCOTT *lächelnd:* Das ist uns bekannt.

MEPHISTO: Nennen wir die Dinge also beim Namen. Die Kaufleute haben beschlossen, abzureisen und über Trotzburg die Handelsblockade zu verhängen.

SCOTT *zuckt mit den Achseln:* Das ist nicht wahr. Ich habe eben mit ihnen gesprochen. Sie sind eher eingeschüchtert.

MEPHISTO: Nach Euch aber sprach ich mit ihnen. Ihr Entschluß ist unumstößlich. Und da Trotzburg eine auch nur hinreichend große eigene Flotte fehlt, droht der Stadt in einigen Monaten der Hunger. Und wie viele Schwierigkeiten noch in Zukunft!

SCOTT *stolz:* Wir werden sie zu überstehen wissen.

MEPHISTO: Die Meister sind unzufrieden über die Freiheiten ihrer Gesellen und Lehrlinge. Die Maßnahmen des Tribunen Bond führen zum Ruin aller begüterten Bürger – zumindest ist das deren Meinung.

SCOTT: Das alles weiß ich besser als Ihr.

MEPHISTO: Ich habe die Vollmacht aller Optimaten der Stadt und der guten Hälfte aller Kapitäne, Euch einen Umsturz vorzuschlagen ... Wollen wir nicht lieber zu Euch gehen? Es ist nicht angenehm, sich hier auf dem Platz zu unterhalten.

SCOTT: Hier kann Euch niemand hören ... und es weckt weniger Verdacht.

MEPHISTO *mit boshaftem Lächeln:* Wie Ihr wollt. Also: Ich kann Euch sofort eine Riesensumme zur Verfügung stellen, die ich bei allen äußeren Feinden der Trotzburgischen Freiheits-Ausschweifungen gesammelt habe, und derer sind nicht wenige. Heute nacht noch kann ich Euch eine Million Dukaten in klingender Münze zahlen. – *Pause.* – Drei Tagereisen von hier habe ich ein Lager mit viertausend Landsknechten aufgeschlagen. Ihr könnt sie zu beliebiger Zeit in Euren persönlichen Sold nehmen ... William Scott, reden wir miteinander wie verständige Leute. Wir beschränken uns nicht nur auf den Vorschlag, Euch zum Statthalter zu ernennen. Wenn Ihr wollt, könnt Ihr binnen kurzem auch Herzog sein. Schlagt ein – und alles ist Euer. Ihr wißt doch, wen man hier kaufen kann und muß? Die Radikalen, durchweg nur Gesellenvolk und Lehrlinge, brecht Ihr in letzter Minute mit Gewalt. Wollt Ihr das Werk fortführen?

SCOTT *senkt den Blick:* Teufel ...

MEPHISTO: Ihr habt doch keine Furcht vor ihm?

SCOTT: Kommt nachts in den Garten neben dem Westernturm ... zum Denkmal des Cäsar.

MEPHISTO: Ich werde da sein.

SCOTT: Jetzt kommt das Volk zusammen. Van Bond hat nach dem Mittag die Volksversammlung einberufen. Ich habe es eben erst erfahren und weiß noch nicht, worum es geht. Auf jeden Fall nichts von Belang.

MEPHISTO: Haltet die Ohren offen.

SCOTT: Genug, trennen wir uns.

Sie gehen auseinander. Auf dem Platz erscheint eine größere Gruppe, bunt durcheinandergewürfelter, recht zerlumpter Leute. Darunter Aufruhr und Neid.

AUFRUHR: Ich sage euch – es ist nichts als eine Usurpation. Die Tribunen wollen darauf hinaus, schließlich die Herren zu werden.

NEID: In der Stadt hört man nur noch – Tribunen vorn, Tribunen hinten ...

AUFRUHR: Es ist zuviel der Ordnung. Trotzburg wird schläfrig.

MEPHISTO *als fahrender Musikant verkleidet:* Das sag ich auch. Sie haben ihren kleinen Frieden geschlossen. Statt eines großen Herzogs haben wir nun zwei kleine. Und könnt Ihr mir vielleicht verraten, Mütterchen, wo hier Gleichheit ist?

NEID: Eine schöne Gleichheit. Nun ja, den Reichen hat man hohe Abgaben auferlegt, Hungrige oder Bettler gibt es nicht mehr, aber dafür muß man sich nur noch das Geschwätz von Tugend, Arbeitsliebe und Begabung anhören! ... Wer eine weite Natur ist und gern behaglich lebt, dem wird Trotzburg zur Plage. Nirgendwo ist ein Mensch, der seine Freiheit liebt und nur sich selbst zu dienen wünscht, so übel dran wie hier.

MEPHISTO: Und wie schlau diese Tugendbolde sind: Noch vor kurzem, berühmter Papa Aufruhr, hattet Ihr ganze Menschenmassen um Euch. Und heute? Seit sie eine Zunft der Schwerarbeiter gegründet haben und diese mit allem Brimborium umgeben, ist niemand mehr bei Euch ...

AUFRUHR: Außer ein paar Lotterbuben ... Ihr habt schon recht ...

MEPHISTO: Das ist nichts Neues unter dieser Sonne. Genau dasselbe sah ich schon einmal in Italien ... in Palermo. Aber dort ging die Sache nicht so weiter. Da fanden sich Leute, die merkten, wie die neue angebliche Macht des Volkes sich in den Händen eines Mannes sammelte und wie dieser eine sogenannte Ordnung zur Arbeit einführte samt einer strengen öffentlichen Aufsicht. Da fanden sich Leute, die kühn den Aufruhr verkündeten gegen jede Art von Ordnung.

AUFRUHR: Ein vorzüglicher Gedanke.

Lärmende Zustimmung.

MEPHISTO: Zu diesem Anlaß entstand in Palermo ein hübsches Lied. Ich werd es euch vorsingen. – *Singt, sich auf der Gitarre begleitend:*

In Italien jagt ein Kaufmann
seinen Herren aus dem Schloß ...
kaufte dazu jedermann,
legt es auf die Krone an,
setzt sie auf zum Schluß.

Kaufmann, Meister hat verjagt
dann der Arbeitsmann im Streit,
der das Volk mit Arbeit plagt,
jedem unumwunden sagt:
wir kürzen so die Zeit.

Doch du, mein lieber Elegant,
du guter Lazzaroni,
versuch dein Heil in anderm Land,
nimm schnell den Wanderstock zur Hand,
und schmause Makkaroni ...

Streng dich jetzt selbst ein wenig an,
kein Herr ist nämlich schlimmer
als der Gevatter Arbeitsmann,
den ficht das Nichtstun niemals an,
und uns mißgönnt ers immer.

Du kriegtest früher was umsonst,
knurrt dir auch oft der Magen,
doch heut ist dir das Geld nur lieb,
die Arbeit nimmt dir jeden Trieb –
ihr Weiber habts zu tragen.

Nimm einen Stein vom Brückentor,
nimm eine Fackel dir zur Hand,
glaub mir, sind erst bekannt mit dir
der Kaufmann wie der Adel hier,
dann geht ihr auch gemeinsam vor.

Mach deinen Aufruhr, Bruder du,
erheb dich, fünfter Stand:
in Brand wird diese Welt dann stehn,
mag sie im Sturz zur Hölle gehn,
ersticken in dem Blut.

NEID *laut applaudierend:* Bravo, bravo! Das nenn ich mir ein gutes Lied.

MEPHISTO: Ich weiß, was gespielt wird. Und um einen Anfang zu machen, muß man die Ordnung am Kopfe treffen. Der Kopf ihrer Ordnung ist der Tribun van der Bond. – *Die Glocke ruft zur Volksversammlung.* – Gleich wird sich das Volk versammeln. Wir kommen noch zurecht. Kommt in die Schenke, ich will euch von Palermo weitererzählen.

Der Platz füllt sich schnell mit Volk. Die Zünfte erscheinen mit Fahnen, voran gehen die Meister. Die Gesellen tragen Waffen. Die Kaufleute finden sich in kleinem Kreis unter der Tribüne zusammen. Auf den Stufen zum Springbrunnen lassen sich die Sekretäre und Hauptleute der Republik nieder. Auf dem Sockel selber sitzen in Sesseln die Ältesten der Stadt. Dann treten Scott und Gabriel mit ihren grünroten Schärpen auf, beide ohne Kopfbedeckung.

ÄLTESTENSPRECHER *erhebt sich:* Bürger! Ich erkläre die große Versammlung der Bürger von Trotzburg für eröffnet! Einberufen hat sie euer Tribun Gabriel van der Bond. Was wünscht der Tribun dem Volke zu berichten?

GABRIEL: Bürger, seit langem schon drohen uns die nur zu Gast bei uns weilenden Kaufleute, die im Handel mit Trotzburg und Wellentrotz so stattlichen Reichtum erwerben, den Abbruch der Handelsbeziehungen an, und zwar, weil wir mit verschiedenen Maßnahmen im Sinne einer allgemeinen Wohlfahrt bemüht sind, ihre skandalösen Gewinne zu beschneiden, und weil wir ihnen – geradeheraus gesagt – nicht erlauben, uns zu bestehlen.

In der Menge Lachen und zustimmende Rufe.

PEEPERSCHALK: Das ist empörend! Das ist beleidigend!
STIMMEN: Ruhe da! Wir wissen alle, was ihr für Vögel seid.

Gelächter.

GABRIEL: Bürger, es ist an der Zeit, diesen Drohungen ein für allemal ein Ende zu machen. Ein ehrlicher Seemann, Kapitän Niklas, wird in dieser Sache zu euch sprechen.

Niklas geht auf die Tribüne und nimmt seine Seemannsmütze ab.

NIKLAS: Trotzburg! Man macht dir blauen Dunst vor.

Dreimal habe ich dem Tribunen Scott einen ausgearbeiteten Plan vorgelegt. Ich beweise darin, daß es möglich ist, fünfzig gute Schiffe zu bekommen – einen Teil bauen wir selber, einen Teil kann man uns zu erschwinglichen Preisen sofort kaufen, und einen Teil heuern wir an. In wenigen Monaten schon wäre Trotzburg sein eigener Kaufmann. Wir Seeleute haben alles genau bedacht. Doch was geschieht? Dem Volke wurde bisher noch nichts von unserem Plan berichtet. Man hat uns gesagt: Ihr werdet nicht genügend erfahrene Leute für alles finden, um die Ware und das Getreide einzukaufen und eure Produkte abzusetzen. Was soll der Unsinn? Haben die Trotzburger vielleicht keine guten Köpfe? Wird Trotzburg nicht überall Freunde finden, wo es nur will? Es hat viele Feinde, aber es hat auch viele Freunde. Ich sage es ohne große Worte: Ich werde froh sein, wenn mein Seemannstod Dienst an der Stadt ist. Warum aber geht es mit dem Plan nicht voran? Warum hat man ihn im Rat der Stadt zerredet und vergessen, das Volk aber liefert man den Drohungen der dreisten Kaufleute aus? Obwohl alle Dinge über die Seefahrt nicht Sache des Tribunen van der Bond sind, habe ich mich mit der Beschwerde über seinen Gefährten an ihn gewandt.

In der Menge Raunen, gedämpfter Lärm.

SEGAL: Ich bitte um das Wort. Ich bitte meine Mitbürger dringend um das Wort!

GABRIEL *mit Nachdruck:* Bürger Ältestensprecher, bitte gebt dem Kaufmann Segal das Wort.

ÄLTESTENSPRECHER: Das Wort hat der Kaufmann Segal.

SEGAL *erscheint auf der Tribüne und verneigt sich nach allen Seiten:* Wozu eigentlich all der Lärm? Wir sind heute hierhergekommen, um zu erklären, daß wir uns an die neuen Gesetze halten werden. Das wäre es. Denn wir wollen in Frieden leben. Und wir verneigen uns vor euch. – *Verneigt sich.* – So wie ihr euch vor uns verneigt, wenn ihr wollt... Und wenn ihr nicht wollt, dann eben nicht, aber wozu sollten wir uns streiten? Wozu wollt ihr Schiffe kaufen, da wir doch genug davon haben und euch zu Diensten stehen? Nun? Wir meinen, die Sache ist bereinigt. – *Geht wieder hinunter.* – Und ihr macht einen Lärm, als wollten wir mit Trotzburg streiten.

In der Menge triumphierendes Gelächter, freudige Zurufe und undeutliche Witzeleien.

GABRIEL *feierlich:* Bürger, das große Trotzburg wird alles in die rechte Bahn bringen. Denn Trotzburg ist stark und jung. Der Mensch nutzt seine Kräfte ab, die Stadt aber ist ewig! Bürger, hört mich an. Ich bemerke sehr wohl, daß eure Tribunen in diesen Monaten viel von ihrer Kraft verloren haben. Der Krieg ist zu Ende. Von keiner Seite droht vorderhand Gefahr. In der Stadt herrscht Friede und Fülle. Mein teurer Gefährte William Scott und ich werden das Werk den neuen Tribunen nicht in der schlechtesten Verfassung in die Hände legen ... Hier ist unser beider Bitte. – *Verneigt sich nach allen Himmelsrichtungen.* – Entlaßt uns in Frieden aus unserem hohen Amt.

SCOTT *blaß und zitternd, leise zu Gabriel:* Das war nicht abgemacht, Gabriel.

GABRIEL *leise:* So wage es zu protestieren, Scott.

SCOTT: Du hast mich hereingelegt.

GABRIEL: Du wirst mir dafür bald dankbar sein.

Die Volksmenge ist überrascht. Undeutlicher Lärm, Gespräche, Zögern.

ÄLTESTENSPRECHER: Ich bitte die teuren und verdienten Tribunen, in ihren Ämtern zu verbleiben.

Laute Zurufe: „Bleiben! Bleiben!"

GABRIEL: Aber unser Entschluß ist unabänderlich.

Unter der Menge befinden sich seit einiger Zeit auch Aufruhr, Neid, Mephisto und ihre Bande.

MEPHISTO: Oh, ihr schlauen Ehrbarkeitsbüttel. Sieh, Papa Aufruhr, wie sie dem Volke schmeicheln. In Wahrheit sind sie neue Cäsaren. Genau jetzt wäre es an der Zeit, das zu unternehmen, wovon ich vorhin sprach.

AUFRUHR *wirft den Kopf in den Nacken, mit plötzlicher Entschiedenheit:* Gebt dem alten Aufruhr das Wort.

ÄLTESTENSPRECHER: Das Wort hat der Bürger Aufruhr.

AUFRUHR *besteigt die Tribüne:* Bürger van Bond, reich mir deine Hand. Viele Male wollte ich gegen dich angehen, du hast mir immer die Waffen aus der Hand genommen. Auch heute wollte ich die Hand gegen dich erheben als gegen einen gefährlichen, beim Volk nur zu beliebten Mann. Aber ich sehe, du bist auch ein ehrlicher Mann. Es wird mir wahrlich nicht leicht, zu gestehen, daß es nichts bei euch gibt, wogegen sich Aufruhr richten könnte. Das muß hier gesagt sein. Ein alter Mann wie ich hat dennoch genug zu tun. Überall ringsum regiert die Sklaverei. Lebt wohl, Bürger von Trotzburg, gute Menschen. Ich gehe, euren freien Geist durch die Welt zu tragen!

Stürmische Zurufe des Einverständnisses und der Freude.

MEPHISTO *in der Menge, zischend:* Verflucht! Auch der verrät mich. O Jammer, o Jammer!

GABRIEL: Papa Aufruhr! Deine Verdienste sind groß und nicht zu messen, du Halbgott ohne Vernunft, ohne Rast und voll Verwegenheit. Du bist unser Vater. Für dich wird immer ein Platz unter unseren Ältesten sein. Und ehe du gehst, gib mir und Trotzburg deinen Segen.

AUFRUHR: Ich segne dich, der du auf deine Macht verzichtest – *wendet sich zum Volk* –, und dich, du freies Volk, ich segne dich. Geh ewig du voran! – *Steigt von der Tribüne. Gerührtes Schweigen.*

ÄLTESTENSPRECHER: Da wir ohnedies hier alle versammelt sind, möchte ich das Wort dem Künstler Della Bella geben, der schon seit langem den Wunsch hat, zum Volk zu sprechen.

DELLA BELLA *erscheint auf der Tribüne, verneigt sich:* Großes Volk. Auf dein Geheiß errichte ich dein Pantheon, in dem nach deinen Absichten die feierlichen Symbole deiner Geburt, deines Lebens versammelt sein werden: einen Tempel, wo deine besten Bürger ruhen werden. Noch ist der Bau nicht weit gediehen, obwohl die Arbeit rasch voranschreitet. Da ich mich nun erinnere, daß nach den Absichten der Stadt großer Platz ihrem genialen Begründer eingeräumt werden soll, so habe ich beschlossen, zu Ehren der Gründung Trotzburgs einen besonderen Altar zu erbauen mit der Inschrift: „Urbi Faustae Faustoque urband." Dieser Altar ist schon errichtet. Ich habe ihn mit aller Liebe geschaffen und will ihn heute zur Besichtigung freigeben. Er wird auch eine von mir gemeißelte Marmorbüste eures ersten und letzten Herzogs tragen. – *Laute Freudenrufe: „Es lebe Heinrich Faust! Hoch der Gründer von Trotzburg! Ehre seiner Größe!"* –

Und einem bescheidenen Künstler, der noch nicht lange euer Bürger ist, sei der Wunsch erlaubt, daß Faust noch lebend zu uns zurückkehre und daß sein Staub dann unter diesem Altar ruhen möge!

HOUNT *in der Kleidung eines Sekretärs, steht auf den Stufen, hebt die Hand, singt:*

Erwacht ist eine Herrscherstadt,
ein Riese majestätisch:
die Große Trotzburg wuchs am Morgen
aus Ebenen empor.

Er spricht zum Herzog: Heinrich,
mein erster Bürger du,
geh unter Gleichen nun voran,
doch König bin nur ich.

Das Volk wiederholt im Chor die zweite Strophe. Während der Gesang auf dem weiten Platz verhallt, erscheint an der Balustrade des Turms ein großer, leicht gebeugter Mann in blauem Umhang und mit breitkrempigem, tief in die Stirn gezogenem Hut. Er hört der Hymne zu, reißt sich dann den Hut vom Kopf und läßt den Umhang fallen – es ist Faust. Sein Gesicht ist freudig erregt, die Augen blitzen. Seine ganze Gestalt ist in einen weißen Talar von majestätischem Faltenwurf gehüllt. In der Menge Bewegung, Rufe: „Faust! Der Herzog!"

FAUST *die ausgebreiteten Arme der Menge entgegenstrekkend:* Kinder, meine lieben, klugen und kühnen Kinder! Ich entbiete euch meinen Gruß! Ich bin wieder bei euch, und ich bin mit euch, freien Muts kam ich auf euren Ruf, um mit euch gleicher Bürger des freien Trotzburg zu sein. Ihr habt mich gelehrt, den Genius des Volkes zu achten. Ich habe euch lange von der Höhe meines Turmes zugesehen, und mein Herz schlug in Zweifel, in Verwirrung und endlich in bebender Liebe. Kinder, Brüder! Nehmt mich auf. Ich habe gesehen und gehört, wie klug und ohne Falsch ihr eure großen Entschlüsse faßtet. Ich sah auf ein vielgestaltiges, helleuchtendes und mächtiges Wesen – auf die Menge; ich hörte ihr Rauschen, ihre Bewegungen und Laute, ihr Wogen, das dem des Meeres gleicht, das aber vernünftig und wissend ist und ganz und gar lebendig in seinen elementaren Eruptionen. Kinder,

Brüder, ich glaube, ja ich glaube an euch: seid fruchtbar, wachst und erleuchtet die Welt, erbaut sie euch, und bedenkt es gut, erkennt und schafft – und ihr werdet wie die Götter sein. Sind doch die Götter nur der Traum von der Allmacht des Menschen. Ich entbiete euch meinen Gruß. Viele für mich schwere Fragen habt ihr gelöst. Und wie Wolken, die der Wind verweht, versinken im Westen mit dem letzten Nebel des Todes Furcht und Zweifel. Ja, ich bin zu euch zurückgekehrt, um mit euch zu sein, euch nützlich zu werden und um eure Liebe mit der meinen zu vereinigen – das ist mein Wille. Wollt ihr mich aufnehmen?

Stürmische Ovationen und Rufe: „Faust! Faust!" Man winkt mit Hüten, Tüchern, man schwenkt Fahnen. An Fausts Rükken schlurft in Pantoffeln ein alter Küster heran.

KÜSTER: Ich bin es, großer Herzog, ich. Kannst du dich an mich alten Mann erinnern? Ich weiß, welches Carillon man spielen muß, wenn die Stunde geschlagen hat. – *Lächelt listig, steigt hinab, öffnet eine Tür zum Turm und geht mit rasselnden Schlüsseln ab.*

FAUST: Liebe, gute Kinder. Ich danke euch für die Idee, mir ein Denkmal zu setzen. Auch ich habe euch ein Geschenk zu bringen – einen eisernen Menschen für die Arbeit. Der Zwölferrat der Meister hat ihn schon gesehen. Die Meister werden euch erklären, daß er von Feuer und Wasser lebt und die verschiedensten Bewegungen auszuführen vermag. Er sägt, bohrt, dreht, hackt und schmiedet. Man kann ihn darauf einstellen, daß er zu Lande wie zu Wasser Lasten trägt, er verrichtet seine Arbeit auf dem Feld wie unter der Erde. Und ihr werdet ihn zu vollenden wissen. Seine Möglichkeiten sind unerschöpflich. Die schwersten Arbeiten bewältigen dann diese Feuer-Wasser-Maschinen, ihr aber seid frei für feinere Arbeiten und könnt dem Leben Erkenntnisse und Genüsse abgewinnen. Dies, Brüder und Kinder, ist mein Geschenk für euch am Tage der Versöhnung. – *Stürmische Begeisterung.* – Jetzt sind wir im Frieden miteinander, meine Kinder. In vollem tiefem Frieden. Ich habe nun die letzte Schwelle des Alters überschritten und bin glücklich. In meinem Herzen wächst Freude, sie wächst und ... – *Greift sich plötzlich mit beiden Händen ans Herz und schwankt.* –

Was ist mir? Was ist... das nie Erfahrene... das Unbegreifliche... – *Gabriel stützt ihn.* – Wie wird mir? Es wird immer umfassender, mein einst so enges Herz, und schon umfaßt es euch mit, euch alle... schon schlägt alles in mir, ich spüre all eure Herzschläge – die Freude der Kinder, die Lebensseligkeit der Jünglinge, die holden Mädchenträume, die Sorgen der Männer, mütterliche Zärtlichkeit und stillen stummen Greisenkummer; hier ist er, bei mir, aller Mut, all die Ehrlichkeit und alles Blut. Oh, ein Strom, ein breiter gewaltiger Strom lebendigen Blutes dringt in meine Brust. Schon sehe ich seine Ufer nicht mehr! Ich bin... – ihr alle!... Ich bin vielfach... bin ohne Zahl. Und alle, alle sind – mein Ich! Da ist es wieder, was ich schon einmal fühlte, nur nicht so mächtig, so tosend, nicht so vernichtend süß... Ah! Ich sehe den Himmel, die Sonne, die Erde und uns, uns... Freunde, wir sind eins...! Und da in der Ferne die Ufer des vergangenen Lebens, der klägliche Beginn, der bürdenreiche Weg... Da aber mein neues Haus, meine Zukunft. – Golden, blau, verheißungsvoll... Wir müssen gehen, gehen... Es gibt keinen Tod. Es gibt nur das Leben, ein Leben so allgewaltig, wie ich es nie erahnt... Ein Wunder... Welch ein Fest... Welch eine Kraft, welch eine unüberwindliche, strahlend-durchsichtige brausende Woge... – *Plötzlich schlägt dröhnend und widerhallend die Uhr. Dann ertönen mächtiges Glockengeläut und helles perlendes Uhrenspiel. Faust breitet die Arme aus.* – O Leben – Das Leben sind wir... Verweile, Augenblick des Glücks! – *Sinkt in Gabriels Arme.*

Besorgt eilt ein Arzt herbei. Feierliche Stille in der Menge. Nur hallendes, strahlendes Geläut der Kirchenglocken wie ein ferner Himmelschor.

ARZT: Faust ist gestorben.
GABRIEL: Faust lebt in allen! Er ist mit uns! Und er wird ewig sein!

Man entblößt die Köpfe. Die Fahnen werden gesenkt. Noch heller, strahlend und sieghaft tönen die Glocken. Getragen und tausendstimmig kommt aus der Menge die Hymne: „Die Stadt, der Riese, wurde wach..." Während des Gesangs fällt langsam der Vorhang.

Essays zur Faustproblematik

Geheilt will ich nicht sein,
mein Sinn ist mächtig;
Da wär' ich ja wie andre niederträchtig[1]

Diese Tragödie von Goethe ist so gehaltvoll, ist eine derart unerschöpfliche Schatzkammer der Weisheit, daß zu den Dutzenden vorhandenen Kommentaren sicherlich noch Hunderte hinzukommen werden, und jeder wird in diesem wunderbaren Mikrokosmos etwas Neues finden, seiner Individualität gemäß. Wir beschränken uns auf generelle Charakterisierungen Fausts und Mephistos und auf die wichtigsten Momente der geistigen Entwicklung Fausts, das heißt auf das, was zur Aufhellung des positiven tragischen Typus notwendig ist.
Wer ist eigentlich dieser Faust? Der Herrgott nennt ihn im Prolog „meinen Knecht", worauf Mephistopheles erwidert:

Fürwahr! Er dient Euch auf besondre Weise.
Nicht irdisch ist des Toren Trank noch Speise.
Ihn treibt die Gärung in die Ferne,
Er ist sich seiner Tollheit halb bewußt;
Vom Himmel fordert er die schönsten Sterne
Und von der Erde jede höchste Lust,
Und alle Näh und alle Ferne
Befriedigt nicht die tiefbewegte Brust.

Leidenschaftliche Begehr und ewiges Unbefriedigtsein – das sind Fausts Hauptwesenszüge. Viele richten ihr besonderes Augenmerk auf die Zwiespältigkeit seines Trachtens: auf das, was ihn zum Himmel und zur Erde zieht, auf die „zwei Seelen" in seiner Brust. Faust selber erhärtet dies:

Du bist dir nur des einen Triebs bewußt;
O lerne nie den andern kennen!
Zwei Seelen wohnen, ach! in meiner Brust,
Die eine will sich von der andern trennen:
Die eine hält in derber Liebeslust
Sich an die Welt mit klammernden Organen;
Die andre hebt gewaltsam sich vom Dust
Zu den Gefilden hoher Ahnen.

Besteht aber wirklich hierin das Faustsche Prinzip? In diesem Streben nach Himmelsbläue die Menschenwürde, in metaphysischen Anwandlungen, in Mystizismus? Natürlich nicht. Nur wenige Seiten weiter sagt dieser unerfahrene, des eigentlichen Lebens noch unkundige Faust bereits:

Aus dieser Erde quillen meine Freuden,
Und diese Sonne scheinet meinen Leiden;
Kann ich mich erst von ihnen scheiden,
Dann mag, was will und kann, geschehn.
Davon will ich nichts weiter hören,
Ob man auch künftig haßt und liebt
Und ob es auch in jenen Sphären
Ein Oben oder Unten gibt.

Ebendies Gefühl bildet und festigt in Faust einen Teil jener großen Weisheit, zu der er, wie wir sehen werden, am Ende seines Lebens gelangt ist. Er hat sein brodelndes Trachten bis zum Tode behalten, aber seine beiden Seelen sind längst eins geworden. Romantischer Idealismus – das ist eine Art Kinderkrankheit Fausts, wie er eine Kinderkrankheit Goethes war.
Faust verweist auf noch eine Quelle seiner Leiden:

Der Gott, der mir im Busen wohnt,
Kann tief mein Innerstes erregen,
Der über allen meinen Kräften thront,
Er kann nach außen nichts bewegen;
Und so ist mir das Dasein eine Last,
Der Tod erwünscht, das Leben mir verhaßt.

Ohnmacht des Geistes vor der ewigen Natur: ebenfalls eine Scheinursache des Unbefriedigtseins, das die Brust Fausts bedrückt. Die unmittelbare Einwirkung des Geistes auf die materielle Welt wird Magismus genannt, und Goethe hielt es für nötig, eigens für die Herren Romantiker zu vermerken, daß das Fehlen magischer Kräfte mitnichten ein Unglück für den Menschen bedeutet:

Könnt ich Magie von meinem Pfad entfernen,
Die Zaubersprüche ganz und gar verlernen,
Stünd ich, Natur, vor dir ein Mann allein,
Da wär's der Mühe wert, *ein Mensch* zu sein![2]

Was Faust als Leid auffaßt: der hemmungslose Drang, alles zu erleben, durchzumachen, hernach der Schaffensdrang –

das ist Machtbegier, Lebenswille! Ihn gilt es, nicht nur nicht zu verneinen, vielmehr in sich zu entwickeln! Die Fehler und die Schlacken fallen weg, es bleibt der reine Schaffensdrang.

Also ist Fausts Unbefriedigtsein nichts anderes als die Begier nach stets zunehmender Lebensfülle. Und ist dem so, dann muß Faust vor allem einen starken Willen haben. Den willensschwachen Menschen erschlagen außergewöhnliche Ansprüche ans Leben: Er endet in Selbstmord, müßigem Träumertum, galliger Kritik, Faust jedoch ist *der Willensmensch par excellence,* der tätige Mensch; ein Lebenswille in Form unmittelbarer Leidenschaft beherrscht in ihm allzeit alle übrigen Kräfte seines vielschichtigen Geistes.

> Geschrieben steht: „Im Anfang war das Wort!"
> Hier stock ich schon! Wer hilft mir weiter fort?
> Ich kann das *Wort* so hoch unmöglich schätzen,
> Ich muß es anders übersetzen,
> Wenn ich vom Geiste recht erleuchtet bin.
> Geschrieben steht: Im Anfang war der *Sinn.*
> Bedenke wohl die erste Zeile,
> Daß deine Feder sich nicht übereile!
> Ist es der *Sinn,* der alles wirkt und schafft?
> Es sollte stehn: Im Anfang war die *Kraft!*
> Doch, auch indem ich dieses niederschreibe,
> Schon warnt mich was, daß ich dabei nicht bleibe.
> Mir hilft der Geist! auf einmal seh ich Rat
> Und schreibe getrost: *Im Anfang war die Tat!*[3]

Die Tat – Handlung, Akt, Fakt – ist das Wesen des Seins; nach Faust ist das Wesen des Seins der *Wille,* nicht im Sinne von etwas sich hinter den Handlungen, den Erscheinungen Verbergendem, sondern gerade im Sinne des vollständigen Fehlens von irgend etwas anderm hinter ihnen als der Erscheinung selber.

Die Tat – das Tun – geht allem voraus auch in der Natur Fausts. Weiter gehen Grübeleien, mitunter eine Reue – der weitere Entwicklungsprozeß verarbeitet den Fakt und bereichert die Seele um einen neuen Weisheitsschatz, macht den Willen subtiler und sublimer, gebiert in ihm ein neues Moment, ohne jedoch die inbrünstige Aktivität Fausts je zu beschwichtigen.

Unersättliche Lebensgier (das heißt Empfindungs- und Schaffensbegier) sowie starker, leidenschaftlicher Wille – das sind die Grundlagen der Natur Fausts; dabei hat er ein zartes Herz und einen präzisen Verstand. Wären diese nicht, würde Faust zu einem simplen Abenteurer oder Don Juan.

Viele Beweise hierfür werden wir bei der Analyse der wichtigsten Momente des Dramas zur Hand haben. Jetzt aber befassen wir uns mit Mephistopheles, dieser anderen, negativen Seite der Menschenseele. Fausts Grundzug ist die Begier nach einem sich vervollkommnenden Leben, das ewige Streben nach den höchsten Daseinsformen. Mephistos Grundlagen sind völlige Lebensnegierung, finsterer Nihilismus:

Ich bin ein Teil des Teils, der anfangs alles war,
Ein Teil der Finsternis, die sich das Licht gebar,
Das stolze Licht, das nun der Mutter Nacht
Den alten Rang, den Raum ihr streitig macht.
Und doch gelingts ihm nicht, da es, soviel es strebt,
Verhaftet an den Körpern klebt.
Vor Körpern strömts, die Körper macht es schön,
Ein Körper hemmts auf seinem Gange;
So, hoff ich, dauert es nicht lange,
Und mit den Körpern wirds zugrunde gehn.

Das ist entsetzlich. Noch entsetzlicher wäre es, wenn der Teufel sich seiner Ohnmacht nicht bewußt wäre.

FAUST:
Nun kenn ich deine würdgen Pflichten!
Du kannst im Großen nichts vernichten
Und fängst es nun im Kleinen an.
MEPHISTOPHELES:
Und freilich ist nicht viel damit getan.
Was sich dem Nichts entgegenstellt,
Das Etwas, diese plumpe Welt,
Soviel als ich schon unternommen,
Ich wußte nicht ihr beizukommen,
Mit Wellen, Stürmen, Schütteln, Brand –
Geruhig bleibt am Ende Meer und Land!
Und dem verdammten Zeug, der Tier- und Menschenbrut,
Dem ist nun gar nichts anzuhaben:
Wie viele hab ich schon begraben,
Und immer zirkuliert ein neues, frisches Blut!
So geht es fort, man möchte rasend werden!

Der Luft, dem Wasser wie der Erden
Entwinden tausend Keime sich,
Im Trocknen, Feuchten, Warmen, Kalten!
Hätt ich mir nicht die Flamme vorbehalten,
Ich hätte nichts Aparts für mich.

FAUST:
So setzest du der ewig regen,
Der heilsam schaffenden Gewalt
Die kalte Teufelsfaust entgegen,
Die sich vergebens tückisch ballt!
Was anders suche zu beginnen,
Des Chaos wunderlicher Sohn!

Und Mephisto vernichtet im Kleinen. Er ist ein Teil des Teils, sein Spezialfach ist es, das hohe Streben der Menschen zu vernichten, sie den goldenen Fernen zuwinken, die Augenblicke des Genießens erhaschen und ihnen zurufen zu lassen: „Verweilet!"

Uns ist ganz kannibalisch wohl,
Als wie fünfhundert Säuen!

Mephisto predigt Lebensfreude und zertrümmert fruchtlose Traumduselei.

Ich sag es dir: ein Kerl, der spekuliert,
Ist wie ein Tier, auf dürrer Heide
Von einem bösen Geist im Kreis herumgeführt,
Und ringsumher liegt schöne grüne Weide.

Nicht wahr, sonderbar? Das sagt der Satan der Zerstörung und der glühende Jünger des großen Nichts. Hier äußert sich denn auch die Gedankentiefe Goethes: Blühendes Leben, Zufriedenheit, viehisches Wohlbehagen, dieser scheinbar lebendige Schlüssel des Daseins ist der Anfang vom Ende, denn das Schöpfertum ist in ihm schon versiegt, das Voran hat aufgehört; Abstumpfung, Dekadenz, Übersättigung, Idiotismus – all das zögert nicht, zu erscheinen. Mephisto weiß, welch Weg in die ewige Nacht führt. Hierfür aber hat er den Menschen ständig zu beunruhigen.

Des Menschen Tätigkeit kann allzu leicht erschlaffen,
Er liebt sich bald die unbedingte Ruh;
Drum geb ich gern ihm den Gesellen zu,
Der reizt und wirkt und muß als Teufel schaffen.

Nämlich der Mensch kann sich auch bei dem entgegengesetzten Extrem beruhigen: kann untertauchen im Betrachten ewiger Wahrheiten, kann zu einem passiven Idealisten werden. Dem Teufel ist unfaßlich, daß dies Wasser auf seine Mühle ist; im passiven Platonismus erblickt er ein immerhin erhebendes, positives Prinzip und fällt schroff, böse, giftig darüber her: Mit Schmutz bewirft er alle „Schneehöhen", verspottet die Erkenntnis, die Reinheit, die Ekstase, die ästhetische Einheit mit der Natur und entfacht zugleich im Menschen tierische Leidenschaften, lockt ihn auf die „schöne, grüne Weide"! Ein dummer Teufel! Eben dessen bedarf auch der Mensch: Der wirkliche Mensch, der näher ans Leben herantritt, vermag den kühlen Idealismus mit dem Feuer der Leidenschaft zu verschmelzen und erhellt das heiße Dunkel der Leidenschaften mit dem Lichtstrahl des Ideals.

Ein Teil von jener Kraft,
Die stets das Böse will und stets das Gute schafft.

Um Faust in sein Netz zu verstricken, wird Mephisto sein Diener; der prosaische, zynisch-praktische Verstand ward zu einem wuchtigen Werkzeug in der Hand Fausts, dessen, der das Leben hier, auf Erden, organisiert.

Jetzt brauchen wir nur die wichtigsten Momente der Entwicklung Fausts zu verfolgen, da sich sein Charakter erst in der Entwicklung zur Gänze bekundet.

Nach einer langen Zeitspanne, die dem Erkennen galt, nach bitteren Enttäuschungen bemächtigt sich Faustens *ein* Gefühl. Es zieht ihn zum Kampf, zum Sturm, zu neuem, wundersam lichtem Leben. Derart sind die leidvollen Süchte seiner Seele. Und das Schicksal bietet ihm die Möglichkeit, das Leben kennenzulernen. Mephisto ist froh, daß in Faust die Lebensgier erwacht ist: Es gilt, sie kräftiger zu schüren. Was ist, nach Ansicht Mephistos, die Lebensgier? Vor allem *Wollust!*

Faust aber erschreckt ihn sogleich durch das Ausmaß seiner Begierden:

Laß in den Tiefen der Sinnlichkeit
Uns glühende Leidenschaften stillen!
In undurchdrungnen Zauberhüllen
Sei jedes Wunder gleich bereit!
Stürzen wir uns in das Rauschen der Zeit,

Ins Rollen der Begebenheit!
Da mag denn Schmerz und Genuß,
Gelingen und Verdruß
Miteinander wechseln, wie es kann:
Nur rastlos betätigt sich der Mann.
Du hörest ja: von Freud ist nicht die Rede.[4]
Dem Taumel weih ich mich, dem schmerzlichsten Genuß.
Verliebtem Haß, erquickendem Verdruß.
Mein Busen, der vom Wissensdrang geheilt ist,
Soll keinen Schmerzen künftig sich verschließen,
Und was der ganzen Menschheit zugeteilt ist,
Will ich in meinem innern Selbst genießen,
Mit meinem Geist das Höchst' und Tiefste greifen,
Ihr Wohl und Weh auf meinen Busen häufen,
Und so mein eigen Selbst zu ihrem Selbst erweitern
Und, wie sie selbst, am End auch ich zerscheitern!

Mephisto ist eingeschüchtert – schimmert doch hier abermals etwas durch, was an rastlosen Schöpfergeist gemahnt. Er bemüht sich, Faust zum Maßhalten zu ermahnen.

Allein ich will!

Das ist in Fausts Munde ein furchtbares Wort. Der Teufel dreht und windet sich denn auch: Es gilt, diesen Willen, dieses titanische, begierige, unergründliche „Ich will" zu brechen, es gilt, den Menschen, wie das die unmittelbare praktische Vernunft oft tut, an seinen Platz im Leben und daran zu erinnern, daß er *nur Mensch* ist.

Du bist am Ende – was du bist.
Setz dir Perücken auf von Millionen Locken,
Setz deinen Fuß auf ellenhohe Socken,
Du bleibst doch immer, was du bist.

Schlußfolgerung: man muß manches auf manche Art und Weise erproben, man muß sein Leben heiterer durchscherzen, da es doch aus solchen Nichtigkeiten besteht. Soll denn der Jagd nach leichten Vergnügungen just Faust widerstehen, dies ureigene Kind des Skeptizismus? Die Wissenschaften haben ihn doch enttäuscht!

Verachte nur Vernunft und Wissenschaft,
Des Menschen allerhöchste Kraft,
Laß nur in Blend- und Zauberwerken

Dich von dem Lügengeist bestärken,
So hab ich dich schon unbedingt! –
Ihm hat das Schicksal einen Geist gegeben,
Der ungebändigt immer vorwärts dringt
Und dessen übereiltes Streben
Der Erde Freuden überspringt.
Den schlepp ich durch das wilde Leben,
Durch flache Unbedeutendheit,
Er soll mir zappeln, starren, kleben,
Und seine Unersättlichkeit
Soll Speis und Trank vor giergen Lippen schweben,
Er wird Erquickung sich umsonst erflehn;
Und hätt er sich auch nicht dem Teufel übergeben,
Er müßte doch zugrunde gehn!

Wie sich der Teufel irrt! Ja, er wird Faust mit irdischen Freuden wie mit Folterwerkzeugen martern, aber der erkennt plötzlich in diesen Martern, in diesem ewigen Streben sein Glück, und der Engelchor singt dem törichten Teufel entgegen:

Gerettet ist das edle Glied
Der Geisterwelt vom Bösen:
„Wer immer strebend sich bemüht,
Den können wir erlösen."

Aber auch Mephisto selbst hegt nicht die Hoffnung, Faust zu seinem derart bedingungslosen Opfer zu machen wie die Gesellschaft der Bummler. Der Ekel, den der Anblick dieser „Kannibalen" in Faust erregt, schreckt ihn, Mephisto, nicht sehr. Er verfügt über ein stärkeres Mittel: die Liebe! Die Liebe ist animalische Leidenschaft, selbstsüchtiger Genuß, oft verbunden mit dem Untergang der anderen Person, zu der man lediglich als zu einer Quelle fleischlicher Vergnügungen steht, aber zugleich gibt es in der Liebe etwas der reinsten Schönheitsbetrachtung Verwandtes, etwas Berauschendes, Unergründliches. Es wird Faust schwerfallen, gegen die Liebe anzukämpfen. Man muß ihm bloß die Jugendlichkeit wiedergeben, mit ihrer unbefangenen Leidenschaftlichkeit, und ihn durch weibliche Schönheit bestricken. Deutsche Kommentatoren geraten in eine Sackgasse angesichts der unerwarteten „Lasterhaftigkeit" Fausts. Und wirklich, was sind das für Reden! –:

FAUST:
Hör, du mußt mir die Dirne schaffen!
MEPHISTOPHELES:
Nun, welche?
FAUST:
Sie ging just vorbei.
MEPHISTOPHELES:
Da die? Sie kam von ihrem Pfaffen,
Der sprach sie aller Sünden frei.
Ich schlich mich hart am Stuhl vorbei:
Es ist ein gar unschuldig Ding,
Das eben für nichts zur Beichte ging;
Über die hab ich keine Gewalt!
FAUST:
Ist über vierzehn Jahr doch alt.
MEPHISTOPHELES:
Du sprichst ja wie Hans Liederlich:
Der begehrt jede liebe Blum für sich,
Und dünkelt ihm, es wäre kein Ehr
Und Gunst, die nicht zu pflücken wär;
Geht aber doch nicht immer an.
FAUST:
Mein Herr Magister Lobesan,
Laß Er mich mit dem Gesetz in Frieden!
Und das sag ich Ihm kurz und gut:
Wenn nicht das süße junge Blut
Heut nacht in meinen Armen ruht,
So sind wir um Mitternacht geschieden.
. . .
Schaff mir etwas vom Engelsschatz!
Führ mich an ihren Ruheplatz!
Schaff mir ein Halstuch von ihrer Brust,
Ein Strumpfband meiner Liebeslust!
MEPHISTOPHELES:
Damit Ihr seht, daß ich Eurer Pein
Will förderlich und dienstlich sein,
Wollen wir keinen Augenblick verlieren,
Will Euch noch heut in ihr Zimmer führen.
FAUST:
Und soll sie sehn? Sie haben?
MEPHISTOPHELES: Nein!
Sie wird bei einer Nachbarin sein.

Indessen könnt Ihr ganz allein
An aller Hoffnung künftger Freuden
In ihrem Dunstkreis satt Euch weiden.

FAUST:
Können wir hin?

MEPHISTOPHELES:
Es ist noch zu früh.

FAUST:
Sorg du mir für ein Geschenk für sie!

Das ist doch Zynismus! Mephisto, zutiefst ganz außer sich vor Freude, bremst seinen aus Rand und Band geratenen Schüler. Wie konnte sich der Idealist Faust so rasch zu einem solchen Zynismus versteigen? Deutsche Kommentatoren schütteln den Kopf. Es sei die Ausdrucksform eines Wüstlings, sucht der ehrenwerte Vischer[5] zu beweisen: Faust sei zu einem Wüstling geworden, da jedoch bei Goethe hierüber nichts gesagt sei, müsse man mutmaßen, die Szene in der Hexenküche solle das anhaltende Wüstlingstum symbolisieren!

Wir aber sind einfach der Meinung, daß Faust mitsamt der Jugendlichkeit auch den ganzen Leichtsinn der Jugend erhalten hat, weiter nichts. Aus Faust spricht ganz und gar nicht der Wüstling: Solange die Liebe ihm als fleischliche Leidenschaft bekannt ist, solange ist auch Gretchen ihm nur ein „Blümchen", das es ihm angetan hat. Er sieht ein Weib auf der Straße, das ihm gefällt, er will immer neue Genüsse auskosten. Indes braucht Faust bloß das Zimmer Gretchens zu betreten, braucht bloß den Odem dieser kindlichen, naiven Reinheit zu atmen, braucht sich bloß ihre Kindheit, ihre Familienatmosphäre vorzustellen, damit in seinem Herzen eine tiefinnere Sympathie für das Mädchen erglühte, das eine Stunde zuvor fremd, eine Stunde zuvor irgendein Spielzeug gewesen ist. Er hat ein leidenschaftliches, glutvolles, tätiges Naturell: Der Gedanke an Gretchen, dieser fleischliche, heiße, mit seiner verbotenen Wonne ihn verbrennende Gedanke, verfolgt ihn.

Diese Leidenschaft erlischt in ihm nie; es sei denn auf kurze Zeit, um mit neuer Gewalt aufzulodern. Immer jedoch bleibt er, nach der Meinung Mephistos, der „übersinnliche sinnliche Freier", weil seine tiefe Sympathie, seine Anteilnahme, seine zarte Verliebtheit mit der glühenden Leidenschaft wachsen.

Und du? Was hat dich hergeführt?
Wie innig fühl ich mich gerührt!
Was willst du hier? Was wird das Herz dir schwer?
Armselger Faust, ich kenne dich nicht mehr!
Umgibt mich hier ein Zauberduft?
Mich drangs, so grade zu genießen,
Und fühle mich in Liebestraum zerfließen!
Sind wir ein Spiel von jedem Druck der Luft?
Und träte sie den Augenblick herein,
Wie würdest du für deinen Frevel büßen!
Der große Hans, ach, wie so klein!
Läg, hingeschmolzen, ihr zu Füßen.[6]

All dies naive, herzensgute, brave Geplauder dieses unendlich lieben Kindes entzückt ihn, weil es Mitgefühl und Zartgefühl weckt, wie alles Gute, doch Schwache, alles Reine, doch Gebrechliche. Fausts Liebe wird durch dies Mitgefühl beseelt.

Ein Blick von dir. Ein Wort mehr unterhält
Als alle Weisheit dieser Welt.
. . .
Ach, daß die Einfalt, daß die Unschuld nie
Sich selbst und ihren heilgen Wert erkennt!

Schnell wie ein Gewitter verfliegt das holde Poem der ersten Liebe. Wieviel Poesie! Was für ein wunderbarer Meister dieser Goethe!
Faust wächst an seiner Liebe. Die ihm bislang unfaßliche Natur erschließt sich ihm, ihn erfüllt innige Dankbarkeit für das Dasein. Aber je höher sich seine Seele erhebt, desto krankhafter ist die Mißhelligkeit in ihr; richtet er doch dies Wesen zugrunde, ist doch die Wurzel von allem eine blinde, unersättliche Leidenschaft! Wär's nicht an der Zeit, zu fliehen?
Diese Qualen, diese Zweifel verdrießen Mephisto. Woher dieser Drang, diese Schwermut, diese Aufwallungen?

Habt Ihr nun bald das Leben gnug geführt?
Wie kanns Euch in die Länge freuen?
Es ist wohl gut, daß mans einmal probiert;
Dann aber wieder zu was Neuem!

Und mit der ganzen Wucht seines zerstörerischen Sarkasmus fällt er über die idealistischen, platonischen, träumerischen

Anwandlungen Fausts her, mit der ganzen Geschicklichkeit seiner geschmeidigen Zunge reizt er die Sinnlichkeit Fausts.

Schlange! Schlange!

Im Gefühl seines Verbrechens, im Gefühl der Verderblichkeit seiner Leidenschaft entlädt sich Faust in einer Tirade, aus der sein feuriger Wille spricht: Die tätige Leidenschaft, die Lebensbegier besiegen alles, obwohl das Gewissen vernehmlich spricht und die Vernunft seine Vorwürfe festigt.

Was ist die Himmelsfreud in ihren Armen?
Laß mich an ihrer Brust erwarmen:
Fühl ich nicht immer ihre Not?
Bin ich der Flüchtling nicht? Der Unbehauste?
Der Unmensch ohne Zweck und Ruh,
Der wie ein Wassersturz von Fels zu Felsen brauste,
Begierig wütend, nach dem Abgrund zu?
Und seitwärts sie, mit kindlich dumpfen Sinnen,
Im Hüttchen auf dem kleinen Alpenfeld,
Und all ihr häuslichen Beginnen
Umfangen in der kleinen Welt.
Und ich, der Gottverhaßte,
Hatte nicht genug,
Daß ich die Felsen faßte
Und sie zu Trümmern schlug!
Sie, ihren Frieden mußt ich untergraben!
Du, Hölle, mußtest dieses Opfer haben!
Hilf, Teufel, mir die Zeit der Angst verkürzen!
Was muß geschehn, mags gleich geschehn!
Mag ihr Geschick auf mich zusammenstürzen
Und sie mit mir zugrunde gehn!

Die Tragödie der Liebe wird größer, Margarete ist ganz Liebe, außer der Liebe verbindet sie nichts mit Faust, ja sogar auf der ganzen Welt hat sie nichts außer dieser Liebe, während Faust, der sie weiterhin stürmisch liebt, schon in die weite Welt hinausstrebt, nach immer neuem Leben giert.

Meine Ruh ist hin,
Mein Herz ist schwer;
Ich finde sie nimmer
Und nimmermehr.

Er aber ist nicht gar so oft da, nicht gar so lange.
Sie leben in verschiedenen Welten; darin wurzelt die Tra-

gödie jeder Liebe. Wofür lebt er? Er hat andere Gefühle, andere Gedanken, einen anderen Gott! Das ist furchtbar. In einer wunderbaren Szene, die der Religion gilt, müht sich das naive Gretchen ab, zwischen ihrem Glauben und Faust eine Brücke zu schlagen. Aber sie fühlt, daß in Faust zuviel von Mephisto ist, zu viel Unglaube, zu viel Kritik, und das ist ihr furchtbar, furchtbar.

Margarete gibt Faust all ihr Leben ungeteilt hin, sie entzieht es ihren Nächsten, ihrem Kreis, sie reißt es aus ihrer Welt heraus: Faust hat sie in den Strudel seines Lebens gezogen. Alles, was ihr näherstand, hat sich erhoben, hat zu kämpfen versucht und – ist schicksalhaft zugrunde gegangen im Zusammenprall mit dem Titanen, aber das Blut der Untergegangenen ist über Margarete gekommen. Das sind unmittelbare Folgen der Liebe als einer egoistischen, bestialischen Leidenschaft. Doch grade die Tiefe des Leids, das durch diese Leidenschaft erzeugt ist, erhebt Fausts Seele, vertieft sie, dient als Stufe zu immer höheren Daseinsformen.

Zunächst erscheint die Liebe Faust in Gestalt weiblicher Schönheit, in Gestalt eines abstrakten Wunschweibs.

Was seh ich? Welch ein himmlisch Bild
Zeigt sich in diesem Zauberspiegel!
O Liebe, leihe mir den schnellsten deiner Flügel
Und führe mich in ihr Gefild!
Ach, wenn ich nicht auf dieser Stelle bleibe,
Wenn ich es wage, nah zu gehn,
Kann ich sie nur als wie im Nebel sehn! –
Das schönste Bild von einem Weibe!
Ists möglich, ist das Weib so schön?
Muß ich an diesem hingestreckten Leibe
Den Inbegriff von allen Himmeln sehn?
So etwas findet sich auf Erden?

Dann: in Gestalt des konkreten, reizenden Gretchens, das er mit Leib und Seele liebte und mit seiner Leidenschaft verbrannte, weil es nur Schmetterling war, er aber brennende Fackel; und schließlich erscheint die Liebe ihm in Gestalt eines Bilds voll unsäglichen Schmerzes. Die Liebe ist ein zu sonderbares Gefühl, bei starken Naturen ist sie übervoll von Kümmernissen; das gräßliche Urteil Schopenhauers über die Liebe wird durch das Leben oft gerechtfertigt. Uns liegt der Gedanke fern, eine jede Liebe für unbedingt tragisch zu halten; aber die tragische Liebe, die Liebe, die an Tod und Verzweiflung grenzt, nimmt im Leben starker Seelen allzuoft einen gewaltigen Platz ein.

FAUST:
Dann sah ich –
MEPHISTOPHELES:
Was?
FAUST: Mephisto, siehst du dort
Ein blasses, schönes Kind allein und ferne stehn?
Sie schiebt sich langsam nur vom Ort,
Sie scheint mit geschloßnen Füßen zu gehen.
Ich muß bekennen, daß mir deucht,
Daß sie dem guten Gretchen gleicht.
MEPHISTOPHELES:
Laß das nur stehn! Dabei wirds niemand wohl.
Es ist ein Zauberbild, ist leblos, ein Idol.
Ihm zu begegnen, ist nicht gut:
Vom starren Blick erstarrt des Menschen Blut,
Und er wird fast in Stein verkehrt;
Von der Meduse hast du ja gehört.
FAUST:
Fürwahr, es sind die Augen eines Toten,
Die eine liebende Hand nicht schloß.
Das ist die Brust, die Gretchen mir geboten,
Das ist der süße Leib, den ich genoß.
MEPHISTOPHELES:
Das ist die Zauberei, du leicht verführter Tor!
Denn jedem kommt sie wie sein Liebchen vor.
FAUST:
Welch eine Wonne! Welch ein Leiden!
Ich kann von diesem Blick nicht scheiden.
Wie sonderbar muß diesen schönen Hals
Ein einzig rotes Schnürchen schmücken,
Nicht breiter als ein Messerrücken!

Dem Gedanken Goethes nach hat die furchtbare Tragödie, die sich mit Gretchen abspielte, die Seele Fausts erhoben. Weit davon entfernt, zugrunde zu gehen, bestand er die Feuerprobe des Leids und ward unerreichbar groß. Gretchens Liebe ist für ihn auf alle Zeit etwas Erhebendes geblieben, wie aus dem symbolischen Epilog erhellt. Inmitten seines stürmischen Aufstiegs gedenkt Faust oft des glücklichen und bitteren Traums der ersten Liebe.

Der Einsamkeit tiefste schauend unter meinem Fuß,
Betret ich wohlbedächtig dieser Gipfel Saum,
Entlassend meiner Wolke Tragewerk, die mich sanft
An klaren Tagen über Land und Meer geführt.
Sie löst sich langsam, nicht zerstiebend, von mir ab.
Nach Osten strebt die Masse mit geballtem Zug;
Ihr strebt das Auge staunend in Bewundrung nach.
Sie teilt sich wandelnd, wogenhaft, veränderlich.
Doch will sichs modeln. Ja, das Auge trügt mich nicht!

. . . Täuscht mich ein entzückend Bild,
Als jugenderstes, längst entbehrtes höchstes Gut?
Des tiefsten Herzens frühste Schätze quellen auf:
Aurorens Liebe, leichten Schwung bezeichnets mir,
Den schnell empfundnen, ersten, kaum verstandnen Blick,
Der, festgehalten, überglänzte jeden Schatz.
Wie Seelenschönheit steigert sich die holde Form,
Löst sich nicht auf, erhebt sich in den Äther hin
Und zieht das Beste meines Innern mit sich fort.

Es ist Faust gelungen, von dem entsetzlichen Schuldbewußtsein, von Gram und Mitleid sich mit Hilfe der allesheilenden Kraft der Zeit frei zu machen und vor allem dank der Lebensbegier, die ihn wie ein mächtiger Strom durch alles Leid getragen hat.

Entfernt des Vorwurfs glühend bittre Pfeile,
Sein Innres reinigt von erlebtem Graus –

singt Ariel ihm zu Häupten. Und kleine Geister, die seinem Herzen heilenden Balsam einträufeln, erwecken ihn zum Leben.

Säume nicht, dich zu erdreisten,
Wenn die Menge zaudernd schweift;
Alles kann der Edle leisten,
Der versteht und rasch ergreift.

Und Faust ist zu neuem Leben erwacht.
Schnell hat er den ganzen Maskenzug des Lebens durchmessen, sich überzeugt, daß seine geheime Triebfeder das Geld, sein Ziel die Jagd nach Genuß ist, daß die ganze sogenannte Gesellschaft faul, unvernünftig, kleinlich ist, daß

ihr der unausbleibliche Untergang droht. In dem von Goethe gezeichneten Bild der Gesellschaft sehen wir eine Kopie der französischen Gesellschaft vor der Revolution. Dieser Teil des „Faust" ist, scheint uns, am wenigsten bedeutend. Aber unter den Tröstungen und Zerstreuungen einer miserablen Gesellschaft, von der sich abzuwenden Faust bereit war, traf er unverhofft eine wunderbare, tiefe, seine Seele erregende Erscheinung: *die Kunst.* Nur blasse Gestalten der Schönheit tauchten in der kunstvollen Situation einer Szene auf, nur Gespenster, zum Leben erweckt durch eines Künstlers Genie – und Faust war erschüttert. Die reine Schönheit, Helena, hat seine Seele erfüllt. Mit seiner gewohnten Leidenschaft, seiner gewohnten Begeisterung gibt sich Faust dem neuen Verlangen hin, sucht er die Quellen der Schönheit in Hellas, versenkt er sich in dessen ewigen Reiz, erreicht er Unmögliches, kost er die in seinen Umarmungen für ihn neuerstandene Helena; gebiert er, vor Liebe brennend, eine neue Kunst und bewahrt als edle Gabe das Kleid Helenas – eine *Form der Schönheit.*

Halte fest, was dir von allem übrigblieb!
Das Kleid, laß es nicht los! . . .
. . . Bediene dich der hohen,
Unschätzbaren Gunst und hebe dich empor;
Es trägt dich über alles Gemeine rasch
Am Äther hin, solange du dauern kannst.

Die Helena-Szene, in der Goethe eine so wichtige Erscheinung des Menschenlebens wie die Kunst, das künstlerische Schaffen, festgehalten hat, verdient starke Beachtung wegen ihrer Tiefe und ihrer bewunderungswürdigen Schönheit, welche sich allerdings dem Leser nicht sogleich offenbart. Aber wir können bei dieser wichtigen Szene nicht länger verweilen. Das künstlerische Schaffen vermag Faust nicht zufriedenzustellen. Was braucht er denn jetzt? Macht er sich nicht schon zum Mond auf?

MEPHISTOPHELES:
Errät man wohl, wonach du strebtest?
Es war gewiß erhaben kühn.
Der du dem Mond um so viel näher schwebtest,
Dich zog wohl deine Sucht dahin?

FAUST:
Mitnichten! Dieser Erdenkreis

Gewährt noch Raum zu großen Taten.[7]
Erstaunenswürdiges soll geraten!
Ich fühle Kraft zu kühnem Fleiß.

Wird es für Faust nicht vorteilhaft sein, in einer lauten Stadt zu leben, sich mit sozialem Wirken zu befassen, mit Intrigen, mit einer Karriere, die Ehre einbringt?

MEPHISTOPHELES:
Das ist bald getan.
Ich suchte mir so eine Hauptstadt aus,
Im Kerne Bürger-Nahrungs-Graus,
Krumm-enge Gäßchen, spitze Giebeln,
Beschränkten Markt, Kohl, Rüben, Zwiebeln,
Fleischbänke, wo die Schmeißen hausen,
Die fetten Braten anzuschmausen;
Da findest du zu jeder Zeit
Gewiß Gestank und Tätigkeit.
Dann weite Plätze, breite Straßen,
Vornehmen Schein sich anzumaßen,
Und endlich, wo kein Tor beschränkt,
Vorstädte, grenzenlos verlängt.
Da freut ich mich an Rollekutschen,
Am lärmigen Hin- und Widerrutschen,
Am ewigen Hin- und Widerlaufen
Zerstreuter Ameiswimmelhaufen.
Und wenn ich führe, wenn ich ritte,
Erschien ich immer ihre Mitte,
Von Hunderttausenden verehrt.

Was ist ein solcher Haufe für Faust? Ist es ihm nicht gleichgültig, ob mehr oder weniger davon auf der Welt ist? Das muß man den Herren Kommentatoren unter die Nase reiben, die da meinen, Faust werde letztlich zu einem Altruisten und Philanthropen. Will er keine Genüsse? Oh, längst nicht. Er verachtet die Sardanapale.

MEPHISTOPHELES:
Dann baut ich, grandios, mir selbst bewußt,
Am lustigen Orte ein Schloß zur Lust.
Wald, Hügel, Flächen, Wiesen, Feld
Zum Garten prächtig umbestellt.
Vor grünen Wänden Sammetmatten,
Schnurwege, kunstgerechte Schatten,

Kaskadensturz, durch Fels zu Fels gepaart,
Und Wasserstrahlen aller Art:
Ehrwürdig steigt es dort; doch an den Seiten,
Da zischt und pißts in tausend Kleinigkeiten.
Dann aber ließ' ich allerschönsten Frauen
Vertraut-bequeme Häuslein bauen;
Verbrächte da grenzenlose Zeit
In allerliebst-geselliger Einsamkeit.
Ich sage Fraun! denn ein für allemal
Denk ich die Schönen im Plural.

FAUST:
Schlecht und modern! Sardanapal!
...
Da wagt mein Geist, sich selbst zu überfliegen;
Hier möcht ich kämpfen, dies möcht ich besiegen!
...
Schon Schritt für Schritt wußt ich mirs zu erörtern;
Das ist mein Wunsch, den wage zu befördern!

Sieht wenig nach Altruismus aus! ...
Die Kommentatoren lassen sich nahezu unisono über den Altruismus Faust aus, während manche mit nicht geringerem Recht erklären, der Kampf mit dem Meer und der Bau von Deichen und Kanälen sei nur ein Symbol, darunter habe man den Kampf mit der Revolution zu verstehen. So daß Faust auf seine alten Tage nicht bloß zu einem Heiligen geworden wäre, sondern letztlich sogar zu einem Gendarm.
Faust ist ein Schöpfer. Sagt: Was hat ein Künstler mit Altruismus gemein? Da meißelt er aus Marmor die Statue einer Göttin, er ist begeistert von seiner Arbeit – ist er Altruist? Er arbeitet hauptsächlich um des Bewußtseins der eigenen Kraft willen, um der Freiheit seines schöpferischen Ingeniums willen. Kann er etwa nicht auch als Persönlichkeit des öffentlichen Lebens tätig sein? Das Volk, die Gesellschaft ist für ihn ein Marmorblock, aus dem er eine herrliche Menschheit seinem Ideal gemäß schafft ... Ist er Altruist? Ihm steht der Sinn nicht nach Ihrem Glück, mein Leser, und Ihrem Glück wird er vielleicht keinen Fingernagel aufopfern – im Gegenteil, wenn Sie ihm in den Weg treten, wird er Sie vernichten, wird er mit Feuer und Steinblöcken die Massen gegen sie selber verteidigen: sie *soll*

schön werden, sie ist Stoff, und den soll des Genius schöpferischer Gedanke durchdringen.

Ja, aber der Künstler verbirgt doch sein Werk nicht, ihm sind doch jene ästhetischen Genüsse teuer, die er den Menschen bereiten wird, er schafft sein Werk nicht aus Wachs, sondern aus Marmor, er schafft für Jahrhunderte. Ist das Altruismus? Das ist Begier nach Herrschaft über die Seelen der anderen, die Begier, sein Herz den Herzen der anderen einzuprägen, das ist der wunderbare heilige Kampf um die Oberhand, der Kampf für das Leben seiner Ideale gegen andere, niedrigere Ideale. „Ich will in Jahrhunderten leben, ich will obsiegen, weil ich Schönheit, Lebensfülle, Tatkraft bringe!" Das ist der höchste Egoismus, ein Egoismus, der weit hinausgeht über die Schranken trockenen Trachtens nach den kläglichen Vorteilen und Wohltaten des Lebens. Ein solcher Mensch hat das Recht und die Pflicht, grausam zu sein, wenn es not tut; er muß Egoist sein, weil sein Sieg der Sieg der höchsten Lebensformen ist; soll er's wagen!

Daß man, zu tiefer, grimmiger Pein,
Ermüden muß, gerecht zu sein,

seufzt der angebliche Altruist Faust. Der feurige Greis ist gefährlich. Schwerlich werden ihn abstrakte Gerechtigkeiten da zähmen.

Was willst du dich denn hier genieren?
Mußt du nicht längst kolonisieren?

Und Faust kolonisiert. Opfer dieser Kolonisation werden die konservativen, doch harmlosen Philemon und Baucis mit ihrer kleinen Kapelle und ihrem kleinen Haus unter den alten Linden. Natürlich muß die Kolonisation möglichst sanft vollbracht werden. Das will auch Faust; aber wenn sie nur um den Preis einer Ungerechtigkeit erkauft werden kann, muß man sich auch hierfür entscheiden ...

In das ruhige Bewußtsein der eigenen Kraft, in das majestätisch-bewußte Glück des Greises Faust mischt sich indes, nach Meinung von Kommentatoren, ein tiefer Gram. Nach der Ansicht einiger „scharfblickender Leser" ist dem Finale des „Faust" ein tiefer Gram Goethes anzumerken. Gram im Finale des „Faust", Gram im Finale des „Hamlet", im Finale der „Versunkenen Glocke" Hauptmanns – ein Auge, das Gram sucht, wird ihn überall finden! Was uns betrifft,

so erfüllen diese Finales uns mit Hoffnung und frischer Tatkraft.
Suchen wir uns in dem angeblichen Pessimismus des „Faust"-Finales zurechtzufinden.
Vier furchtbare Gespenster nahen dem großartigen Palast Fausts, vier graue Weiber.

ERSTE:
Ich heiße der Mangel.
ZWEITE: Ich heiße die Schuld.
DRITTE:
Ich heiße die Sorge.
VIERTE: Ich heiße die Not.
ZU DREI:
Die Tür ist verschlossen, wir können nicht ein;
Drin wohnet ein Reicher, wir mögen nicht 'nein.[8]
MANGEL:
Da werd ich zum Schatten.
SCHULD: Da werd ich zunicht.
NOT:
Man wendet von mir das verwöhnte Gesicht.
SORGE:
Ihr, Schwestern, ihr könnt nicht und dürft nicht hinein.
Die Sorge, sie schleicht sich durchs Schlüsselloch ein.
(Sorge verschwindet.)
MANGEL:
Ihr, graue Geschwister, entfernt euch von hier!
SCHULD:
Ganz nah an der Seite verbind ich mich dir.
NOT:
Ganz nah an der Ferse begleitet die Not.
ZU DREI:
Es ziehen die Wolken, es schwinden die Sterne!
Dahinten, dahinten! von ferne, von ferne,
Da kommt er, der Bruder, da kommt er, der ... Tod.

Weder der Mangel noch die Schuld noch die Not sind Faust schrecklich: Mit der Regelung der wirtschaftlichen Frage, mit der Beseitigung der Armut werden sie ohnmächtig. Besonders bewunderungswürdig ist, daß Goethe den Mangel als Begleiter der Armut ansah und mutmaßte, mit dem wahren Anwachsen des Reichtums werde er zum Schatten werden.

Sehen wir zu, ob die Sorge stark ist.
Hören wir Prometheus sprechen: über seine großartigen Gaben an das Menschengeschlecht.
Prometheus hat die Menschen vorm Untergang gerettet.

CHOR:
Hast du denn irgend etwas noch getan?
PROMETHEUS:
Den Sterblichen gab ich das Todvergessen.
CHOR:
Den Tod vergessen – wie denn konnten sie's?!
PROMETHEUS:
Hab ihnen blinde Hoffnung eingeflößt.
CHOR:
War dies nicht dein allergrößt Geschenk?
PROMETHEUS:
Nein, ich gab ihnen noch das Himmelsfeuer.
CHOR:
Das in der Hand so kläglicher Geschöpfe!
PROMETHEUS:
In vielem wird's die Menschen unterweisen.

Beide Gaben sind Faust überreichlich verliehen. Die Sorge hat ihn geblendet! Was will Goethe damit sagen? Daß Faust blind ist für das Nahe, für die Umwelt, daß er den Hoffnungen auf kommende Jahrhunderte lebt.

Die Nacht scheint tiefer tief hereinzudringen,
Allein im Innern leuchtet helles Licht ...

Ihm ist nur jene blinde Hoffnung verliehen, die vor der Todesangst rettet. Sie ist eigentlich nicht blind, sondern nur allzu weitsichtig. Der Mensch geht seiner strahlenden Sonne entgegen, taumelt und stürzt ins Grab. Was für ein seltsam Ding! Im Klang der Schaufeln, die dies Grab ausheben, vernimmt er schöpferische Arbeit, die erhabene Technik des Menschen, deren Beginn und Emblem *das Feuer* ist. Die Menschheit erfüllt ihre Vorhaben, nähert sich ihren Hoffnungen, verwirklicht das ersehnte Ideal, baut weiter ihren Turm zu Babel, und Faust lehrt, indes er über seinem Grab steht, die Weisheit, die den Tod bezwingt:

Ein Sumpf zieht am Gebirge hin,
Verpestet alles schon Errungene;
Den faulen Pfuhl auch abzuziehn,

Das letzte wär das Höchsterrungene.
Eröffn ich Räume vielen Millionen,
Nicht sicher zwar, doch tätig-frei zu wohnen.
Grün das Gefilde, fruchtbar; Mensch und Herde
Sogleich behaglich auf der neuesten Erde,
Gleich angesiedelt an des Hügels Kraft,
Den aufgewälzt kühn-emsige Völkerschaft!
Im Innern hier ein paradiesisch Land,
Da rase draußen Flut bis auf zum Rand,
Und wie sie nascht, gewaltsam einzuschießen,
Gemeindrang eilt, die Lücke zu verschließen.
Ja! diesem Sinne bin ich ganz ergeben,
Das ist der Weisheit letzter Schluß:
Nur der verdient sich Freiheit wie das Leben,
Der täglich sie erobern muß! [9]
Und so verbringt, umrungen von Gefahr,
Hier Kindheit, Mann und Greis sein tüchtig Jahr.
Solch ein Gewimmel möcht ich sehn,
Auf freiem Grund mit freiem Volke stehn!
Zum Augenblicke dürft ich sagen:
„Verweile doch, du bist so schön!
Es kann die Spur von meinen Erdetagen
Nicht in Äonen untergehn." [10]
Im Vorgefühl von solchem hohen Glück
Genieß ich jetzt den höchsten Augenblick.

Ist das Ironie? In Mephistos Augen – ja! Faust ist doch entseelt zu Boden gesunken!

MEPHISTOPHELES:
Ihn sättigt keine Lust, ihm gnügt kein Glück,
So buhlt er fort nach wechselnden Gestalten;
Den *letzten, schlechten, leeren* Augenblick,
Der Arme wünscht ihn festzuhalten.
Der mir so kräftig widerstand,
Die Zeit wird Herr, der Greis hier liegt im Sand.
Die Uhr steht still –
CHOR:
Steht still! Sie schweigt wie Mitternacht.
Der Zeiger fällt –
MEPHISTOPHELES:
Vorbei! Ein dummes Wort. Warum vorbei?
Vorbei und reines Nicht: vollkommnes Einerlei!

Was soll uns denn das ewge Schaffen?
Geschaffenes zu Nichts hinwegzuraffen?
„Da ists vorbei!“ Was ist daran zu lesen?
Es ist so gut, als wär es nicht gewesen,
Und treibt sich doch im Kreis, als wenn es wäre.
Ich liebte mir dafür *das Ewigleere.*

Eine der stärksten Waffen, mit denen der „gesunde Menschenverstand“ unseren Willen zur Macht, unsere Tatbegier zu brechen sucht, ist die Erwägung, auch Alexander der Große „starb, Alexander ward begraben, Alexander verwandelte sich in Staub“[11]; das Große wie das Kleine werde zu Nichts. Das ist das Salz der mephistophelischen Weltweisheit, doch der Chorus mysticus widerspricht vernehmlich mit den wundervollen Versen:

Alles Vergängliche
Ist nur ein Gleichnis;
Das Unzulängliche,
Hier wirds Ereignis;
Das Unbeschreibliche,
Hier ists getan;
Das Ewig-Weibliche
Zieht uns hinan.

Wir bestehen darauf, daß unsere Übersetzung[12] den Sinn dieser Chorworte exakt wiedergibt: Das Ewig-Weibliche Goethes ist *das leidenschaftlich geliebte Ideal,* die Abstraktion jeglichen erhabenen Ziels überhaupt, wie das Ewig-Männliche *die leidenschaftliche Liebe,* das Streben selber ist – *Faust.* Nein, was verfließt, wird nicht vernichtet, sondern ist neuer Ausdruck des Unausdrückbaren, neuer Ausdruck des ewigen Wesens der Dinge, das *selber das ewige Streben, die ewig lockende Liebe* ist! Homunculus hat den Quell des Lebens am Thron der schönen Galathea gefunden und sich überzeugt, daß vom Aufkeimen des Lebens selbst ihr das gleiche Streben zur Lebensfülle, zur Selbstbejahung, zur üppigen Entwicklung, zur Schönheit eigen war, weil Schönheit Leben ist, Garstigkeit Entstellung des Lebens, seine Armut, seine Entartung. Heroisches Streben verliert sich nie, es wird zu einem Schatz der Menschheit und ruft immer neue Kämpfer zum Kampf. Das Heroische wird nicht untergehen, solange die Menschheit ist. Aber kann jeder ein Held sein? Kann jeder ein Faust sein? Gewiß nicht! Wir

Durchschnittsmenschen können kein titanisches Ausmaß haben, wir entbehren der Freude, Tausende von Händen zu befehligen und zu begeistern, aber dafür – merket auf! – hatte Faust auf seinem ganzen Lebensweg keinen Freund. Viele Genies, überdies Individualisten, waren melancholisch in Einsamkeit, so Byron, so Nietzsche. Wenn Faust, wie auch Goethe, das Bedürfnis nach Freundschaft gleichsam nicht fühlt, mindert dies etwa die Freude am Mitwirken? *Aber die wesentlichste Schlußfolgerung unserer Arbeit ist der Gedanke, daß es angesichts des Fatums nur eine wahrhaft würdige Haltung gibt: den Kampf mit ihm, das Vorwärtsstreben, den Fortschritt, der nirgends haltmachen will, die Bejahung des Lebens mitsamt dem Unbefriedigtsein und dem Leid, die ihm eignen.* Der Wille wird in seiner unersättlichen Gier nie zufriedengestellt, lehrt Schopenhauer, verwirf ihn, sage zum Leben nein! Versenke dich ins Nirwana! Ja, der Wille ist unersättlich, und diese ewige Begier ist das Wesen des Lebens, aber wir sagen zu ihm tausendmal: Ja! Möge die Lebensbegier wachsen und mit ihr unsere Freuden und unsere Leiden.

N. LENAU UND SEINE PHILOSOPHISCHEN POEME, KAP. I „FAUST“ (1904)[1]

„Faust“ (1833–1836), das erste Poem Lenaus, ist nach dem großen Poem Goethes zweifellos das hervorragendste Werk, das dem Helden der deutschen Sage gewidmet ist.
Das Drama von Marlowe und andere Faustwerke können weder mit dem grandiosen Werk Goethes noch mit dem leidenschaftlich lyrischen, brillanten „Faust“ Lenaus einen Vergleich aushalten.
Wir haben nicht die Absicht, eine detaillierte Parallele zwischen beiden Faustwerken zu ziehen, wir wollen lediglich auf den wesentlichsten Unterschied hinweisen, der ein Licht auf den Charakter und die Geisteshaltung Lenaus wirft.
Goethes „Faust“ wurde bisweilen der Vorwurf der Inkonsequenz gemacht; es hieß, daß die Philosophie des Lebens Goethe selbst evolutioniert habe, daß sein symbolisches Werk natürlich diese Entwicklung widerspiegele und deshalb einer notwendigen Einheit der Idee entbehre. Dem kann ich absolut nicht zustimmen. Natürlich war Goethe, als er den „Faust“ begann, in vieler Hinsicht ein anderer Mensch als zu der Zeit, da er ihn beendete. In der Epoche, als er den „Faust“ begann, war Goethe noch nicht frei von dem stürmischen Drang zum Übersinnlichen und von der Bitterkeit, die aus der Erkenntnis der Begrenztheit der menschlichen Natur resultierte. In der Epoche, als er sein Werk beendete, war Goethe weise und ausgeglichen, und in einigen Versen des zweiten „Faust“ findet die irdische Weisheit – die Weisheit des aktiven Realismus – eine poetische und tiefe Formulierung. Aber eine derartige Wandlung in Goethes Seele zerstört keineswegs die psychologische Einheit seines Helden. Ist denn Goethes Leben selbst nicht eine bewundernswerte Einheit? Goethe gestaltete die unvollkommene, sehnsuchtsvolle Seele Fausts, die Mephisto eine leichte Beute scheint, zu einer Zeit, als die ganze Melancholie titanischen Strebens in seinem eigenen Herzen noch frisch war; sein Held lebte, wuchs und entwickelte sich zusammen mit ihm, und zusammen mit ihm erreichte er eine Apotheose. Deshalb ist das Poem Goethes, vom ethisch-psychologischen Gesichtspunkt, die wunderbare Geschichte der menschlichen Seele, einer

Seele, die in ihrem Suchen ihre wahre Größe, ihre wirkliche Aufgabe irgendwie vorausahnt und schließlich ihren Platz im Weltall findet. Aber vielleicht erscheint der Kontrast zwischen der rein irdischen Weisheit des greisen Faust, der Krönung seiner Bestrebungen, und der Prolog, in dem ein theistisches Weltbild gegeben wird, als eine zu große Dissonanz? Bestünde hier jedoch tatsächlich eine Dissonanz, dann hätte Goethe wahrscheinlich auf den mystischen Epilog im zweiten Teil des „Faust" verzichtet.
Theismus und Mystizismus sind bei Goethe nur Symbol des Überirdischen, das außerhalb des Erfahrungsbereichs liegt, das nach seiner Meinung weder der Wissenschaft noch der Praxis des Menschen zugänglich ist. Der Mensch verrichtet sein schöpferisches Werk auf der Erde, ohne sich um das Überempirische zu kümmern, aber der Dichter kann uns in Symbolen andeuten, daß der Mensch und die Welt des Menschen nur ein Fragment von etwas Allgemeinem, von etwas ist, das der lebensfreudige Schöpfer, der Mensch, sich nicht anders als in Form eines lichten Geheimnisses vorzustellen vermag. Aber das ist das Gebiet der Poesie. Es wäre lächerlich zu glauben, daß die Szene im Himmel in der ganzen Konkretheit ihrer Gespräche zwischen Gott, den Engeln und den Teufeln einen metaphysischen Sinn hätte. Die Weisheit Fausts ist realistisch, aber der Realismus schließt keineswegs poetische Exkursionen in das Gebiet des Übersinnlichen aus, er verlangt nur, daß die Gespenster über den Wolken eben für Dichtung genommen werden und den Menschen in seinem irdischen Leben nicht stören; auch werden sie nicht um Hilfe angerufen.
So ist das Poem Goethes im höchsten Grade harmonisch. Dem entgegen ist Lenaus Poem voll unangenehmer „Brüche", ihm mangelt es an einer Grundidee; nicht nur Faust widerspricht sich auf Schritt und Tritt, widersprüchlich sind auch die Ideen Mephistopheles'. Der Leser kann bis zum Schluß nicht begreifen, was denn nun eigentlich die Wahrheit ist, und die Verurteilung Fausts, die Schlußworte Mephistopheles' sind gleichsam an das Poem angeklebt.
Lenau läßt im „Faust" seiner ganzen Seelenverwirrung freien Lauf, während er die katholische Weltanschauung durch den Mund Fausts, Mephistopheles' und Görgs kritisiert, erkennt er offenbar die Kraft dieser Kritik an, er legt seinen Gestalten das Gift des eigenen Zweifels in den Mund,

ohne sich jedoch zur Abkehr von der Kirchenlehre entschließen zu können, und läßt seinen „Faust“ mit einem aufdringlich katholischen Effekt enden: der typisch katholische Teufel soll im Einverständnis mit dem typisch katholischen Gott Faust quälen.
Dieses Ende wirkt banal nach der eingehenden Kritik, der Lenau die Hauptthese der Religion unterzog, einer Kritik, die im Poem unwiderlegt bleibt. Der „Faust“ Goethes ist ein harmonischer, in sich geschlossener Tempel, über dem sich noch ein unendlicher Himmel breitet; der „Faust“ Lenaus ist eine Art wüstes Gelände, dessen Felsen hier und dort von einem Hebel gesprengt worden sind, der Boden ist stellenweise vom Spaten aufgewühlt, Erdschollen sind zu Dolmens* aufgetürmt, man spürt die Hand eines mächtigen Menschen, der nicht wußte, was er eigentlich wollte, und der dem Chaos dieser Gegend ein noch chaotischeres Aussehen verlieh, um die in seiner Seele herrschende Verwirrung noch deutlicher zum Ausdruck zu bringen.
Ein anderer grundlegender Unterschied zwischen den beiden Poemen besteht in ihrem Abschluß. Bei Goethe ist der Teufel der Blamierte, was völlig natürlich ist, weil er, trotz seiner satanischen Schläue und seiner Zaubermacht, im Vergleich zu dem vernünftigen und freien Menschen dennoch ein niedriger Geist ist, er wird zum Werkzeug Fausts; das Poem Goethes ist ein Hohelied auf den menschlichen Geist. Bei Lenau ist Mephistopheles Faust in jeder Beziehung um einen Kopf überlegen, und es gelingt ihm mühelos, Faust ins Verderben zu stürzen. Das ist das Poem einer unbändigen Verzweiflung.
Die Ursache dieses Kontrastes zwischen den Werken der beiden Genies ist sehr wesentlich: Mephistopheles verkörpert in beiden Werken den Geist des Zweifels und der Verneinung. Bei Goethe ist das jenes Niedrige in der Seele des Menschen, das danach trachtet, die großen Ideale mit dem Gift des Spottes zu überschütten und durch banale Sinnlichkeit, oder auch einfach durch niedriges Laster, zu ersetzen. Die ganze Weisheit dieses Mephistopheles ist die Weisheit des modernen Zynismus, der die Spitze seines diogenesischen verächtlichen Spottes umkehrt, das heißt, gegen Weis-

* Eine Grabstätte aus riesigen, hochkant gestellten Steinen, die oben mit einer Steinplatte bedeckt sind.

heit, Seelengröße und geistige Schönheit richtet, und auf deren Trümmern das Banner der niedrigsten Wollust hißt. Heh, du Grünschnabel, sagt dieser Zyniker, komm erst mal in unser Alter!, und es bereitet ihm bisweilen einen abgrundtiefen Genuß, die Impulse der jungen Seele zu verhöhnen und reine Jünglinge zu Trunk und Unzucht zu verführen. Komm mit, mein Junge, ich weiß, wo man tüchtig saufen kann, dann wirst du sehen, daß das Leben auch seine Annehmlichkeiten haben kann, die wichtiger sind als alle deine Ideen. Wenn dieses träge Scheusal einer banalen hedonistischen Stimmung, das auf das Recht der Erstgeburt spuckt, aber lüstern nach dem Linsengericht lechzt, auch in Goethe lebte, so spürte er natürlich immer die Kraft in sich, dieses Scheusal zu erdrosseln. Er wußte, wie stark Wollust und Grausamkeit in dem Menschentier sind, er wußte, daß die primitiven Instinkte ein Unisono mit der mephistophelischen Weisheit singen, aber er fürchtete sie nicht. Dafür aber ordnete er den Zweifel, im Sinne des Erkenntnisstrebens, einzig und allein dem Heiligen und Reinen im Menschen zu. „Verachte nur Vernunft und Wissenschaft, des Menschen allerhöchste Kraft ... so hab ich dich schon unbedingt", murmelt Satan bei Goethe.

Ganz anders aber verläuft bei Lenau die Grenze zwischen Licht und Finsternis in der Seele des Menschen; für ihn sind Zweifel, Kritik und Forderungen der Vernunft bereits etwas Böses und Sündiges, das er mit verbrecherischer Liebe und Mord in eine Reihe stellt, und Mephistopheles erhält einen neuen Zug: Er ist ein wahrer Weiser und Kritiker, er ist ein Skeptiker, aber nicht im Sinne des Skeptizismus eines Bonvivants, der eine gute Zigarre einem großen Ideal vorzieht, sondern im Sinne eines kämpferischen revolutionären Skeptizismus, der von jeglicher Autorität Rechenschaft fordert. Während Lenau alles Nichtkatholische in seiner Seele auf das Satanische zurückführte, erkannte er gleichzeitig die Unmöglichkeit, diese seiner Meinung nach finstere Kraft zu besiegen.

Die Kritik hat nachdrücklich auf die fehlende Einheit in Lenaus „Faust" hingewiesen, sie schoß jedoch völlig am Ziel vorbei, weil sie das Fehlen einer einheitlichen Handlung verurteilte. Lenau selbst schrieb darüber: „Stünden Vorreden vor Gedichten nicht gar so übel, so möcht ich dem Faust wohl ein einleitendes Wort zur Verständigung voranschicken; z. B., daß bei diesem Gegenstand eine abgeschlossene, durchaus gegliederte Fabel gar nicht an ihrer Stelle wäre; daß ich nur einzelne, zum Teil abgerissene Züge aus seinen äußern Erlebnissen hingestellt habe, zwischen welchen hindurch die Perspektive in einen großen Hintergrund offengeblieben ist ... Bei diesem Stoß kommt alles auf psychologische und metaphysische Einheit an."[2]

Seltsamerweise ist Lenau nicht aufgefallen, daß in seinem Werk die metaphysische Enheit völlig fehlt und die psychologische Einheit recht schwach ist.

Über den Charakter seines Helden sagt Lenau selbst folgendes: „Außerhalb Schwaben möcht' ich meinen Faust außer andern Gründen auch aus *dem* nicht drucken lassen, weil Faust ein geborner Schwabe ist. Auch ist sein Charakter ein wahrhaft schwäbischer. Dieser Hang zur Schwärmerei, dieser redliche Ernst in Verfolgung einer überhirnigen abenteuerlichen Idee, dieses leichtgläubige Sichprellenlassen vom Teufel scheinen mir echte Züge des schwäbischen Nationalwesens, und ich möchte Fausts Verschreibung einen erhabenen Schwabenstreich nennen."[3]

Lenau hat bei seiner Charakteristik die wichtigsten Charakterzüge seines Helden außer acht gelassen: Jedem, der das Poem liest, fällt vor allem die schreckliche Labilität Fausts ins Auge, in einem Atemzug schmettert er hochmütige Phrasen und weint, bereut und droht er, lehnt er sich auf und resigniert ... Das ist ein ständiger Wechsel von Depression, die sich bis zur Todessehnsucht steigert, von melancholischster Schwermut und ungestümen Flügen auf den Schwingen des Größenwahns und übermenschlichen Wagemuts. Er ist bald ein weinerlicher Mensch, den Mephistopheles mit Wort und Wein aufmuntert, neckt und wachrüttelt, bald ein Wahnsinniger, der mit Schaum vor dem Mund der Welt und ihrem Schöpfer droht. Faust ist offensichtlich ein Neurastheniker, den Ausbrüchen der Entschlossenheit und dem ungestümen Aufschwung folgen völlige Apathie und düstere Niedergeschlagenheit.

Bemerkenswert ist, daß auch Fausts Leidenschaftsausbrüche mit Todesgedanken enden: In traurigen Minuten will er sich auflösen wie ein Wölkchen und leise entschwinden, im leidenschaftlichen Überschwang will er sich mit dem Feuer seines Genies verbrennen wie Sardanapal, will er sich und das ganze Weltall vernichten.

Ein Kranker, der an Größenwahn leidet, unterscheidet sich von Faust nur dadurch, daß das leidenschaftliche Verlangen, ein Gott, ein grenzenlos mächtiges Wesen zu sein, sich auf Grund des krankhaften Prozesses im Gehirn in die Gewißheit verwandelt, daß diese Macht bereits erreicht ist; man kann solch einen Gott in einen Isolator setzen, ihm das Mittagessen entziehen, ihn mit einem brennenden Hemd bekleiden, nichts wird seinen festen Glauben an seine unbegrenzte Macht und seine Herrschaft über das Weltall auch nur einen Augenblick erschüttern können. Der Faust Lenaus hat sich schon als Junge die Frage gestellt: Weshalb bin ich nicht „selbst ein Gott"? Und von diesem ungeheuerlichen Ehrgeiz hat er sich nie befreien können. Als seine Seele sich weitete, als er spürte, wie seine Kühnheit sich steigerte, erwachte in ihm unverzüglich das Verlangen, ein Gott zu sein, das Weltall zu beherrschen und kein Wesen über sich zu spüren, das nennt er seinen Stolz, das ist das tiefe Seufzen seiner Seele, und das Streben nach Erkenntnis war nur eine Maske dieses unbändigen, stürmischen Ausbruchs, war nur der erste Protest gegen Gott.
Lenaus Faust äußert niemals atheistische Ansichten, er ist ein Antitheist. Erstens mißfällt ihm die in sich zerrissene sündige und lasterhafte karge Welt, die jeden Winter bankrott macht. Wozu Güte und Schönheit, wenn das Leben doch nicht immer herrscht? Weshalb gibt es in der Seele des Menschen so viele lasterhafte Neigungen, weshalb lebt in ihr das Bewußtsein der schrecklichen Diskrepanz zwischen Wollen und Sein? Die Welt ist nicht vollkommen – das ist klar. Faust lehnt ebenso wie Iwan Karamasow nicht Gott, sondern „Gottes Welt" ab. Folglich kritisiert er Gott vor allem in seinen Geschöpfen. Zweitens protestiert er allein schon gegen die Einteilung in Gott und Geschöpfe, die ihm erniedrigend scheint, er glaubt, alle Geschöpfe würden darunter leiden, daß Gott sie ins Leben gerufen und gezwungen hat, ihm zu dienen, und alle möchten vor ihrem Herrn ins Nichtsein entfliehen. Auch wenn die Welt vollkommen wäre, würde Faust sie verdammen, weil sie das Werk irgendeines Verstandes, das Werk irgendeines Wesens ist, und das erscheint Faust erniedrigend. Und so braust er auf und türmt im Geist Fels auf Fels in seinem titanischen Bestreben, Zeus zu stürzen, und der Hinabgestürzte steht völlig verzagt da und vergießt Tränen. Aber warum ist Faust so sicher, daß diese Eintei-

lung in Geschöpfe und Schöpfer objektiv existiert? Er lauscht sehr aufmerksam der vulgären, aber wahrhaft materialistischen Philosophie Görgs, der weder Gott noch die Natur anerkennt, für den ein Ding nur ein Ding ist, und der das Leben, weil er es so nimmt, wie es ist, gar nicht übel findet. Diese unabhängige Position Görgs flößt Faust eine tiefe Achtung ein ... aber er dürstet nur noch mehr nach dem, was Görg „so kalt entbehrt". Mit anderen Worten, seit seiner Kindheit hat sich ihm die Idee der monarchistischen Ordnung des Weltalls so fest eingeprägt, daß er sich davon nicht lösen kann. Es ist ihm schmerzlich und unerträglich zu sehen, daß alle Geschöpfe nur das Ornat des Herrn sind, er schleudert die Blitze seiner Empörung gegen den „ewigen Despoten", aber es bereitet ihm offenbar auch Wohlbehagen, sich in seinem Stolz Gott gleich zu dünken; er ist stolz auf seine leidenschaftlichen Ausbrüche und auf seinen Haß. Die Aureole eines flammenden metaphysischen Revolutionärs schmeichelt ihm, aber er ist dem nicht gewachsen. Er frondiert gegen Gott, erschrickt aber allein schon bei dem Gedanken, daß Gott ihn verlassen könnte und er einsam wäre.

Das ist ein schreckliches, martervolles und quälendes Stadium in der Entwicklung des menschlichen Geistes. Der Mensch ist bereits über jenes Weltbild hinausgewachsen, das seine Vorfahren ersonnen haben und das diese so begeistert hat, er kann es aber noch nicht vom Gesichtspunkt der Realität kritisieren, es ist mit ihm verwachsen, es war von Kind auf seine Welt, aber es befriedigt ihn weder ästhetisch noch ethisch. Ein Fetisch wird für einen wirklichen Feind gehalten, aber eben für einen Feind, weil es ein entstellter Fetisch ist, und das gesunde Gefühl der Kritik und des Protestes gegen das, was offensichtlich entstellt, böse und dumm ist, nimmt gleichfalls eine entstellte Form an. Es ist nicht nur unsinnig, wütend die Fäuste gegen die Wolken zu erheben und den Donner anzubrüllen, es ist nicht nur komisch, bitter komisch, wenn ein Wahnsinniger sich wild gestikulierend vor einem Gespenst bekreuzigt, das nur in seinem Gehirn existiert, sondern auch der Stolz dieses Menschen, seine positiven Bestrebungen nehmen einen seltsamen Charakter an. Faust, der das Weltall für eine Monarchie hält, erklärt sich zum Thronfolger und wütet bis zur Raserei, als er spürt, wie lächerlich diese Anwartschaft auf den

Thron angesichts seiner Beschränktheit und seiner kläglichen Schwäche ist. Wenn Faust wüßte, daß die Natur eine Demokratie ist, in der nach Napoleons Worten „die Karriere den Talenten offensteht", in der sich das Menschengeschlecht dank seines wunderbaren Gehirns immer höher erhebt und empirisch kein vernünftigeres Wesen als den Menschen über sich weiß, wenn Faust wüßte, daß der Mensch das höchste Wesen in der empirischen Welt ist, und jenes Ideal, das dem Menschen vorgezeichnet ist, die wahre Beherrschung der Natur ist, so wäre sein Stolz zur Hälfte befriedigt, zur Hälfte hätte er sich in einen Impuls zu energievoller Tätigkeit verwandelt. Er hätte dann gewußt, daß alles Lebendige die Entwicklungsstufen durchaus nicht in den Ketten der Knechtschaft und der Abhängigkeit durchläuft, wie er glaubt, sondern lediglich in der gegenseitigen Begrenzung, jeder entsprechend seinen Kräften, die bei den einen erstarken, bei den anderen versiegen.

Lenau wußte, daß solch eine Weltanschauung möglich ist. Die erste Ausgabe seines „Faust" erschien im Jahre 1836; zwölf Jahre später erschien die dritte Ausgabe*, in der das Poem noch durch „das Waldgespräch" ergänzt worden war. Dort sagt Mephistopheles folgende bedeutsame Worte: „Mein Faust, ich will dir einen Tempel bauen, wo dein Gedanke ist als Gott zu schauen. Du sollst in eine Felsenhalle treten und dort zu deinem eignen Wesen beten. Dort wirst du's einsam finden, still und kühl ... Du kannst das Los des Mannes dort genießen, wie er die Weltgeschichte wird beschließen. Doch sieh dich vor, daß du nicht wirst zum Spotte. Erinnre dich in Welschland jener Grotte; dort lagert tief am Boden böse Luft, entstiegen gärungsvoller Erdenkluft; doch in den obern Schichten ist's gesund, und atmen kann dort nur, wer mit dem Mund, ein Hochgewachsner aus der Tiefe taucht; doch wer, kurzbeinig, einen Herrn noch braucht, der Hund, das Kind in jener Grott' ersticken."

So dachte der reife Lenau, der Autor der „Albigenser". So urteilte er später über seinen Faust.

Die Kurzbeinigkeit Fausts äußert sich auch noch in anderer Beziehung. Mephistopheles hält den Geschlechtstrieb und das Verlangen zu töten für das Hauptstreben der menschlichen Seele. Wenn man in Betracht zieht, daß der Mensch in

* Vier Jahre nach der Erkrankung des Dichters.

der langen Reihe der tierischen und halbtierischen Generationen seiner Vorfahren mit seinesgleichen unmittelbar physich gekämpft hat, und die Nachkommenschaft nur dem leidenschaftlichsten und energischsten Männchen gesichert war, so muß die Kraft derartiger Instinkte tatsächlich auf dem Grunde der menschlichen Seele liegen, als verborgener, aber tief verwurzelter Charakterzug, der von verschiedenen neuen Zügen überlagert ist. Der Faust Lenaus ist ein überaus leidenschaftlicher Mensch, der gänzlich unfähig ist, seine Leidenschaften zu beherrschen; dem Teufel gelingt es mühelos, ihn zum Verbrechen anzustiften. Lenau wollte das Verbrechen offenbar als ein natürliches Resultat der Abkehr von der Religion verstanden wissen, aber es war ihm selbst nur allzu klar, daß Görg zum Beispiel niemals imstande ist, ein Verbrecher zu sein oder sich tiefer Reue hinzugeben oder Gewissensqualen zu leiden. Lüstern und feige ist Lenaus Faust von Natur aus. Und nur durch die leidenschaftliche Anspannung seines rebellischen Willens beschwichtigt er für kurze Zeit und auch nur äußerlich sein Gewissen.
Faust ist kurzbeinig: Er ist nicht nur zu willensschwach, um seine Leidenschaften zu zügeln, sondern auch, um mutig die Verantwortung für seine Tat auf sich zu nehmen, er braucht einen Herrn. Er bildet sich ein, daß die Natur ihn wegen seines Verbrechens ablehnt, aber seine Ansichten über die Natur sind überhaupt im höchsten Grade labil: Bald dünkt ihn, daß der Bach, die Blumen und dergleichen ihm Vorwürfe machen, weil er die Gesetze ihrer gemeinsamen Mutter verletzt hat, bald stimmt er leidenschaftlich Mephistopheles zu, daß die ganze Natur auf Mord gegründet ist; Mephistopheles lenkt Fausts Gedanken, wie es ihm gerade beliebt; die Natur ist die Sklavin Gottes und liebedienert vor ihrem Herrn, deshalb ist sie auch so streng zu Faust, aber das ist Unsinn, „sie läßt sich gleich von Gott und Teufel freien, dient jedem gleich mit einem Liebesschwure"; aber auch das ist Unsinn, sie ist einfach seelenlos, und der Mensch ist ihr gleichgültig. Und Faust ist bereit, alles zu glauben.
Der Gedanke einer Gegenüberstellung der Natur, die den Menschen mit den, wie Faust meint, sündigen Leidenschaften und Bestrebungen versehen hat, und Gott, dieser Gedanke kommt Faust überhaupt nicht in den Sinn ... Auch Lenau selbst näherte sich diesem Gedanken erst später, und

in jenem „Waldgespräch", in dem Mephistopheles Faust die stolze Religion des Menschgottes verkündet, verweist er auch auf den grundlegenden Widerspruch zwischen der lebensfreudigen Naturreligion und den transzendentalen Bestrebungen des Menschen. Aber wie schön, wie aufrichtig die Reden Mephistopheles' über die Natur, über das Verbrechen der Juden, die der Menschheit messianistische Hoffnungen eingeflößt haben, und über Spinoza auch sein mögen, der vergebens danach strebte, den Pantheismus wieder zu beleben, all das verfehlt völlig seinen Zweck. Als Lenau das „Waldgespräch" schrieb, war er schon nicht mehr Katholik, was die großartige Einführung in das Poem „Albigenser" bezeugt ... aber seine neuen Ansichten legte Lenau Mephistopheles in den Mund, an dessen Aufrichtigkeit man beim besten Willen nicht glauben kann; deshalb erscheinen sie als Lüge, als List der Hölle, sie erscheinen sozusagen mit negativem Vorzeichen, und dabei wird der Weisheit des mephistophelischen Pantheismus absolut nichts entgegengestellt. Mit dem „Waldgespräch" hat Lenau sein Poem endgültig jener metaphysischen Einheit beraubt, die er erstrebte. Die meisten Kritiker sahen in dem Poem eine Predigt des Skeptizismus mit stark pantheistischem Beigeschmack, aber der bekannte Theologe Martensen[4] hat im Gegenteil bewiesen, daß „Faust" ein ganz strenggläubiges und rein christliches Werk ist. Die Szene „Görg" rückt wiederum mit aller Kraft den Atheismus in den Vordergrund, und zwar sowohl durch den Mund des tapferen Görg als auch durch den Mund Mephistopheles'. Dieser Atheismus bleibt unwiderlegt und untergräbt die pantheistischen Passagen des Poems.

Man kann Lenau nicht zustimmen, wenn er behauptet, es sei ihm gelungen, die psychologische Einheit zu wahren: Er wollte Faust als einen Titanen mit zügelloser Leidenschaft darstellen, aber er hat ihn so stark in die schwarze Farbe der Trauer und in die graue Farbe der Trostlosigkeit gehüllt, daß nichts anderes herausgekommen ist als ein Neurastheniker mit einem philosophisch gestimmten, aber nicht sehr klugen Kopf, mit Leidenschaftsausbrüchen, denen die Apathie auf dem Fuße folgt. Außerdem hat er ihn mit kindlicher Anmaßung und Prahlsucht versehen, man denke nur an die Szene mit dem Schmied, wo Faust den naiven Arbeitern etwas vorlügt, allerlei Tricks anwendet und am Schluß nur durch Zufall keine Gemeinheit gegen die gutmütigen und gastfreundlichen Wirtsleute begeht. Im Umgang mit anderen Menschen ist er überhaupt immer aufbrausend, hochmütig und ungeduldig bis zur Grobheit, überhaupt muß man sagen, daß er ein überaus unsympathischer Bursche ist. Demgegenüber ist Mephistopheles, dem Lenau alle seine Zweifel und antikatholischen Theorien in den Mund legt, obwohl es ihm an einer ausgeprägten philosophischen Physiognomie mangelt, ein Wesen von ungewöhnlichem Verstand, starkem Willen und imponierender Kraft. Der Mephistopheles Lenaus steht dem Goethes in nichts nach, er besitzt sogar mehr Phantasie und Kühnheit in seinen Urteilen, wenn er seinem älteren Pendant vielleicht auch in bezug auf die eigenartige tückische Schläue und den zynischen Scharfsinn unterlegen ist. Der Faust Lenaus aber ist ein Säugling im Vergleich zu dem Faust Goethes. Dabei wollte Lenau seinen Faust offenbar mit der Aureole titanischen Mutes umgeben und Mephistopheles als wirklichen Teufel darstellen; das ist ihm nicht gelungen. Aber darüber kann man sich wohl nur freuen. Ein derartiger Mißerfolg zeugt davon, daß die Kritik die Grundlagen des blinden Glaubens stark erschüttert hat, den Lenau von sich zu fordern geneigt war.

Aber wenn man von dem „Waldgespräch" absieht, weist das Poem zweifellos eine Einheit auf – die Einheit der Stimmung des Autors: Zwar ist diese Stimmung selbst Schwankungen unterworfen, sie ist labil und unbeständig, aber diese Labilität und Unbeständigkeit sind charakteristisch. Jenes religiöse Entwicklungsstadium, das Lenau in jener Zeit durchlebte, charakterisierte James ganz richtig in seinem kürzlich in Russisch erschienenen Buch „Die Abhängigkeit des Glaubens vom Willen": „Allmählich", sagt er, „reift bei uns anstelle des früheren Begriffs von einer den Menschen gewogenen Gottheit der Begriff von einer drohenden Macht heran, die niemanden liebt und niemanden haßt, aber völlig unsinnig alle ohne Ausnahme ins allgemeine Verderben treibt. Welch eine düstere, bedrückende, alptraumhafte Weltanschauung! Diese ganze Trostlosigkeit resultiert ausschließlich aus der Verbindung zweier unvereinbarer Dinge: Einerseits fordern wir die Existenz eines lebendigen Geistes im Weltall, andererseits glauben wir, daß die ganze Naturentwicklung eine adäquate Erscheinungsform und ein Ausdruck dieses Geistes sein soll. Das ist der Widerspruch zwischen der vermeintlichen Existenz dieses allumfassenden Geistes, der uns lenkt und mit dem wir irgendwie in Verbindung stehen sollen, und dem Charakter dieses Geistes, der sich in der wahrnehmbaren Naturentwicklung offenbart – dieser Widerspruch ist auch die Quelle des angeführten Paradoxons, jenes unlösbaren Rätsels, das uns in Melancholie versetzt. Das ist die erste Form einer spekulativen Melancholie; sie ist den Tieren fremd, auch der unreligiöse Mensch kann ihr nicht zum Opfer fallen."[5]

Hier kann es, wie auch James meint, nur zwei Auswege geben, entweder muß man die moralischen Forderungen aufgeben, sich der Natur anpassen und, nur auf seine eigenen menschlichen Kräfte gestützt, die Natur nach Möglichkeit zwingen, dem Menschen zu dienen: das ist der Weg des kulturellen Fortschritts, den Goethes Faust am Ende des Poems beschreitet; oder man muß die Existenz anderer überempirischer Welten postulieren, die die absolute Güte der Vorsehung adäquat zum Ausdruck bringen: das ist der Weg eines Pangloss[6], der lediglich auf den Beweis verzichtet, daß „in dieser besten aller Welten alles zum Besten" führe, und nicht das Recht in Anspruch nimmt, die Realität durch irgendein Märchen zu ersetzen, das dem Herzen des Menschen schmeichelt, das ist ein verlogener Weg, der von der Metaphysik und von James selbst empfohlen wird.

Wie dem auch sei, aber Lenaus „Faust" legt ein beredtes Zeugnis ab von den Qualen, die der Zweifelnde erleidet; der Zweifel aber ist die Kehrseite jeglichen Glaubens, mit Ausnahme des Glaubens an genau feststellbare und meßbare empirische Fakten.

Lenau begann seinen „Faust" im Jahre 1833, er beendete und veröffentlichte ihn im Jahre 1836. Während er an dem Poem schrieb, kursierten über das Werk allerlei Gerüchte, und die einzelnen Auszüge, die Lenau an verschiedenen Orten las, versetzten alle in Begeisterung. Schwab pries Lenau für seinen „Faust" als den größten Lyriker und Lyrodramatiker Deutschlands nach Goethe[7], Grillparzer, der weder Lenau noch dessen Verse mochte, nannte den „Faust" ein großartiges Werk, das einem deutschen Dante würdig sei.[8] Grün sagte, Lenaus Poem ist „wie eine wahrhaft göttliche Komödie der modernen pantheistisch-skeptischen Weltanschauung".[9] Aber nach der Veröffentlichung des „Faust" wurden

auch kritische Stimmen laut. Vor allem wurden das Fehlen eines Kompositionsplans, der eigenartige Bruchstückcharakter und die Unvollendetheit des Werkes sowie der ungewöhnliche Wechsel von epischen und dramatischen Szenen und die gewisse Holprigkeit der Verse kritisiert, obwohl niemand die Formschönheit der meisten Szenen leugnete.
Auf jeden Fall ist Lenaus „Faust" reich an großartiger, poetischer Schönheit, tiefen Gedanken, gelungenen Ausdrücken, und in einigen Szenen hat Lenau sich gleichsam von seinen Ketten befreit und ist über sich selbst hinausgewachsen: dazu gehört die Szene, in der Mephistopheles den Minister der administrativen Weisheit belehrt. Diese Szene ist der berühmten Schülerszene bei Goethe durchaus ebenbürtig, dazu gehören auch die Szenen „Görg" und „Das Waldgespräch".
Der „Faust" Lenaus zeugt von einer tiefen inneren Zerrissenheit, und einzelne Szenen sind wie glühende Lavaspritzer aus der brodelnden Quelle des Dichters, in der feindliche Elemente – religiöses Bedürfnis und Kritik – einen leidenschaftlichen Kampf führten. Auf Grund äußerer Umstände behielt ersteres für kurze Zeit die Oberhand, dann aber stimmte Lenau ein wunderbares Lied zu Ehren des „Zweifels" an ...[10]
Trotz aller möglichen Einwände und der sozusagen offiziellen Verurteilung des „Faust" sowie der offiziellen Identifizierung der mephistophelischen Weisheit mit der Quelle des Bösen galt Lenaus „Faust" sehr bald als ein „skeptisch-pantheistisches Poem".

BERLIOZ' „DAMNATION DE FAUST" (1921)[1]

Hector Berlioz ist eine der originellsten, anziehendsten und bedeutendsten Gestalten aus der Schule der französischen Musik. Entwickelt hat er sich grade in jener glücklichen, in mancher Hinsicht goldenen Epoche der französischen Kunst, da die Blüte der Romantik – einer aktiven, revolutionären, markanten im Unterschied von dem deutschen mystischen Typus – mit den ersten und vielleicht großartigsten Erscheinungsformen des heranrückenden Realismus zusammenfiel. Es war dies die Zeit von Balzac und George Sand, von Delacroix und Daumier, die Zeit Frédérick Lemaîtres, eine Zeit, die noch immer der Heiligenschein besonderer Poesie umgibt und zu der sich sowohl die französische Kritik wie das gesamte denkende Europa immer wieder hingezogen fühlt.
In der ungewöhnlich zahlreichen Plejade der damaligen Schriftsteller, deren fein konturierte Porträts in den Werken ihres würdigen Chronisten Sainte-Beuve erhalten geblieben sind, wird Berlioz' Gestalt keineswegs in den Hintergrund gedrängt. Faktisch war einzig er damals ein genialer Vertreter der Musik; einzig er gelangte in diesem Bereich auf die gleiche Linie wie die großen Repräsentanten der Literatur, der Malerei, der Bühnenkunst. Kennzeichnend ist für Berlioz nicht allein die Mischung aus Phantastik, Träumerei, stürmischem Protest, die für die besten Vertreter des Kleinbürgertums jener Epoche überhaupt bezeichnend ist, welche den Nachhall ihrer revolutionären Bestrebungen noch bewahrt, sich der Gnade des siegreichen Kapitals noch nicht endgültig überantwortet haben – sondern auch das in seiner Art fast einmalige Verschmelzen von musikalischer und dichterischer Begabung. Es handelt sich nicht darum, daß Berlioz ein guter Dichter (was nicht einmal zuträfe, denn er schrieb recht schlechte Verse) und ein guter Musiker gewesen wäre, sondern darum, daß er Dichter und Musiker zugleich war und in seiner Musik vor allem sein dichterisches Wollen bezeigte.
Ebendaher sein Streben nach äußerer Ausdrucksfülle, nach einem malerischen Charakter der Musik, kraft dessen er der bislang größte Meister der Programm-Musik geblieben ist

und einen Rivalen lediglich in unserem Zeitgenossen Richard Strauss gefunden hat. Daher auch sein Bestreben, Musik und Wort zu verbinden, der unerhörten Großartigkeit und dem Esprit seiner Instrumentalmusik noch Chöre, Arien, mitunter auch Deklamationsmonologe hinzuzufügen.
Seine Idee des „Melologs", der Verbindung von Musik und Rezitationspoesie[2], wird eines Tages vielleicht noch in den wunderbarsten musikalisch-dichterischen Oratorien zur Blüte gelangen. Frankreich wußte ihn nicht gleich zu schätzen, erst jetzt zählt es ihn endgültig zur Repräsentation seiner Genies, und wohl nur in Romain Rollands berühmtem Buch „Musiker von heute" ward zum erstenmal in voller Größe ein Porträt dieses bewundernswerten Mannes geschaffen, der einen großen Teil seines Lebens in tiefem Gram und Pessimismus verbrachte. Die vielen von Romain Rolland zitierten Briefe veranschaulichen die ganze Hochherzigkeit, Tiefe, Leidenschaftlichkeit jenes Mannes und den ganzen Abgrund seiner Enttäuschungen und Leiden.
Wer hinter dem berückenden Glanz des äußeren Gewandes der Werke Berlioz', einem Glanz, der an ein fast leichtsinniges Jonglieren mit musikalischen Werken zu grenzen scheint, nicht eine große, leiderfüllte, nach Glück dürstende Seele gewahrt, der hat kein Gehör für wahrhaft poetische Musik.
Für unsere Zeit kann Berlioz' Bedeutung unendlich groß sein. Ich kann mir für eine umfassende Demokratie kein geeigneteres Musikwerk vorstellen als das Oratorium, als den Zusammenschluß von Solisten, Chor und Orchester zur Bekundung der größten Wahrheiten, in denen die Menschheit aufgehen kann. Gerade in dieser Richtung schreiten jetzt die führenden sozialistischen Musiker Frankreichs. Ein Beispiel: „Triumph der Freiheit" zu Worten von Romain Rolland, Musik von Doyen.[3]
Richard Strauss ist allzusehr durchdrungen von den Giftsäften der Verfallszeit der Bourgeoisie. Neben Anflügen von Nietzscheanismus, die ihrem Tonus nach dem Proletariat noch verwandt sein könnten, regen sich in ihm eine pfefferscharfe Sinnlichkeit, eine gewisse Brüchigkeit und psychopathische Extravaganzen. Hector Berlioz, welcher Strauss an Begabung nicht im geringsten nachsteht, ist unbedingt ein gesünderer Komponist; gewiß ist an ihm zu viel Pose; gewiß steckt in ihm die seiner anmutigen Epoche so eigene naive Theatralik; indes sind schließlich alle diese

Wesenszüge nicht gar so übel und stehen einer echten Volkskunst der Zukunft vielleicht näher als die Gesuchtheit und Überfeinertheit jüngster Musikwerke.
Berlioz hat viele erstklassige Musikwerke hervorgebracht, aber wohl den höchsten Rang unter ihnen nimmt das Poem „Damnation de Faust" ein.
Alle Romantiker der Welt haben sich zu Goethes genialem Meisterwerk stets hingezogen gefühlt. Die Faust-Legende in Goethes Bearbeitung gehört zu den ewigen Büchern. Neben den besten Seiten der Bibel, neben den besten Tragödien des Sophokles, den zwei, drei Gipfelwerken Shakespeares ist dieses als die beste Frucht des deutschen Genius zu werten.
Die Musik hat sich der großen Legende des öfteren angenommen. In deren musikalischer Verarbeitung gibt es überragende Werke der romantischen Musik, beispielshalber den „Faust" von Liszt, später haben zwei Opern große Popularität erlangt: Gounods „Faust" und Boitos „Mephistopheles". Weniger bekannt sind die anderen Werke gleichen Themas, deren es sehr viele gibt; so hat auch Wagner den ersten Teil einer unvollendeten Sinfonie „Faust"[4] benamst.
Aber Berlioz' Poem erhebt sich über alle diese Werke, die schlechten wie die guten.
Allerdings ist es kapriziös, es wird gleichsam allzusehr hingerissen durch äußere Phantastik, in ihm ist gleichsam in den Vordergrund das philosophische Interesse an dem erhabenen Sujet gerückt, es scheint sogar verzerrt durch die absolute Rettung Margaretes und den Untergang Fausts, das heißt durch eine pessimistische Entscheidung der Frage, deren optimistische Entscheidung letztlich die Seele des „Faust" ist. Man kann sagen, der große Romantiker habe über das Thema des großen Klassikers seiner Phantasie genial die Zügel schießen lassen und hierdurch die innere und äußere Konstruktion des von ihm zugrunde gelegten Poems entstellt. Alle diese Einwände wären gerecht, wenn es nötig wäre, das Libretto und die Konstruktion von Berlioz mit denen von Goethe unbedingt zu vergleichen. Aber das braucht man durchaus nicht.
Berlioz verdankt Goethe lediglich die Erweckung des Enthusiasmus für dieses Sujet und einzelne, kaum wichtige Momente, im übrigen ist er selbständig und malt uns mit einem musikalischen Riesenpinsel die umfänglichsten Fresken voller Tiefe und Zauberkraft, indes er einer Instrumental-

palette von unfaßlicher Mannigfaltigkeit die Klangfarben entnimmt.
Der erste Teil spielt in Ungarn – ausschließlich deshalb, weil Berlioz schon den ungewöhnlichen Ungarischen Marsch[5] parat hatte. Aber was für ein Pech! Der einsame Faust in der so geräumigen ungarischen Steppe, die Begegnung mit den Bauern und das plötzliche Entstehen des heroischen, freien, unbeugsamen, adlergleichen Marsches sind ein wunderbares Präludium zur Gestaltung des Schicksals eines erfolglosen Genies, eines unausgeglichenen Romantikers, des düsteren Berliozschen Faust.
Der zweite Teil heißt: „Deutschlands Norden". Das ist Fausts Verzweiflungsausbruch, Lebensenttäuschung, Kräfteverfall, ein höchst dramatisches Rezitativ, welches den Prototyp künftiger dramatischer Musik darstellt und dessengleichen sich nur bei Wagner und Mussorgski findet. Das Osterfest weckt Kindheitserinnerungen und stillt für einen Augenblick den Gram des verwundeten Herzens.
Das Erscheinen des Mephistopheles. Und gleich darauf der Flug auf dem Zaubermantel und das an Darstellungstiefe frappante Bild des Gelages entfesselter Menschschweine. Des weitern, gradwegs von dort, aus diesem Reich hemmungslosen Suffs, wird Faust ans Elbufer versetzt und wohnt dem Elfentanz bei. Und im Kontrast zu diesen luftigen, flatternden, fast unirdischen Tönen und Rhythmen: das neue Auftauchen von Menschen und das Lustwandeln von Städtern am Ufer des gleichen, soeben noch zaubrischen Stroms.
Welche Vielfalt der Handlung!
Wahrlich, aufbrausend wie die Meeresflut zieht an uns in diesem Teil das Leben vorüber, wie ein Dichter es aufnimmt.
Der dritte Teil gilt dem Liebesroman mit Margarete. Sein Höhepunkt ist die Darstellung der Julinacht, ein Meisterwerk der Musik aller Zeiten: der Irrlichtertanz. Die Natur selber wirft in die Waagschale alle ihre Zauberkünste, um mit deren süßem Betäubungsmittel das Mädchenherz zu verderben, und entlädt sich in der Teufelsserenade für Margarete. Hier ist das wunderbare Duett von Faust und Margarete, das Ende allzu hurtiger Liebe, die großartige Charakterisierung der Nachbarinnen, die unter ihrem Geklatsch den erkaltenden Leichnam einer zu früh dem Unter-

gang geweihten Zärtlichkeit begraben – und das Finale des dritten Teils.
Der vierte, die Vergeltung, setzt mit Margaretes traurigem Lied ein. Faust ist weitab von ihr, seine Vagabundennatur, wurzellos, ziellos, weglos taumelnd von einem Eindruck zum andern, begierig, doch grundsatzlos, lockt ihn weit fort von den Menschen, und alle Qualen seines ungeordneten Ich sucht er am Busen der Natur loszuwerden.
Indes hat er keinen Zugang zum Elementarreich der Natur, denn hinter ihm liegen die menschlichen Verbrechen, die er begangen. Mephisto erinnert ihn an das Los Margaretes, und Faust braust auf Höllenrossen dahin, sie zu retten. Das aber ist eine Teufelsfalle: weder sich noch einen andern vermag Faust zu retten, die schwarzen Rosse tragen ihn in unheilverkündendem Galopp in den Abgrund.
Über all dieser düsteren Romantik erhebt uns Berlioz plötzlich in den wirklichen blauenden Himmel – kann man sich doch unmöglich etwas vorstellen und in der gesamten übrigen Musik kaum etwas finden, was lichtgesättigter, ätherischer, seraphischer wäre als der Ausklang dieses Poems, das dem schuldlos leidgeprüften Mädchen Vergebung und Belohnung verheißt.
Ich wiederhole: Goethes Grundgedanke ist in vielem verschandelt, und das ganze Sujet, die ganze Aufeinanderfolge sind launenhaft, unlogisch, bar des großen philosophischen und erzählungskünstlerischen Wertes. Und trotzdem ist dies nicht nur ein bewunderungswürdiges Musikwerk; es ist dies die erhabene, ergreifende Beichte einer Seele, die sich nicht gefunden.
Berlioz selber empfindet sich als einen solchen Faust. Wie großartig und ihm zugängig sind sowohl die Schönheiten der Natur als auch die Höhen schlichter menschlicher Tugend, wie erfaßt er all die Grazie der Reinheit, wie weit offen steht ihm das Tor zu irgendwelchen Tiefen schon jenseits des Lebens – und es ist nicht zu begreifen, warum, kraft welchen inneren Verwunschenseins eine so reichbegabte Persönlichkeit rings Unheil sät und zugrunde geht.
Ist dies etwa die bloß zufällige Weltanschauung des Pessimisten Berlioz? Nein, daraus tönt die tiefe Klage eines intellektuellen Genies, das in der Epoche eisenharten Angriffs des Kapitals auf die Überbleibsel der Revolution sich bis zu den Fingerspitzen in der bürgerlichen Welt verlor; daraus

tönen die Klagen eines Menschen, der mit ganzer Seelenkraft gegen die Spießerbanalität aufbegehrt, der hin und her schwankt, aber keinen Weg vor sich sieht.
Das ist eine geniale Weltklage voller Schönheit, eine Klage, so formulierbar: Seht, wie herrlich die Welt ist, schaut, wie reich an Möglichkeiten das menschliche Ich ist, und nehmt wahr, wie fruchtlos, wie schädlich für die Umwelt es untergeht.
Wer ist daran schuld?
Daran schuld ist die wurzeltiefe Unwahrhaftigkeit der ganzen menschlichen Ordnung. Der neue große Mensch wird kein solcher Märtyrer, Abtrünniger, zielloser Aufrührer mehr sein, er wird sich finden, weil die Wege zur Rettung aus der Hölle klar sind, einer Hölle, hergerichtet von Menschen für sich selber im Schoße der herrlichen Natur.

16. April 1921

DIE DEUTSCHE KLASSISCHE LITERATUR ENDE DES 18. UND ANFANG DES 19. JAHRHUNDERTS[1] (1924–1930)

In Goethes Jugendzeit fällt die Idee und die erste Fassung jenes Werkes, das man als das größte Werk der bürgerlichen Literatur der Neuzeit bezeichnen kann, die Tragödie „Faust". An dieser Tragödie arbeitete Goethe sein ganzes Leben, und er beendete sie erst im Greisenalter. Ich habe nicht die Absicht, sie chronologisch zu analysieren.
Der Gedanke an „Faust" tauchte bei Goethe erstmals auf, als er den „Götz" und den „Werther" schrieb. Die Legende von Faust war in Deutschland im Puppentheater, dem sogenannten „Kasperletheater", lebendig. Der Vorgänger des Goetheschen „Faust" war der „Faust" von Christopher Marlowe, eines Zeitgenossen Shakespeares. Marlowe schrieb seinen „Faust" nach einer mittelalterlichen Legende. Der mittelalterliche „Faust" von Marlowe und der „Faust" von Goethe sind gleichsam zwei aufeinanderfolgende Entwicklungsetappen.
Was erzählt die Volkslegende über Faust?[2] Das Volk, das Kleinbürgertum im Mittelalter betrachteten den Gelehrten mit abergläubischer Furcht. Er sitzt in seinem Kämmerlein zwischen Glaskolben und Retorten, macht Gold oder Gift, mit dem er die Brunnen vergiften will, in seinem Zimmer hängt ein Skelett, und manchmal kauft er sich einen Leichnam, um ihn zu zerschneiden. All das ist geheimnisvoll und rätselhaft; zweifellos steht er mit Dämonen im Bunde, und wenn er irgendeinen Erfolg hat, dann nicht ohne Grund: die Teufel helfen ihm, und sie helfen ihm, weil er seine Seele dem Teufel verkauft hat. Deshalb sahen die Leute in den finsteren Alchimisten Ketzer und Hexenmeister und konnten ihre Feindschaft nur schlecht verhehlen, und weil die Alchimisten und ihre Schüler sagten, daß sie den Stein der Weisen finden und Gold machen wollten, daß die Wissenschaft zu höchster Macht führt (denn sie spürten die Macht der Wissenschaft, obwohl sie sie falsch interpretierten), entstand bald die Legende, daß die Alchimisten Wunder vollbringen können, allerdings nicht im Namen Gottes, sondern im Namen des Teufels, der sie, trotz aller erlangten Macht, letztlich dennoch überwältigt.
Marlowe kann sich von dem Blickpunkt dieser Legende

noch nicht lösen, und Faust wird bei ihm eine Beute des Teufels. Sein Faust ist irgendein abstrakter Rebell, der uneingeschränkt genießen will, mag dann auch die Seele zur Hölle fahren. Faust will noch größere Unordnung stiften und Gemeinheiten begehen, kurzum, er ist ein Tollkopf. Und Marlowe gefällt das. Obwohl er sagt, daß der Teufel Faust zu Recht in die Unterwelt entführt hat, und es nicht gut endet, wenn man einen Pakt mit dem Teufel schließt, spürt man jedoch, daß auch er selbst nicht abgeneigt wäre, seine Seele dem Teufel zu verkaufen, sobald sich eine Gelegenheit böte.

Bei Goethe ist alles ganz anders angelegt. Goethe rechtfertigt Faust. Für Goethe ist Faust ein positiver Typ. In welcher Hinsicht ist er positiv? Weil er ewig in Bewegung ist und hohen Zielen zustrebt. Faust rebelliert auf zwei Ebenen – in der Wissenschaft und im Leben. In der Wissenschaft negiert Faust die Scholastik und die Theologie, er negiert die von den Universitäten und wissenschaftlichen Institutionen anerkannten wissenschaftlichen Prinzipien. Und hier zertrümmert Goethe durch den Mund Faustens und seines eigensinnigen Doppelgängers Mephistopheles erbarmungslos die Theologie, die Scholastik, die Jurisprudenz und verspottet die damalige Medizin. Das ist eine wirkliche Zertrümmerung einer erstarrten abgestorbenen Wissenschaft, der das leidenschaftliche Verlangen nach wahrer Erkenntnis der Natur entgegengesetzt wird. Goethe lebte in einer Zeit, als die scholastische Wissenschaft noch stark war, und das war ein erfrischender Strahl.

Außerdem kämpft Faust gegen die konservative Lebensordnung. Er will jung, fröhlich und glücklich sein und tun und lassen, was sein Herz begehrt. Dieser individualistische Instinkt ist nicht mehr das Gejammer eines Werther, sondern vielmehr der Wunsch, sowohl die Erkenntnis der Natur als auch die Wirklichkeit – Raum für Verstand und Gefühl – im Kampf zu erringen. Und Faust nimmt diesen Kampf auf.

Den Teufel faßt Goethe ganz eigentümlich auf. Mephistopheles ist gleichsam ein Teil der Seele Faustens. Und zwar sind bei Mephistopheles zwei Tendenzen festzustellen: er zwingt Faust, die heiligsten Dinge kritisch zu betrachten, infiziert ihn mit dem Gift des Skeptizismus, wobei er das menschliche Streben nach dem Sieg des eigenen Verstandes und Herzens über jegliche Autoritäten, über jegliche von der Zeit geheiligten Traditionen, Begriffe und Dinge auszunutzen versucht. Auch im Verhältnis zur Umwelt treibt er Faust zur Dreistigkeit, die ihn veranlaßt, mit Füßen zu treten, was allen als verehrungswürdig erscheint. Das ist das „satanische" Prinzip Fausts, das jedoch auch seine sympathische Seite hat. Hier löst Goethe folgendes Problem: Mephistopheles ist der Vertreter des zerstörerischen Prinzips, er möchte die Welt zerstören, er möchte den Menschen zwingen, der Welt zu entsagen und alles in den Abgrund des ewigen „Nichts" hinabzustürzen, aber gerade weil er alles Beständige ins Wanken bringt, weil er alles untergräbt, verwandelt er sich, ohne sich dessen selbst bewußt zu sein, aus einem bösen in einen schöpferischen Geist. Er begünstigt den Fortschritt, er fördert die Vorwärtsbewegung. Deshalb sagt Mephistopheles, daß er stets das Böse will und stets das Gute schafft. Die Welt ist so eingerichtet, daß diese Kritik, dieser zersetzende Skeptizismus zur treibenden Kraft des Menschen wird.

Das bedeutet jedoch nicht, daß das satanische Prinzip in Mephistopheles nicht vorhanden wäre. Er ist Satan. Auf dem Gebiet der Wissenschaft scheint das Unglück nicht allzu groß zu sein, aber den jungen Schüler, den Mephistopheles belehrt, infiziert er so mit seinem Skeptizismus gegenüber allem Wissen, daß jener daraufhin zu einem Schuft und Scharlatan wird, der die Wissenschaft nur als ein Mittel zur Karriere betrachtet. Das heißt also, daß der Skeptizismus zum Verlust des Glaubens an die Vernunft und an die Wissenschaft führen kann, und einige Male betont Goethe, daß der menschliche Untergang unausbleiblich ist, wenn man diese Grenze erreicht, wenn man aufgehört hat, an die Vernunft zu glauben. Viel ernstere Folgen aber hat der Satanismus im Leben selbst. Der Wunsch, nur für sein persönliches Glück zu leben, ist nichts anderes als der Wunsch, ein Raubtier zu sein. Faust will ein Raubtier sein, da er alle seine Bedürfnisse befriedigen möchte.

Zuerst wollte Goethe sein Drama „Gretchen" nennen und Gretchen als Zentralfigur darstellen. Faust stürzt sie so ganz nebenbei ins Verderben; dabei ist sie auf ihre Art ein äußerst wertvolles Wesen, sie ist sympathisch, voll tiefer innerer Grazie und viel besser als er mit all seiner inneren Zerrissenheit. Er tritt sie, eben weil er sie liebt, in den Schmutz, er macht sie nicht nur unglücklich, sondern treibt

sie auch zum Verbrechen, zum Leiden. Dann verlagert sich der Schwerpunkt des Dramas auf Faust. Aber dieser Episode mit Gretchen hat Goethe viel Raum gewidmet. Mephistopheles spielt Faust, nachdem er ihn verjüngt hat, ein einfaches Mädchen zu, das sich durch nichts von anderen Mädchen unterscheidet. Sie ist ein durchschnittliches Kleinbürgermädchen, und sie sind alle fast gut, solange sie wie Schäfchen in ihrem Krähwinkel leben und mit nichts in Konflikt geraten. Faust verliebt sich leidenschaftlich in sie; solange er verliebt ist, sieht er in ihr eine Göttin. Und Mephistopheles ermöglicht ihm einen leichten Sieg mit Hilfe von Geschenken, leidenschaftlichen Worten und dem schönen Aussehen, das er Faust verliehen hat. Gretchen gibt sich Faust ziemlich schnell hin. Und die Leiden beginnen. Sie muß Heimlichkeiten vor ihrer Mutter haben. Sie gibt ihr einen Schlaftrunk, und die Mutter stirbt. Und dann erwartet sie ein Kind! Faust begibt sich indessen auf eine große Reise und läßt sie im Stich. Die Mitmenschen beginnen das Mädchen zu schmähen und zu verachten. Schließlich versucht sie, sich des Kindes zu entledigen, sie wird der Kindestötung beschuldigt – ein alltäglicher Prozeß, und sie geht zugrunde. Sie soll als Mörderin ihres Kindes hingerichtet werden. Ein totaler moralischer und physischer Untergang. Doch Goethe erklärt, daß Gretchen eine Märtyrerin ist, daß sie ein Engel ist, daß sie, gerade weil sie all das durchlitten hat, zu einer Heiligen wird und daß die Erinnerung an sie, an das unschuldig zugrunde gerichtete Opfer, eine heilsame Wirkung auf Faustens Seele hat. Er kann sich nie mehr von dem Bewußtsein befreien, ein Verbrechen begangen und ein reines Wesen zugrunde gerichtet zu haben. Und eben weil er, nachdem er Gretchen zugrunde gerichtet hat, in leidenschaftlicher Reue seine Schuld büßt, wird er gerettet.
Der Pakt zwischen Mephistopheles und Faust lautet folgendermaßen: Ich nehme deine Seele, wenn du zum Augenblick sagst, verweile doch, du bist so schön! Und der Teufel gibt sich alle Mühe, Faust diese Worte zu entlocken, im Trunk, wenn er sich mit einer schönen Frau vergnügt oder wenn er vom Ruhm geblendet ist, denn wenn Faust diese Worte sagt, hat er seine menschliche Mission – ständig vorwärtszuschreiten – aufgegeben. Dann hat der Teufel sein Werk vollbracht.
Tatsächlich schafft der Teufel Gutes, obwohl er Böses will. Während er sich ständig bemüht, Faust in Versuchung zu füh-

ren, erschließt er ihm neue Seiten des Lebens, aber Faust ist ewig unzufrieden, immer strebt er vorwärts und bereichert dadurch nur seine Erfahrungen. Aber der Teufel hat dennoch gesiegt, denn einmal sagt Faust: Verweile, Augenblick!
Als Faust, zum zweitenmal ein Greis geworden, ein Stück Meer, nicht Land, sondern Meer, zugewiesen bekommt, verdrängt er das Meer von der Erde und ringt den Fluten ein Stück Festland ab. Und auf diesem Land siedelt sich ein Volk an, dem Faust volle Freiheit gibt. Das ist eine brüderliche Republik der Arbeit auf einem den Elementen abgerungenen Boden. Und Faust sagt: Jetzt habe ich die Bestimmung des Menschen begriffen. Der Mensch muß für eine freie Gesellschaft leben, und nur solch eine Gesellschaft verdient das Recht zu existieren, die täglich ihre Freiheit und ihr Leben neu erobern muß. Ich habe solch eine Menschengemeinschaft gegründet. Ich lebe mitten in ihr, das ist der schönste Augenblick, und ich möchte, daß er nicht vergeht. Und dann stirbt er. Mephistopheles streckt schon seine Klauen aus, um ihn zu ergreifen, aber man sagt ihm: nein, diese Worte bedeuten nicht, daß der Augenblick wirklich verweilen soll, solch ein Glück eröffnet gewaltige Perspektiven der weiteren Vorwärtsentwicklung. Faustens Tod ist kein Tod – Faustens Tod ist eine Apotheose des neuen Lebens. Er stirbt, weil er alles getan hat, was er tun konnte, und geht für immer in das ewige Leben der Menschheit ein.
Diese zutiefst kollektivistische und sozialistische Idee konnte damals niemand verstehen, heute aber verstehen wir sie.
Den zweiten Teil schrieb Goethe in hohem Alter. Hinter der mitunter nebulösen Form verbirgt sich jeweils ein bedeutender Gedanke. Manchmal jedoch offenbart sich dieser tiefe Gehalt nicht einmal in Form eines Gedankens, sondern eher in Form von Vermutungen oder Vorahnungen, auf deren Erklärung selbst Goethe verzichtet.
Die einzelnen Teile des „Faust" sind zu verschiedenen Zeiten geschrieben worden, was dem gesamten Werk eine gewisse Buntheit verleiht. Nichtsdestotrotz steht über allem die Idee, daß der Mensch als Vertreter des vernünftigen Prinzips die Natur und selbst den Tod besiegt. Das kollektive „Wir" wächst über das individualistische „Ich" hinaus, das im ersten Teil des „Faust" das Zentrum der Welt ist, und das menschliche Kollektiv wird zum Zentrum des ganzen Daseins proklamiert.

FAUST IN DER POSE HAMLETS (1932)[1]

Brief aus Genf

Zur Hundertjahrfeier des Todestages Goethes haben zwei der berühmtesten Meister deutscher darstellender Kunst, *Alexander Moissi* und *Albert Bassermann*, eine neue Bühnendarbietung des ersten „Faust"-Teils zuwege gebracht und mit ihr viele Städte Deutschlands, dann überhaupt Europa bereist.

Ich hatte Gelegenheit, diese in vielem bedeutsame und schöne Aufführung des großen Goethe-Werks in Genf zu sehen.

Natürlich kann man keineswegs in die exzessiven Lobgesänge einfallen, mit denen das Gros der europäischen Presse auf die Inszenierung reagierte. In Genfer Blättern habe ich beispielsweise sogar von „einer außergewöhnlichen Überzeugungskraft der Lichtdekorationen und von einer Impressionsfülle" gelesen, „die den Lichteffekten zu verdanken" sei.

Wahrscheinlich hat Moissi selber beim Lesen dieser Nichtigkeiten ein Lachen angewandelt. Das kleine Ensemble, das er mitgenommen, und der Wunsch, nahezu ohne Dekoration auszukommen, sind für die außerordentliche Vereinfachung der ganzen Darbietung maßgebend gewesen. Moissi wollte den „Faust" nicht in härenem Gewand bieten, ist aber nur wenig hiervon abgewichen: Er bediente sich der nachgrade modischen farbigen Dekorationen, die ein besonderer Apparat derart auf den Bühnenhintergrund wirft, daß die Darsteller auf dieser Leinwand keinen Schatten bekommen, selbst wenn sie von der Bühnentiefe bloß einen Meter entfernt sind.

Man muß zugeben, daß viele dieser Bilder oder der ganz unerwarteten sich bewegenden Lichthintergründe schon jetzt etwas darstellen, was großer Kunst nahekommt. Zieht man in Betracht, daß das Theater reisen und *einhundert oder zweihundert Dekorationen* mitnehmen kann, die samt den Apparaten *in einen Koffer* gehen, so ist selbstverständlich die enorme Sparsamkeit in dieser ganzen Sache nicht in Abrede zu stellen, und man muß die Lichtdekorationen als einen großen technischen Schritt vorwärts anerkennen.

Aber Moissi ist als Regisseur durchaus nicht einer dekorationskünstlerischen Umrahmung des „Faust" nachgejagt. An seinen Lichtbildern ist nichts übermäßig Interessantes: Sie geben einfach an, wo sich die Handlung abspielt: Garten, Straße, Dom, Studierzimmer Fausts usw. Sie entbehren dermaßen jeglicher Poesie, daß man dem härenen Gewand oft nachtrauern muß.

Hinausgeworfen sind natürlich alle Massenszenen. Diese Kargheit in der Aufführung tut der Goetheschen Phantasiefülle stellenweise allzustark Abbruch. Düpierend armselig ist beispielshalber das Erscheinen des „Erdgeists" im ersten Bild.

Auf der Leinwand kommt plötzlich eine große häßliche Tonstatue zum Vorschein, die plumpe, wenig ausdrucksvolle Etüde eines schwachen Bildhauers in starker Vergrößerung. Parallel erschallt als Stimme des „Erdgeists" eine ölige Menschenstimme, welche die großen Verse Goethes mittelmäßig deklamiert. Infolgedessen erleidet diese ganz wunderbare Szene Fiasko: Kein Moissi vermag sie zu retten.

Ebenso kläglich ausgestattet ist die erschütternde Szene von Gretchens Gebet im Dom. Die katholische Hymne „Dies irae" ist in zeremonieller Tonart vorgetragen, ganz und gar nicht aber mit den dräuenden Trompetenstößen und den Verzweiflungsschreien, wie man sie in der Kirchenmusik antrifft, die solcher Gesangsart in beliebiger Menge zugedacht ist. Selbst bei Gounod macht diese Szene stärkeren Eindruck.

Somit ist von dem „Faust" Moissis mitnichten als von einer *vollwertigen* Verkörperung der Tragödie Goethes zu sprechen. Und dennoch bleibt es eine höchst bedeutsame Aufführung. Das wird sie durch die Hauptdarsteller.

In vielen entscheidenden Zügen schrumpft die Begabung Moissis mit seinem Alter nicht nur nicht, sondern blüht noch auf. Das bedeutet nicht, daß Moissis Faust völlig zufriedenstellend wäre. Wie stets sucht Moissi das Antlitz seines Helden äußerlich extrem zu vereinfachen. Bekanntlich schminkt er sich nie. Deshalb möchte er beispielsweise den alten Faust mit dem verjüngten nicht kontrastieren. Allenthalben ist das der gleiche Moissi, wie wir ihn aus dem persönlichen Leben kennen; und selbst seine Kostüme sind unauffällig modernisiert und entfernen sich eigentlich nirgendhin von dem gleichen Moissi, unserm Zeitgenossen. Faust sieht allenthalben wie ein Mann zwischen vierzig und

fünfzig aus mit einem feinen, durch das Innenleben geprägten Gesicht, mit großen traurigen, glühenden Augen, mit jugendlicher, fast italienischer Gestikulation. Kurz, er ähnelt beispielsweise dem Hamlet Moissis wie ein Wassertropfen dem andern.
Dieser letzte Vergleich kommt nicht von ungefähr. *Für Moissi besteht zwischen Faust und Hamlet kein Unterschied.*[2] Seine ganze Faustauslegung ist gradeso beschaffen: wie sich Hamlet benehmen würde, wenn er mit seinem Charakter, seiner Denkweise in die Lage geriete, in die das Schicksal Faust versetzt hat. Kann man unter diesen Umständen von unbedingter Annehmbarkeit der Gestalt sprechen, die Moissi geschaffen hat? Gewiß nicht.
Und bei alledem ist die Rolle Fausts eine der größten Leistungen Moissis. Als überhaupt großer, als der vielleicht größte Deklamator unserer Tage trägt er Goethe besonders wunderbar vor. Von den ersten Worten Fausts an umfängt einen völlig das zaubrische Timbre der Stimme, eine besonders weiche und präzise Aussprache jedes Worts. Eine filigranhafte Bearbeitung, Durchdenkung alles Gesprochenen, wobei diesen schwindelerregenden Reichtum an Klangfarben noch die ganze Zeit eine graziös-ausdrucksvolle Gestikulation begleitet.
Ich möchte sagen, der Faust Moissis ist eine wirkliche *Apotheose der Intelligenzschicht,* der Menschen von Geist und verfeinertem Empfinden. Das liegt weitab vom Ziel Goethes selber. Faust ist bei Moissi grenzenlos sympathisch. Er bezaubert mit sieghafter Kraft. In Augenblicken des Nachsinnens, der Verzweiflung, der Aufwallungen, der Erotik ist das immer und unentwegt ein subtiler Mensch, ein Mensch von „Geistigkeit" ersten Ranges, der Träger eines riesengroßen Innenlebens. Dem Grad seines Zaubers nach ist Moissis Faust eine unvergeßliche Gestalt. Freilich wirkt er ebendadurch eingeengt. Das ist nicht der Gigant Faust, der als Repräsentant des Menschen auftreten kann. *Faust ist ein verfeinerter Intellektueller.* Geneigt eher zu Verzagtheit und Analytik als zu Willensregungen.
Aber wie imposant die Darbietung dieses Schauspielers auch sein mag, sie hat den gewaltigen Künstler *Bassermann* durchaus nicht in den Schatten gestellt.
Irre ich nicht, dann ist dieser Schauspieler an die siebzig, und ich bangte ein wenig um ihn in dieser Rolle. Es äußert

sich beispielsweise in der viel leichteren Rolle des Oberst Picard in der „Affäre Dreyfus"[3] eine gewisse Erschöpftheit. Hier ist nichts dergleichen. Bassermann hat Mephisto unter rein komischem Aspekt aufgefaßt, ohne die unheilvollen und bösartigen Züge auch nur im geringsten auszuschalten. Aber Mephisto hat ja keinen Grund, sie herauszukehren. Sie brechen lediglich bisweilen durch. Überhaupt ist das ein ungewöhnlich heiterer, zynischer und kluger *hinkender Herr*, welcher das Leben vortrefflich kennt und auf alle Menschen, selbst auf Faust, von der Höhe seiner großartigen, kalten Ironie herabsieht.

Die junge Schauspielerin Evans war in ihrer Rolle eine ebenbürtige Partnerin der beiden Koryphäen deutscher Bühnenkunst.

Anfangs wirkt sie sehr blaß. Ihre Margarete ist fast undurchsichtig. Sie ist scheu und schlicht. Das Interesse wuchs, als sie getreu nach Goethe ihre zuinnerst bescheidene, doch unendliche zarte „Seele" erschloß.

Aber die Evans erglüht plötzlich in loderndem tragischem Licht, wenn sie eine verlassene, verzweifelnde, verurteilte Margarete gestaltet. Die kleinen melancholischen Liedchen, die kleinen bebenden Gebete, die Goethe in einzelnen Miniaturszenen bietet, hat die Evans in ganz erschütternde Monologe verwandelt. Kein einziges Moment im Spiel ihrer großartigen Partner hat dies ganze Publikum des Deutschgenfer Klein- und Mittelbürgertums, welches sehr schwer zu rühren ist, dermaßen gerührt wie der frappante tiefinnere Gram, den die Schauspielerin hier ausdrückt. Überdies war das in technischem Sinne hervorragend ausgeführt. Ohne den liedhaften Rhythmus der Goethe-Worte zu verletzen, hat die Evans einen hohen, vollendeten Realismus in diese Worte gelegt.

Alle die übrigen handelnden Personen, die in dem Stück vonnöten sind: Martha, Wagner, Valentin, wurden durchaus anständig gespielt; gleichwohl herrschte hier im Grunde ein einzigartiges Trio für die Themen des „Faust".

Und die Tragödie verdient eine in sich geschlossene, reichhaltige Inszenierung. Gewöhnlich mißlingen die Versuche einer solchen Aufführung, aber sie sollten gelingen, denn Goethes Stück ist noch weit vom Tod entfernt, und wenn es philosophisch und sozial überwunden ist, so hat sich noch fast niemand klargemacht, wie und wodurch es das ist.

GOETHE ALS DRAMATIKER (1932)[1]

An Umfang und Tiefe seiner Dichtergaben überragt Goethe seinen Zeitgenossen und Schaffensgefährten Schiller beträchtlich. Aber im Bereich der Bühnenkunst war Schiller durch das Gefühl für Bühnenwirksamkeit stärker als Goethe. Zweifellos gehören Schillers Stücke zu den bühnenwirksamsten der Weltdramenkunst und sind insofern wirkliche Meisterwerke der deutschen Dramenkunst geblieben.
Dagegen werden Goethes dramatische Werke sehr selten aufgeführt. Es gibt kaum ein Werk von ihm, das man ohne beträchtliche Kürzungen und Abänderungen mit Erfolg inszenieren könnte.
So hat Schiller, mit Goethes vorbehaltloser Zustimmung, sogar eine der in dieser Hinsicht geglücktesten Schöpfungen Goethes, „Egmont", für die Bühne bearbeitet, als man beschlossen hatte, dies Stück im Weimarer Hoftheater aufzuführen.
Indes bedeutet das keineswegs, daß die Dramenkunst Goethes in seinem Schaffen einen zweitrangigen Platz eingenommen habe oder daß sie überhaupt bedeutungsarm wäre oder schließlich daß sie der Dramenkunst Schillers an Bedeutung nachstünde.
Faßt man die dramatischen Werke Goethes zusammen und gibt man sie einzeln heraus, so erhält man einen Riesenband, ungemein gewichtig im Hinblick sowohl auf Ideengehalt, auf poetische Bildhaftigkeit, auf Sprachmusik wie sogar auf Bühnenwirksamkeit. Konnte Goethe ein in sich geschlossenes Bühnenstück nicht gar so gut aufführen, verfiel er nicht selten auf bühnenmäßig schwerfällige Längen, so sind dennoch bei ihm oft geniale Konzeptionen im Sinne des Gesamtaufbaus eines Dramas anzutreffen und auch einzelne ihrer Eindrucksstärke nach ganz wunderbare Momente.
Trotzdem liegt die Hauptstärke der Dramenkunst Goethes nicht in der „Bühnengerechtigkeit". Seine Stücke sind vorwiegend Lesedramen. Der philosophische, psychologische Gehalt, der Metaphernreichtum, die Vollendetheit der Sprache stehen bei ihm im Vordergrund. Hieraus ist keinesfalls zu folgern, Goethe sei gegen die Bühne als solche etwas

gleichgültig gewesen. Ganz und gar nicht, sie fesselte ihn. Im Grundtext des „Wilhelm Meister", in der Fassung („Lehrjahre"), die Goethe selber herausgegeben hat, spielt die Bühnenwelt selber eine große Rolle. Zum Glück ist es gelungen, eine Abschrift des von Goethe vernichteten ersten „Wilhelm Meister" ausfindig zu machen, die gradezu „Wilhelm Meisters theatralische Sendung" heißt. Es ist dies ein wirkliches Denkmal der Jugendschwärmerei Goethes für das Theater. Wir haben an der ersten Fassung eine ungewöhnlich frische Gestaltung der damaligen kleinen Welt einer fahrenden Schauspielertruppe.

Zur Schauspielerwelt zog den jungen Goethe vieles, vor allem seine bürgerliche Lebenslage. Obgleich er einer außergewöhnlich geachteten und wohlhabenden Familie, sozusagen der bürgerlichen Aristokratie der Handelsstadt Frankfurt, entstammte, war gleichwohl das Bewußtsein, das der Bürger, der Kaufmann, der Beamte, der Händler Menschen zweiter Klasse seien, daß man ein wahrer Mensch nur sein könne, wenn man Adliger sei, also Degenträger mit gesicherten Einkünften, kurz, einer der Herrschenden, Goethen in ungemein schroffer Form eigen. Aber der Weg zu diesem Übergang aus der eigenen Klasse in die damals höchste schien Goethe vorbestimmt.

Bekanntlich ist Goethe tatsächlich in diese Welt vorgedrungen, und zwar nicht ohne Glanz, jedoch um den Preis der Lossage von vielen seiner edelsten und bedeutendsten Wesenszüge als vorgeschrittener Bürger.

Dem jungen Goethe schien es oft, daß die Berufung zum Künstler, die er fühlte, gleichsam auch seine Daseinsbuße sei. Und die markanteste Bekundung der Boheme, der Schicht kunstbegabter Menschen, die kraft ihres Talents freien Zutritt bei den Adelskreisen hatten und sich oft eines stürmischen Erfolgs bei den herrschenden Klassen erfreuten, waren für ihn die Schauspieler.

Der Schauspieler ist ein Mensch, der maximal die Geschicklichkeit seines Körpers entwickeln muß, die Fülle seiner Stimmittel, die Fähigkeit, sich in alle erdenklichen Gestalten zu verwandeln: in Könige, in Helden ebenso wie in Possenreißer oder Bettler. Der Schauspieler, wie man sich ihn zur Zeit Goethes vorstellte, ist ein hochentwickelter Mensch, und die Tatsache, daß er von Brettern herab, die durch Rampenlichter erhellt sind, ein Publikum erschreckt, erheitert,

nachzudenken zwingt, dessen enthusiastischem Teil auch die Großen dieser Welt zugehören, ist überaus anziehend.
Bekanntlich ist in der Schlußfassung des „Wilhelm Meister" der ganze Aufbau so bewerkstelligt, daß Meister seine „Irrungen" überwindet, daß er zu dem Schluß gelangt, eine wirkliche lebendige Gesellschaft habe gewaltige Vorzüge von einer Wahnwelt aus Pappe und bengalischem Feuer. Meister nimmt seinen bescheidenen, aber festen Platz in der tätigen Welt ein. Die Tätigkeit als Chirurg (welcher damals eine Stufe über dem Barbier stand) deucht ihm vollkommen würdig, und zugleich krönt Goethe seinen Meister mit dem erwünschten Übergang zum Adel. Meister ehelicht die bezaubernde vornehme Natalie, ihn umgibt die sorgende Liebe der Führer der Adelsklasse. Für Goethe war das gleichfalls ein Traum, aber ein ziemlich realer; dank seiner genialen Begabung glückte ihm solch Übergang, freilich, wie gesagt, erkauft um sehr bitteren Preis.
Aber auch nachdem er sich von seiner übermäßigen Schwärmerei für das Schauspielertum frei gemacht hatte, wußte Goethe die Bühne immer zu schätzen. Bei all der Menge seiner anderen Beschäftigungen in Weimar blieb Goethe dort lange Theaterdirektor. Er wandte viel Sorge an die Niederschrift eines Stücks, das den Hof belustigen könne, und an ein stets neues Repertoire auf seiner Bühne, er leitete die Proben oft, er hatte viele Freunde unter Schauspielern, und manche Schauspielerinnen gewannen seine glühende Sympathie, ja den Tod einer von ihnen besang er in einem herrlichen Gedicht.[2]
Allein nicht nur die zauberhaften Eigenschaften der Bühne als solcher, nicht nur die erregende Kraft dieser kleinen Welt voller Phantasmagorie wirkten auf Goethe. Er fühlte auch, daß die dramatische Form die wirksamste ist. Erscheinungen in Aktion, Ideen in ihrem Widerstreit, im Zusammenprall darzustellen, bedeutet, das eigene Wollen am dynamischsten darzulegen. Wenn ein dramatisches Werk auf der Bühne auch nicht realisiert wurde, wenn es ein Lesedrama blieb (selbstverständlich ist der „Faust" gradeso von Anfang an konzipiert), so verlieh selbst in diesem Fall die Form der Handlung und des Dialogs dem Werk eine besondere Kraft, eine um so größere, wenn es in hinreichend wuchtiger Bühnenverkörperung zum Erklingen gebracht wird. Goethe erkannte, daß die Bühne eine Tribüne ist.

Als Herder Goethen die Größe des diesem bislang unbekannten Shakespeare erschloß, geriet Goethe in die größte Erregung, lebte wie in einem rauschhaften Nebel. Der junge Goethe schrieb eine regelrechte Hymne an Shakespeare[3], eine Art Gebet zu dem verwandten Genius, dem großen Bruder in Literatur, Sinnen und Trachten. Und es ist bezeichnend, daß Goethe sich in einem Gespräch mit Eckermann dahin äußerte, unter seinen gegenwärtigen Zeitgenossen sehe er keine sehr großen Dichter; wenn man sie aber ihm gleichstellen wolle, so offenbare das ebensolche Unbescheidenheit, wie wenn er sich mit Shakespeare vergleichen wolle.
Aber ist Shakespeare ein ideenerfüllter Dramatiker? War Shakespeares Bühne wirklich Tribüne? Lassen wir diese wichtige und noch unentschiedene Frage beiseite, weisen wir nur darauf hin, daß Shakespeare für Goethe wirklich Dramatiker und Tribun zugleich war. Man muß daran denken, daß der junge Goethe, der ehemals unbedingte, allgemein anerkannte Führer der vorgeschrittenen bürgerlichen Jugend jener Zeit, keine bestimmte politische Plattform innehatte. Sein Panier war der Individualismus. Er meinte, jede Persönlichkeit solle ihre Fähigkeiten, ihre Forderungen, ihre Leidenschaften bis zur Grenze des Möglichen entfalten. Von der Gesellschaft verlangte er (unbestimmt, doch ganz offensichtlich), daß sie die Entwicklung der Individualität, die Entwicklung des Genies nicht hemme, daß sie für eine solche Entwicklung Arena und Stützpunkt, nicht jedoch Hindernis und Morast sei. Darin bestand der tiefe, qualvolle Zusammenprall des jungen Goethe mit seiner Gesellschaft. Deshalb verteidigte er in seinen Dramen von damals (und im Grund auch später) hauptsächlich das Recht der Persönlichkeit auf Selbstbestimmung und Entwicklung. Hierbei war es ihm nicht wichtig, daß diese Persönlichkeit unausgesetzt glücklich sei; wichtig war, daß sie sich als bedeutend, als möglichst groß erweise. Insofern war Shakespeare denn auch sein Leitstern. Goethe meinte, in den Dramen Shakespeares sei der Mensch in voller Größe gestaltet, dort seien große Herzen, große Hirne, große Leidenschaften, große Erfolge und große Kümmernisse auf Schritt und Tritt anzutreffen. Diese Welt der Größe, der Freiheit, der barbarischen Wucht und der verfeinerten Grazie, die Welt hemmungslosen Lachens, wahnsinniger

Schmerzensschreie, der Ausbrüche des Ehrgeizes, der Reue, der inneren Konflikte, des Denkens und Fühlens usw. usf. schien Goethen titanisch, Goethe erachtete die Darstellung des Menschen durch Shakespeare als höchst nutzbringend für das verknöcherte, kleinliche, triviale Dasein im Deutschland dieser seiner Zeit. Ebendarum meinen wir: Wenn es im Hinblick auf Shakespeare selber etwas schwerfällt zu behaupten, seine Bühnenkunst sei ideologisch auf ein Ziel gerichtet, wenn man diese Tatsache vielmehr mit feineren Argumenten und tieferer Analyse nachweisen muß, so liegt für den hochgradig auch shakespeareistischen Goethe diese ideologische Zielrichtung sozusagen auf der Oberfläche seiner Dramenkunst. Goethe wollte mittels seiner Dramen die Gesellschaft seiner Zeit unterweisen.

Die Formen seines dramatischen Schaffens sind unendlich mannigfaltig. Da findet man zierliche Sächelchen im Geiste des Rokokos: Schabernackwerke im Geiste von Volksschwänken; Komödien; Genrestücke; Familiendramen, verfaßt unterm Einfluß der Bühne Diderots; Tragödien romantischer und klassischer Art, das vertieft psychologische Drama; und schließlich ragt, wie die Kuppel Sankt Peters über Rom, ob all der Vielfalt Goethescher Dramenkunst, ja Goetheschen Schaffens überhaupt der Riesenbau des zweiteiligen „Faust“: ein Werk, das Goethes ganzes Leben vom fünfzehnten Jahr bis zum Tode begleitete.

Gibt es eine leitende Idee in der gesamten Dramenkunst Goethes? Goethe selber stand zur Stellung der Frage nach einer leitenden Idee höchst skeptisch. In einem Gespräch mit Eckermann[4] äußert er sich interessant über den „Faust“. Er sagt, ihn reize ein wenig die ständige Frage, welcherart die Idee des „Faust“ sei. „Als ob ich das selber wüßte und aussprechen könnte! – *Vom Himmel durch die Welt zur Hölle,* das wäre zur Not etwas; aber das ist keine Idee, sondern Gang der Handlung. Und ferner, daß der Teufel die Wette verliert und daß ein aus schweren Verirrungen immerfort zum Besseren aufstrebender Mensch zu *erlösen* sei, das ist zwar ein wirksamer, manches erklärender guter Gedanke, aber es ist keine *Idee,* die dem Ganzen und jeder einzelnen Szene im besonderen zugrunde liege. Es hätte auch in der Tat ein schönes Ding werden müssen, wenn ich ein so reiches, buntes und so höchst mannigfaltiges Leben, wie ich es im ‚Faust‘ zur Anschauung gebracht, auf die

magere Schnur einer einzigen durchgehenden Idee hätte reihen wollen!"
Allmählich kamen immer neue Erlebnisse, neue Reflexionen, neue Mutmaßungen hinzu. Was Goethe vom „Faust" gesagt hat, läßt sich von seiner ganzen Dramenkunst sagen. Aber das Thema, das er im „Faust" als generell allgemeingültig vermerkt hat, bleibt dennoch das richtige. Letztlich münden alle übrigen Linien mit Nebenströmungen in diese Grundlinie: den Kampf des Menschen um seine Selbstbehauptung, seine Erhöhung, seine Entwicklung. Und Goethes ganze Dramenkunst ist letztlich ebendieser Idee untergeordnet.
Das Grundbild seines Lebens zeichnet sich darin ab, daß der junge Goethe anfangs im Namen der jungen Bourgeoisie, ihrer vorgeschrittenen, im damaligen Deutschland nicht sehr dichten Schichten, die ihre Einsamkeit aber aufs heftigste fühlten, die Forderungen der Freiheit, der höchsten, intensivsten Persönlichkeitsentwicklung erhob. Doch schon damals äußerte Goethe in seinem wundervollen „Prometheus", in seinen Fragmenten (à la „Mahomet") und in seinem polternden Drama „Götz" das Vorgefühl oder die Befürchtung, es werde die Persönlichkeit das Milieu nicht besiegen, zuletzt werde dieser stürmische Flug auf Adlerschwingen zu gebrochenen Flügeln führen. Entweder Rückzug, eine Art Verräterei am Persönlichkeitsprinzip, oder Tod – das ist die Perspektive der Persönlichkeit, insbesondere der auserlesenen, in der zeitgenössischen Gesellschaft.
Den Tod schildert Goethe oft als eine Art Übergang aus einer widerwärtigen menschlichen Gesellschaft in den Schoß der Natur selbst, als den Augenblick, da sich die Persönlichkeit genußvoll mit allem vereint. Daß die Natur etwas Harmonisches, Vitales und Großes ist, erkannte Goethe unbedenklich an. Unter Verzicht auf den Glauben an jedweden Gott glaubte er an die Materie, welche eine ewige Entwicklung ist, ein ewiges Leben, das immer neue Formen hervorbringt, und zwar im Entwicklungsweg. Er wollte, daß der Mensch in diesen Prozeß eingeschlossen sei. Aber zwischen der genialen Persönlichkeit (das heißt zwischen dem Bürger, der ein „neues" Leben erstrebte) und der Natur lag die halbfeudale deutsche Gesellschaft. Durch sie sich zur Natur durchzuschlagen, in ihr die eigene Persönlichkeit in voller Breite zu bestätigen – das scheint über die Kräfte selbst des jungen Goethe gegangen zu sein.

Aber Goethe beging, als er seinen „Werther" geschrieben, gleichwohl nicht Selbstmord. Er ergriff die ihm vom Adel gereichte Hand, fand Eingang in der herrschenden Klasse, und dann stand er vor einer anderen Aufgabe: wie seine Persönlichkeit zu bewahren, wie die Entwicklung seines Genies zu gewährleisten sei auf dem Weg bereits des Opportunismus, nicht auf dem von Zusammenstößen mit der Gesellschaft, sondern auf dem der Unterwerfung unter sie, jedoch einer Unterwerfung, bei der das Heiligste an der Persönlichkeit, die Entwicklung von Geist und Gefühl, möglichst wenig angetastet würde. Hierauf läuft alle fürdere Lebenskunst Goethes hinaus. Und gramvoll sprach er, es sei die Hauptregel des menschlichen Lebens, der Worte zu gedenken: „Du mußt entsagen können."

Das scheinbare Siegertum Goethes, sein eisiges Olympiertum, von dem die bürgerlichen Biographen so gern reden, ist eine Lüge oder die Maske, hinter der Goethe sein Leid verbarg. In Wirklichkeit war er mit seinem Leben unzufrieden; er wußte, daß er zum Ruhm und zur Anerkennung seiner selbst als eines Weltgenies durch die größere Entsagung gelangt war, im Grund als Krüppel. Das spiegelte sich denn auch in seinen Werken, besonders in seinen Dramen. Die größten von ihnen sind unweigerlich und unablässig diesem Thema gewidmet. Egmont lebt als freie Persönlichkeit, das ist: als reich begabte und glückliche Natur, die Gesellschaft aber enthauptet ihn. Tasso, der hochbegabte Dichter, nimmt das wohlwollende Gönnertum der Hofwelt zur Anerkennung seiner Gleichheit mit der privilegierten Klasse entgegen, aber daraus folgt eine Unzahl Leiden und, weit schlimmer noch, die innere Anerkennung der Rechtlichkeit seines Antipoden Antonio, dessen Weisheit sich in dem Sprichwort formulieren ließe: „Schuster, bleib bei deinem Leisten!" Die große „Iphigenie", unzweifelhaft ein Meisterwerk Goethes, ist eigentlich der Verzicht auf jeglichen Kampf gegen die Gewalttätigkeit und läuft auf die lügnerische Behauptung hinaus, daß der Mensch, wenn er wahrheitsgetreu und vertrauensvoll zur Macht stehe, mit seinem Gram, seiner Verwirrung und Unzufriedenheit die Lösung seiner Widersprüche am ehesten finde.

Dramen des Untergangs und Dramen des Opportunismus. Offenes, heftiges Leid in den einen Fällen, verborgenes, maskiertes, sublimiertes in den andern.

Die Gesamtarchitektur des „Faust" ist sieghaft. Goethe wollte den ganzen Knäuel der Widersprüche zeigen, die einen Menschen in seinen Gedanken, seinen Gefühlen, seinem sozialen Wirken umgeben und die um so schrecklicher sind, als der Mensch selber nicht aus einem Guß, nicht wohlgeordnet, sondern gleichfalls gespalten ist. Den Schmerz, der aus dieser Chaotik der Innen- und Außenwelt resultiert, stellt Goethe schonungslos dar, aber eine wirkliche Lösung findet er just in der Erhärtung des Kampfprozesses selber und prophezeit mit den letzten Worten des greisen Faust, daß dieser Kampf anhalten, daß er kein Ende und keine Grenze haben, daß er dereinst in den Kampf um immer größere Macht des Menschen, um seine immer vollständigere Herrschgewalt über die Natur eingehen wird, und zwar in einen Kampf, den der Mensch dann in einträchtiger Familie, sozusagen plangemäß führt. Das ist eine sehr tiefgründige Voraussage der demokratischen und gleichsam der sozialistischen Periode im Leben der Menschheit. Faustens stolze Behauptung, jeder, der den Anbruch dieser Zukunft gefördert hat, werde in Äonen nicht untergehn, das Gedenken an ihn werde fortleben, ist gleichsam der wunderbare Triumphakkord, mit dem Goethe selber sein Leben beschloß.
Die Zeit hat Goethen gezwungen, außerordentlich drückende Zugeständnisse an das zu machen, was Engels die Misere der Gesellschaft nennt. Selbst der größte Deutsche, sagt Engels, konnte die Misere nicht besiegen, im Gegenteil, die Misere besiegt ihn.[5] Aber sie besiegte ihn nicht zur Gänze. Als Preis dieser schwerwiegenden Zugeständnisse trug Goethe durch sein ganzes Leben gewaltige Werte, die auf uns lebendig überkommen sind und die sozusagen nur der analytischen Loslösung von der Schlacke bedürfen, mit der sie infolge der Kompromisse Goethes seit seinen Zeiten verunreinigt waren. Ebendieser Prozeß äußert sich ganz und gar auch in der Dramenkunst Goethes. Ich denke nicht, daß Goethes Stücke irgendwann zu Lieblingsaufführungen werden könnten, aber ich bin vollkommen überzeugt: Je mehr die neue, die sozialistische Gesellschaft ihre Feinde überwinden, je mehr die rein kulturelle Aufgabe des Sozialismus in den Vordergrund treten wird, jenes hohe Wachstum der Persönlichkeit, jenes hohe Wachstum der Menschlichkeit, in dem Marx die hauptsächliche Rechtfertigung des Sozialismus erblickte, desto häufiger werden sich die Menschen den

Schätzen des Dichters Goethe, des Dramatikers Goethe zuwenden. Ich bin überzeugt: die eigentliche Wirkung Goethes auf den Menschen und auf die Gesellschaft wird dank dem endgültigen Sieg des Proletariats erstarken. Im bürgerlichen Milieu war dem Besten an Goethe keine Entwicklung beschieden. Goethe selber litt unter der unzulänglichen Entwicklung der Bürgerwelt mehr als unter deren Überentwicklung, aber die Zukunft hat gezeigt, daß die Bourgeoisie auch nach ihrem Sieg keineswegs die Welt geschaffen hat, von der ihre ersten Repräsentanten träumten. Es erwies sich, wie Marx und Engels festgestellt hatten, daß die wirklichen Erben der großen Denker und Dichter vom Ende des 18. und vom Beginn des 19. Jahrhunderts grade die Proletarier sind.

GOETHE UND WIR (1932)[1]

Am 21. März beginnen in Weimar Tagungen, Aufführungen, Konzerte und Feierlichkeiten anläßlich des hundertsten Todestages von Johann Wolfgang Goethe.
Na und, was besagt das? Was bedeutet uns Goethe? Was ist uns Hekuba?[2]
Tatsächlich liegt die Frage nahe, weshalb sollen wir einen fremdländischen, und wenn man sich so ausdrücken darf, fremdklassigen Schriftsteller feiern, der vor hundert Jahren als Würdenträger und Geheimrat eines kleinen deutschen Herzogtums gestorben ist.
Aber es verhält sich offenbar ganz anders. Die Regierung der UdSSR und die Allunions-Akademie werden bei den Feierlichkeiten durch eine eigens nach Weimar entsandte Person vertreten, die die deutsche und die europäische Öffentlichkeit unter anderem davon unterrichten kann, daß die sowjetische Regierung bereits eine neue große dreizehnbändige Ausgabe der Werke Goethes herausbringt, in der die Persönlichkeit und das Schaffen dieses Menschen erstmals vom proletarischen, das heißt vom marxistisch-leninistischen Gesichtspunkt beleuchtet wird.[3]
Wahrscheinlich kann dieser Abgesandte dort, wenn auch nur in gedrängter Rede, die riesige Gestalt Goethes und den ungewöhnlichen Schatz seines Erbes unter jenem Blickpunkt darlegen, den wir, die Erbauer der neuen Kultur, vertreten. Unsere Wertschätzung der Persönlichkeit und des Werkes Goethes ist nicht uneingeschränkt. Wir verneigen uns nicht vor ihm wie vor einer Sonne ohne Flecken, wir betrachten sein Schicksal nicht als etwas Harmonisches und gleichsam von der Vorsehung Bestimmtes, wie dies einige berühmte deutsche Goethe-Biographen tun.
Wir pflichten mehr jenen bei (und dazu gehörte auch der Autobiograph Goethe selbst), die in seinem Leben und Schaffen einen langwierigen, sehr oft schwierigen und traurigen Konflikt sehen.
Wir sind nicht der Meinung, daß der große Mann aus diesem Konflikt als unbedingter Sieger hervorgegangen ist. Aber wir meinen, daß in allem, wo er wirklich gesiegt hat, indem

er sich über die Vorurteile, die Kleinlichkeit und die Kleinmut seiner Zeit erhob, diese Siege in moralischer Hinsicht doppelt zu werten sind, denn sie waren schwer errungen. Dort aber, wo selbst der große Goethe in ein gewisses sozialpolitisches Philistertum seiner Zeit verstrickt war, wo die bereits erwähnte „Erbärmlichkeit" der Epoche die Adlerschwingen dieses Giganten lähmte, müssen wir ihm die größte und achtungsvollste Toleranz zollen, denn hätte er dieses Opfer nicht gebracht, hätte er sich gewissermaßen nicht dem „Ganzen" untergeordnet, das heißt, im Grunde der düsteren gesellschaftspolitischen Gegenwart, in der er lebte, wäre es ihm vielleicht überhaupt nicht möglich gewesen, unversehrt zu bleiben und uns die unvergleichlichen Gaben seines Genies zu bescheren.

Bei der Einschätzung dieser Umstände treten zwei falsche Ansichten auf, die wir ablehnen.

Es handelt sich durchaus nicht um den Kampf einer titanischen Persönlichkeit schlechthin, eines gewissen Prometheus mit dem Universum, dem All. Hier läßt sich leicht eine opportunistische Philosophie aufbauen, daß gerade die progressive Entwicklung der Persönlichkeit in dem allmählichen Begreifen ihrer Grenzen läge und daß der Prometheus, der Zeus die Hand küßt, das höchste Stadium der Entwicklung jenes Prometheus sei, dem Äschylos und Goethe große Protestmonologe in den Mund gelegt haben. Diese kleinbürgerliche versöhnlerische Metaphysik liegt uns ebenso fern wie der nicht minder kleinbürgerliche unversöhnliche Individualismus mit seiner Phantastik und seinem unausbleiblichen Pessimismus.

Wir lehnen auch jenen Standpunkt ab, daß Goethe das Genie schlechthin sei und die Gesellschaft seiner Zeit die Gesellschaft schlechthin verkörpere und daß Goethes Schicksal nur eine der Varianten des ewigen Konfliktes zwischen der genialen Persönlichkeit und ihrer Umwelt darstelle.

Nein, Goethe war groß in seiner Selbstbehauptung; er blieb auch dann noch groß, als er die Idee der Selbstbeschränkung, um ein harmonischer Teil des Ganzen zu werden, in den Vordergrund stellte. Das Unglück aber bestand darin, daß man ein glücklicher, vollwertiger, alle seine Möglichkeiten voll entfaltender individueller Teil der Gesellschaft nur dann werden kann, wenn diese Gesellschaft selbst hochentwickelt, wenn sie selbst harmonisch ist.

Von solch einer Gesellschaft träumt Goethe im „Faust. Zweiter Teil" und in „Wilhelm Meisters Wanderjahren". Von der Idee, solch eine Gesellschaft mit Hilfe eines Geheimbundes der größten Geister Europas zu schaffen, sprach er ziemlich oft. Aber in der Wirklichkeit fand er eine solche Gesellschaft weder vor Weimar noch am Herzoglichen Hofe, von dem er nach Italien floh, noch nach seiner bitteren Rückkehr nach Weimar und überhaupt niemals bis zu seinem Tod.

Deshalb also war Goethes „Entsagung" in der Tat eine Begrenzung, eine Schmälerung, eine Fesselung seines Genies und sein großer Kummer.

Es geht hier nicht um die Genialität Goethes schlechthin, sondern darum, daß er als großer Bürger die leuchtenden Ideale der Bourgeoisie verkörperte, die kühn nach hohen Zielen strebte. Grenzen gesetzt aber hatte ihm die nachmittelalterliche Gesellschaft der Fürsten und Adligen, der Geistlichkeit und des muffigen Kleinbürgertums.

Gewaltige Anstrengungen unternahm dieser erstaunliche Mensch, um durch alle Hindernisse seinen dialektischen Pantheismus hindurchzubringen, der ebenso tief wie der Spinozas, aber künstlerisch hochwertiger und lebensverbundener war, um seine Treue zur Natur und zum sinnlich Wahrnehmbaren, zum klaren, die Wahrheit suchenden Denken, zur Idee des vollwertigen irdischen Glücks als Ziel zu wahren.

Doch überaus viel Talent hat Goethe gleichfalls aufgewendet, um für sich selbst die Laster der Französischen Revolution, die ihn sehr bewegt hatte, hervorzuheben, um den beschränkten Horizont der Hermann und Dorothea zu besingen, um das Joch zu vergolden, in das er sich selbst gespannt hatte.

Bei unserer Einschätzung Goethes, die ich hier natürlich nur in kurzen Zügen andeuten kann, stützen wir uns auf das Urteil Friedrich Engels' über Goethe:

Am höchsten schätzt Engels die Grundstimmung, die Grundidee Goethes, die sowohl seiner künstlerischen wie auch seiner wissenschaftlich-philosophischen Tätigkeit und seiner Kunst zu leben zugrunde liegt.

Engels sagt: „Goethe hatte nicht gern mit ‚Gott' zu tun; das Wort machte ihn unbehaglich, er fühlte sich nur im Menschlichen heimisch, und diese Menschlichkeit, diese Emanzipation der Kunst von den Fesseln der Religion macht eben

Goethes Größe aus. Weder die Alten noch Shakespeare können sich in dieser Beziehung mit ihm messen. Aber diese vollendete Menschlichkeit, diese Überwindung des religiösen Dualismus kann nur von dem in ihrer ganzen historischen Bedeutung erfaßt werden, dem die andere Seite der deutschen Nationalentwicklung, die Philosophie, nicht fremd ist. Was Goethe erst unmittelbar, also im gewissen Sinne allerdings ‚prophetisch' aussprechen konnte, das ist in der neuesten deutschen Philosophie entwickelt und begründet."[4]

Und so charakterisiert Engels die allgemeine Stellung Goethes im Verhältnis zur Gesellschaft seiner Epoche.

Von dem damaligen Deutschland spricht Engels als von einer „Masse der Fäulnis und abstoßenden Verfalls". Und er fährt fort:

„Die einzige Hoffnung auf Besserung bot die Literatur... Dieses jämmerliche politische und soziale Jahrhundert war gleichzeitig das große Jahrhundert der deutschen Literatur. Um 1750 wurden alle großen Geister Deutschlands geboren, die Dichter Goethe und Schiller, die Philosophen Kant und Fichte, und kaum zwanzig Jahre später der letzte große deutsche Metaphysiker Hegel. Jedes hervorstechende Werk dieser Zeit atmet einen Geist der Herausforderung und Empörung gegen die ganze deutsche Gesellschaft, wie sie damals bestand. Goethe schrieb seinen ‚Götz von Berlichingen', eine dramatische Ehrung im Andenken an einen Rebellen. Schiller seine ‚Räuber', die Verherrlichung eines hochherzigen Jünglings, der der ganzen Gesellschaft offen den Krieg erklärte. Doch das waren ihre Jugendwerke; in dem Maße, wie sie älter wurden, verloren sie alle Hoffnung: Goethe beschränkte sich auf Satire schärfster Art, und Schiller wäre verzweifelt ohne den Ausweg, den die Wissenschaft, und vornehmlich die große Geschichte des alten Griechenlands und Roms, ihm bot. Diese beiden mögen als Beispiel dienen für die übrigen. Selbst die besten und stärksten Köpfe der Nation hatten alle Hoffnung in die Zukunft ihres Landes aufgegeben."[5]

Und Engels schließt sein Urteil mit folgenden Worten:

„So ist Goethe bald kolossal, bald kleinlich; bald trotziges, spottendes, weltverachtendes Genie, bald rücksichtsvoller, genügsamer, enger Philister. Auch Goethe war nicht imstande, die deutsche Misere zu besiegen; im Gegenteil, sie besiegt ihn, und dieser Sieg der Misere über den größten Deutschen ist der beste Beweis dafür, daß sie ‚von innen heraus' gar nicht zu überwinden ist. Goethe war zu universell, zu aktiver Natur, zu fleischlich, um in einer Schillerschen Flucht ins Kantsche Ideal Rettung vor der Misere zu suchen; er war zu scharfblickend, um nicht zu sehen, wie diese Flucht sich schließlich auf die Vertauschung der platten mit der überschwenglichen Misere reduzierte. Sein Temperament, seine Kräfte, seine ganze geistige Richtung wiesen ihn aufs praktische Leben an, und das praktische Leben, das er vorfand, war miserabel. In diesem Dilemma, in einer Lebenssphäre zu existieren, die er verachten mußte, und doch an diese Sphäre als die einzige, in welcher er sich bestätigen konnte, gefesselt zu sein, in diesem Dilemma hat sich Goethe fortwährend befunden, und je älter er wurde, desto mehr zog sich der gewaltige Poet, de guerre lasse (des Streitens müde), hinter den unbedeutenden Weimarschen Minister zurück. Wir werfen Goethe nicht à la Börne und Menzel vor, daß er nicht liberal war, sondern daß er zuzeiten auch Philister sein konnte, nicht, daß er keines Enthusiasmus für deutsche Freiheit fähig war, sondern daß er einer spießbürgerlichen Scheu vor aller gegenwärtigen, großen Geschichtsbewegung sein stellenweise hervorbrechendes, richtigeres ästhetisches Gefühl opferte; nicht daß er Hofmann war, sondern daß er zur Zeit, wo ein Napoleon den großen deutschen Augiasstall ausschwemmte, die winzigsten Angelegenheiten und menus plaisirs (Hoflustbarkeiten) eines der winzigsten deutschen Höflein mit feierlichem Ernst bestreiten konnte. Wir machen überhaupt weder vom moralischen noch vom Parteistandpunkte, sondern höchstens vom ästhetischen und historischen Standpunkte aus Vorwürfe."[6]

Also ist Goethe in den Augen Engels' nicht ohne schwere Wunden, man kann sagen mit gebrochenen Flügeln und im beschmutzten Gewande seinen Lebensweg zu Ende gegangen. Aber Engels bekennt gleichzeitig, daß Goethe sich in jener verfluchten Zeit, vielleicht nur um den Preis dieser Konzessionen, nur unter der falschen Maske des kalten Olympiers, nur dadurch, daß er sich sorgsam vor allzu heftigen Konflikten mit der Wirklichkeit gehütet hat, selbst retten und neben den von einem traurigen Opportunismus zeugenden Werken vieles Unvergängliche schaffen konnte, das auch das Proletariat bei seinem kulturellen Aufbau benötigt. Die negativen Züge Goethes, die Engels so klar herausstreicht, hinderten letzteren jedoch nicht daran, diesen Dichter als den größten Deutschen zu bezeichnen und sein Werk in jenes Erbe großer Denker und Schöpfer einzureihen, auf das, wie Engels bestätigt, das Proletariat voll Stolz seine Rechte anmelden soll, weil gerade das Proletariat die Werke der Großen fortsetzt und das verwirklicht, was sie in ihren hohen Gedankenflügen und in ihren besten künstlerischen Träumen ersehnten.

Genf, den 10. März 1932

ANMERKUNGEN

Doktor Faust (1903–1928)

1 Erschien zum erstenmal 1903 in Nr. 12 der Zeitschrift „Obrasowanie“ (Bildung): in gekürzter Fassung, umgearbeitet und ergänzt: 1928 im Moskau-Leningrader Staatsverlag als Einleitung zur russischen „Faust“-Übertragung von Valeri Brjussow. Die deutsche Fassung wurde übernommen aus: Anatoli Lunatscharski, Das Erbe, ausgewählt und übersetzt von Franz Leschnitzer, Dresden 1965, S. 145–169. Ebenfalls aus dieser Ausgabe wurden die von Leschnitzer verfaßten Anmerkungen zu seinen Übersetzungen von „Doktor Faust“, „Berlioz' ‚Damnation de Faust'“, „Faust in der Pose Hamlets“ und „Goethe als Dramatiker“ übernommen.
Als Lunatscharski sich 1903 dem „Faust“ Goethes zuwandte und dessen Grundgedanken und -gestalten analysierte, stand er unter einem gewissen Einfluß mancher Seiten der Philosophie Nietzsches, was besonders zutage trat in der Interpretierung Fausts als eines Individualisten, eines Riesen, der einsam ringt „angesichts des Fatums“ (gerade so war denn auch die Abhandlung betitelt, zu der die Fauststudie als einzelnes Kapitel gehörte). Ein Jahrzehnt lang (1906–1916) suchte Lunatscharski die Gestalt Fausts in dem Drama „Faust und die Stadt“ künstlerisch zu bewältigen, wobei er den Helden als einen Erbauer der sozialistischen Gesellschaft mit neuen Wesenszügen ausstattete. 1928 sah Lunatscharski den Essay über Faust durch und arbeitete ihn wesentlich um; dennoch wirken manche Behauptungen darin nach wie vor strittig, ja unrichtig. Trotzdem bleibt diese Arbeit, deren erste Fassung das langjährige Goethestudium Lunatscharskis einleitete, hoch interessant dank der tiefgründigen, markanten Charakterisierungen der Hauptpersonen des „Faust“.

2 Ausgestaltet ist dies Motiv in Lenaus „Faust“; vgl. mein Vorwort zur russischen Nachdichtung dieses Poems (Anmerkung Lunatscharskis). Es handelt sich um den Lenau-Aufsatz, der in unserem Band abgedruckt ist.

3 Hervorhebungen von Lunatscharski.
4 Hervorhebung hier und im folgenden von Lunatscharski.
5 Friedrich Theodor Vischer (1807–1887), Schriftsteller und Ästhetiker; Verfasser einer „Faust-Parodie".
6 Hervorgehoben von Lunatscharski.
7 Hervorgehoben von Lunatscharski.
8 Hier – wie in dem folgenden Zitat aus Aischylos' „Gefesseltem Prometheus" – hervorgehoben von Lunatscharski.
9 Hervorgehoben von Lunatscharski.
10 Hier u. im folgenden: hervorgehoben von Lunatscharski.
11 Zitiert aus der Totengräberszene in Shakespeares „Hamlet" (5. Aufzug, 1. Szene), deutsch von A. W. v. Schlegel.
12 Die russische Übersetzung dieser wie der meisten anderen zitierten „Faust-Stellen" stammt von Lunatscharski selbst.

N. Lenau und seine philosophischen Poeme, Kap. I „Faust" (1904)

1 Erschien erstmals als Vorwort der russischen Ausgabe: Nikolaus Lenau, Faust. Ein Poem. Petersburg 1904. Text nach: Sobranie sočinenij, Bd. 5, Moskau 1965, S. 11–20.
2 Brief an Maier vom 13. August 1835, zitiert nach Anton X. Schurz: Lenaus Leben. Größtenteils aus des Dichters eigenen Briefen. Stuttgart und Augsburg 1855, Bd. 1, S. 313.
3 Brief an Löwenthal vom 29. November 1834, zitiert nach Schurz, a. a. O., Bd. 1, S. 281f.
4 Gemeint ist die Broschüre von Johannes M(artensen), Über Lenaus Faust, Stuttgart 1836.
5 Zitiert nach: William James, Die Abhängigkeit des Glaubens vom Willen und andere Essays der populären Philosophie (russ.). Petersburg 1904, S. 47f.
6 Gestalt aus Voltaires Roman „Candide".
7 Im Brief an Anastasius Grün vom 14. April 1934, zitiert nach Schurz, a. a. O., Bd. 1, S. 254f.
8 Zitiert nach Schurz, ebenda, S. 281.
9 Siehe „Vorwort des Herausgebers"; in: Nikolaus Lenaus Sämtliche Werke, herausgegeben von Anastasius Grün, Stuttgart und Augsburg 1885, Bd. 1, S. XLVII.
10 Der folgende Absatz ist der Anfang des 2. Kapitels dieser Arbeit Lunatscharskis.

1 Erstveröffentlichung in „Kul'tura teatra" (Theaterkultur), Moskau 1921, Nr. 5. Die deutsche Fassung wurde entnommen aus: Anatoli Lunatscharski, Das Erbe, ausgewählt und übersetzt von Franz Leschnitzer, Dresden 1965, S. 39–44. Der Aufsatz ist das überarbeitete Stenogramm einer Rede vor der Aufführung der „Damnation de Faust" am 27. April 1921 mit Kräften des Großen Theaters.
„Damnation de Faust" – „Fausts Verdammung": eine dramatische Legende von Hector Berlioz für Solisten, Chor und Orchester, op. 24. Text nach Gérard de Nervals Übersetzung von Goethes „Faust", zum erstenmal aufgeführt am 6. Dezember 1846 in der Pariser Komischen Oper. Erste (zweiteilige) Aufführung in Rußland: Petersburg, 10. und 22. März 1847, unter Stabführung des Komponisten.
Ob Michail Bulgakow, der auf seine Rezeption von Berlioz' „Faust" in der „Meister und Margarita" indirekt hinweist, indem er seine zum Untergang verdammte Romangestalt Berlioz nannte, mit diesem Aufsatz Lunatscharskis bekannt war, konnte nicht ermittelt werden.

2 Die für Berlioz bestrickende Idee des Melologs, in welchem der verbale Deklamationsmonolog sich mit musikalischen Darbietungen vereint und vermischt, fand ihren Ausdruck in dem lyrischen Melodrama „Lelio oder die Rückkehr zum Leben" für Solo, Chor und Orchester (1831/32), einem Werk, das seiner Grundidee nach eine Fortsetzung der „phantastischen Sinfonie" ist.

3 Albert Doyen (1882–1935): französischer Komponist und führender Musiker, Mitglied der literarischen Gruppe der Unanimisten (der „Gleichgesinnten"). Im Dezember 1918 begründete er in Paris die „Volksfeste", an denen ein gemischter Arbeiterchor von zweihundertfünfzig Personen und ein Orchester von hundert mitwirkte; seitdem galt sein ganzes Leben der Kunstpropaganda im Volk: Er hat an die zweihundert Konzerte gegeben.

4 Von Richard Wagner gibt es eine 1840 verfaßte und 1855 umgearbeitete Ouvertüre „Faust". Wir verfügen über keine Annahmen, die bestätigen würden, daß diese Ouvertüre Bestandteil einer unvollendeten Sinfonie sei.

5 Der früher komponierte Ungarische Marsch, der „Ràkòczi-Marsch“, einschließlich der „Damnation de Faust“, wurde zum erstenmal 1846 in Budapest dargeboten.

Die deutsche klassische Literatur Ende des 18. und Anfang des 19. Jahrhunderts (1924–1930)

1 1923/24 hielt Lunatscharski an der Kommunistischen Swerdlow-Universität Vorlesungen über „Die Geschichte der westeuropäischen Literatur in ihren wichtigsten Momenten“. 1924 erschien die erste Buchausgabe der Vorlesungen, eine überarbeitete Fassung 1930. Unser Auszug ist der neunten Lektion dieser Vorlesungen – „Die deutsche klassische Literatur Ende des 18. und Anfang des 19. Jahrhunderts“ – entnommen. Der Übersetzung liegt die Ausgabe letzter Hand zugrunde, Sobranie sočinenij, Bd. 4, Moskau 1964, S. 227–230.
2 Lunatscharski meint hier die Version der Faustsage, wie sie in dem „Volksbuch“ dargestellt ist.

Faust in der Pose Hamlets (1932)

1 Erstveröffentlichung in der Zeitung „Večernjaja Moskva“ (Moskau am Abend) am 24. Mai 1932; unter dem Artikel war vermerkt: „Genf, 17. Mai“. Die deutsche Fassung wurde übernommen aus: Anatoli Lunatscharski, Das Erbe, ausgewählt und übersetzt von Franz Leschnitzer, Dresden 1965.
2 Eine ähnliche Kritik an solch einer spätbürgerlichen Faustinterpretation, in der „zwischen Faust und Hamlet kein Unterschied“ mehr besteht, entwickelte Gorki später im 4. Band des „Klim Samgin“ (Gorki, Klim Samgin, Bd. 4, Berlin 1957, S. 462). Dort wertet die Gestalt des Pseudofaust Klim Samgin die Identifizierung von Faust und Hamlet, die Iwan Turgenew in seinem berühmten Essay „Hamlet und Don Quichote“ (1860) vorgenommen hatte, spätbürgerlich um. Näheres dazu siehe: Ralf Schröder, Gorkis Erneuerung der Fausttradition. – Faustmodelle im russischen geschichtsphilosophischen Roman, Berlin 1971, S. 16–20.

3 Gemeint ist der Film „Die Affäre Dreyfus", in dem Fritz Kortner den Dreyfus, Bassermann den Picard und Homolka den Esterhazy spielte.

Goethe als Dramatiker (1932)

1 Erschien in Nr. 4 des Jahrgangs 1932 der Zeitschrift „Sovetskij teatr" (Sowjettheater). Die deutsche Fassung wurde übernommen aus: Anatoli Lunatscharski, Das Erbe, ausgewählt und übersetzt von Franz Leschnitzer, Dresden 1965, S. 189–196. Im Jubiläumsjahr 1932, zur Feier der hundertsten Wiederkehr des Todestags Goethes, schrieb Lunatscharski mehrere Artikel, die dem großen deutschen Dichter und Dramatiker galten, darunter „Goethe als Dramatiker", „‚Götz' auf dem Marktplatz" und „Goethe und wir".
2 Im Jahre 1798 erfuhr Goethe, als er in der Schweiz weilte, vom Tode der jungen Schauspielerin Christiane Neumann (verheiratete Becker), einer Schülerin des Dichters am Weimarer Theater. Goethe schrieb daraufhin das Gedicht „Euphrosine", betitelt nach einer Rolle der Schauspielerin.
3 Gemeint ist des jungen Goethe Ansprache „Zum Shakespeare-Tag" (1771), in der er sagte: „Die erste Seite, die ich in ihm las, machte mich auf Zeitlebens ihm eigen, und wie ich mit dem ersten Stücke fertig war, stund ich wie ein Blindgeborner, dem eine Wunderhand das Gesicht in einem Augenblicke schenkt. Ich erkannte, ich fühlte aufs lebhafteste meine Existenz um eine Unendlichkeit erweitert, alles war mir neu, unbekannt, und das ungewohnte Licht machte mir Augenschmerzen. – Shakespeares Theater ist ein schöner Raritätenkasten, in dem die Geschichte der Welt vor unsern Augen an dem unsichtbaren Faden der Zeit vorbeiwallt."
4 Am 6. Mai 1827.
5 Den erwähnten Passus von Engels zitiert Lunatscharski in „Goethe und wir" (s. dort S. 199ff.).

Goethe und wir (1932)

1 Erschien in „Večernjaja Moskva" (Moskau am Abend) 1932, Nr. 61 vom 15. März.

2 Anspielung auf Hamlets Frage nach der Ursache des Nachwirkens klassischer Kunst: „Was ist ihm Hekuba, was ist er ihm?" (Shakespeare, Hamlet, 2. Aufzug, 2. Auftritt.)

3 Lunatscharski sollte als Vertreter der Sowjetunion 1932 in Weimar sprechen. Eine Einladung der deutschen Reichsregierung lag vor. Unter dem Vorwand, es handele sich bei den Goethe-Feiern um eine Veranstaltung der Goethe-Gesellschaft, wurde jedoch schließlich Lunatscharskis Auftreten in Weimar verhindert. (Näheres dazu siehe: Dora Angres, Die Beziehungen Lunatscharskis zur deutschen Literatur, Berlin 1970, S. 210.)

4 Siehe Friedrich Engels, „Past and Present" by Thomas Carlyle, London 1843, zitiert nach: Marx/Engels, Über Kunst und Literatur, 1. Band, Berlin 1967, S. 561.

5 Siehe Friedrich Engels, The state of Germany, zitiert nach Marx/Engels, Über Kunst und Literatur, Berlin 1949, S. 214f.

6 Siehe Friedrich Engels, Karl Grün: „Über Goethe vom menschlichen Standpunkt", Darmstadt 1846, zitiert nach: Marx/Engels, Über Kunst und Literatur, ebenda, S. 218f.

Lunatscharskis „Faust und die Stadt" und die sozialistische Erneuerung der Fausttradition

„Vor hundert Jahren hat Goethe gesagt: ‚Im Anfang war die Tat'. Das ist ein sehr klarer und inhaltsreicher Gedanke. Wie von selbst scheint sich darum eine ebenso einfache Schlußfolgerung zu ergeben: Die Erkenntnis der Natur, die Veränderung der sozialen Bedingungen ist nur durch die Tat möglich. Davon ausgehend, sagte Karl Marx: ‚Die Philosophen haben die Welt nur verschieden interpretiert, es kommt darauf an, sie zu verändern'... Aber die althergebrachte Neigung zu raffinierten sophistischen Gedankengängen ist noch immer nicht überwunden, besonders fest sitzt sie in den Hirnen der Menschen, die glauben für die Gemeinheit des Lebens nicht verantwortlich zu sein. Dem Verstand dieser Menschen sind einfache Wahrheiten gleichsam chemisch fremd."

Maxim Gorki

„Diese geniale Entdeckung Thomas Manns (im ‚Doktor Faustus') vom ‚Zurücknehmen'. Die Bemühungen Leverkühns, in einer Orgie von Dissonanz die ‚Neunte' zurückzunehmen. Welch ein großartiges Symbol! Charakteristisch für die Bourgeoisie ihrem eigenen revolutionären Erbe gegenüber. Unsere Art der ‚Zurücknahme': Die menschenunwürdige Dissonanz der Bourgeoisie, ihren Anarchismus, Nihilismus, ihre Chaotik auf allen Gebieten, zurückzunehmen in der ‚Neunten' und in einer Renaissance all dessen, was damit harmoniert und darüber hinausweist."

Johannes R. Becher

I

Das Fausterbe wurde schon im vorrevolutionären Rußland zu einem Prüf- und Kampffeld der ideologischen Auseinandersetzungen um Wesen und Perspektiven der Epoche, um die Träger des gesellschaftlichen Fortschritts und die Wege zur geschichtlichen Selbstverwirklichung des Menschen. Dieser Kampf verschärfte sich nach dem ersten revolutionären Ansturm des russischen Proletariats im Jahre 1905, als die erste Fassung von *Faust und die Stadt* fast gleichzeitig mit Gorkis *Mutter* entstand, und erreichte seinen Höhepunkt und zugleich seine geschichtliche Entscheidung nach der Großen Sozialistischen Oktoberrevolution, als Lunatscharskis Faustdrama wirksam wurde, Gorki seine autobiographische Trilogie abschloß und seine großen Epochenromane über das Ende des bürgerlichen Zeitalters und den Beginn der sozialistischen Renaissance – *Das Werk der Artamonows* und *Klim Samgin* – konzipierte.
Welch unmittelbare politische Bedeutung in diesen Auseinandersetzungen Lunatscharskis Werk zukam, zeigen bereits die extremen Reaktionen Maxim Gorkis und des Mereshkowski-Kreises, einer ideologisch führenden Gruppe der vor- und nachrevolutionären Konterrevolution auf *Faust und die Stadt*. Gorki begrüßte eine Inszenierung des Stückes, er redigierte selbst die Bühnenfassung des Jahres 1918 und hob dessen Aktualität hervor. Die Mereshkowski-Gruppe reagierte dagegen haßerfüllt allein schon auf die Tatsache des Erscheinens solch eines Faustwerkes.
Um welche konkrete Zeitproblematik ging es nun in diesen Auseinandersetzungen? Und warum äußerten sich diese besonders zugespitzt in der Faustrezeption?
Die Weißemigranten Dmitri Mereshkowski, Sinaida Hippius, Dmitri Filosofow und Wladimir Slobin versuchten, in ihrem programmatischen Sammelband *Das Reich des Antichrists – Rußland und der Bolschewismus* (München 1921) das Werk Lunatscharskis zu diffamieren, weil sie in ihm die Idee von einem „Arbeiterfaust" erkannt hatten. Die Verwirklichung solch einer Idee widerlegte nämlich den geschichtsphilosophischen Ausgangspunkt ihres idealistisch-ästhetizistischen Epochen- und Weltbildes, durch dessen Propagierung sie ihren Führungsanspruch als eine Art „dritte Kraft" zu begründen versuchten und damals nicht unbedeutende Teile

der alten russischen (und auch der deutschen) Intelligenz beeinflußten. Ihre konterrevolutionäre Epocheninterpretation drapierte die, wie Gorki ironisch sagte, „Mereshkowski-Partei" als ein zeitgenössisch erneuertes Faust-Weltbild, in dem der Bolschewismus als neue Form des Satanischen und ihre angeblich „über den Klassen stehende" Gruppe als rechtmäßiger und einziger Hüter des Vermächtnisses von Goethes Faust hingestellt wurden.

Was sich hinter solch einer Faustmaske verbarg, hat Gorki schon 1908, also etwa zur Zeit der ersten Arbeit Lunatscharskis an *Faust und die Stadt*, in *Die Zerstörung der Persönlichkeit* enthüllt: „Bei der Verteidigung seiner Stellung im Leben rechtfertigt der kleinbürgerliche Individualist seinen Kampf gegen das Volk mit der Verpflichtung, die Kultur zu verteidigen, einer Verpflichtung, die dem Kleinbürgertum angeblich von der Weltgeschichte auferlegt worden ist. Gestatten Sie mir die Frage: Wo ist denn die Kultur, über deren nahes Ende unter den Füßen der neuen Hunnen das Kleinbürgertum immer häufiger und lauter weint? Wie widerspiegelt sich in der Seele des zeitgenössischen ‚Helden' der Kleinbürger die universelle Arbeit des menschlichen Geistes, ‚das Erbe von Jahrhunderten'? Das Kleinbürgertum muß endlich begreifen, daß dieses ‚Erbe von Jahrhunderten' außerhalb seiner Psyche bewahrt wird ... Von der Position eines Lebensschöpfers ist der Kleinbürger heute zu der Rolle eines altersschwachen Friedhofswärters toter Wahrheiten herabgesunken. Und er hat keine Kraft mehr, weder um das Abgelebte wiederzubeleben, noch um Neues zu schaffen."

Gorki bezieht sich hier auf Mereshkowskis antirevolutionäres Pamphlet *Der Anmarsch des Pöbels* (1906, in dem das pseudofaustische, spätbürgerliche Epochenbild des Sammelbandes *Das Reich des Antichrists* bereits in allen wesentlichen Elementen entwickelt ist, und erklärt dann direkt: „Wenn Menschen vom Typ des Herrn Mereshkowski schreien und jammern, daß die ‚kulturellen Werte', das ‚Erbe von Jahrhunderten' verteidigt werden müssen, dann glaubt man ihnen nicht. Sonderbar sind diese Wesen. Sie kreisen geschäftig am Postament der höchsten Glockentürme der Welt, kreisen wie kleine Hunde, winseln und bellen, wobei sich ihre neidischen Stimmen mit dem Klang der großen Glocken der Welt vermischen."

Die zeitgenössische Auseinandersetzung um das Fausterbe war also ein Kampf der „zwei Kulturen" des alten Rußlands. Charakter und weltgeschichtliche Bestimmung der proletarischen Revolution, das Verhältnis von bürgerlicher und sozialistischer Revolution sowie die spätbürgerliche Theorie von einer „faustisch"-intellektuellen „dritten Kraft" und einem „dritten Weg" zwischen Proletariat und Bourgeoisie standen zur Debatte und wurden nach dem Modell von Goethes *Faust* im Hinblick auf die humanistische Tradition und deren notwendige zeitgenössische Weiterentwicklung analysiert und gewertet.

Lunatscharski griff mit *Faust und die Stadt* das Kernproblem dieser vielschichtigen Problematik auf. Nach seinen eigenen Worten aus dem Jahre 1932 hatte er hier den „Versuch unternommen, die Geschichtsphilosophie und Ästhetik der proletarischen Revolution künstlerisch mit dem alten ‚Faust' (Ende des 2. Teils) und seiner Weltanschauung in Verbindung zu bringen". Und seine Darstellung der historischen Kontinuität von humanistischem Erbe und sozialistischer Revolution schließt auch schon weitgehend die Herausarbeitung des qualitativen Unterschieds zwischen bürgerlicher und proletarischer Revolution sowie die Problematik der „Zurücknahme" des *Faust* und der spätbürgerlichen pseudofaustischen Ideologie einer „dritten Kraft" in sich ein.

Diese Formulierung der neuen Faustproblematik in der Epoche des Übergangs vom Kapitalismus zum Sozialismus erforderte die Entwicklung des neuen geschichtsphilosophischen Wettsujets seines Faustdramas. Auch in *Faust und die Stadt* gilt noch wie bei Goethe die Wette zwischen Gott und Teufel bzw. zwischen Faust und Mephisto, die zugunsten des Teufels und des geschichtsphilosophischen Nihilismus entschieden sein sollte, wenn Faust „seinem hohen Streben" entsagt, sich „auf ein Faulbett legen" will und „zum Augenblick" sagt: „Verweile doch! du bist so schön!" Die Neukonzeption des Goetheschen Wettsujets stellt ebenfalls die menschheitsgeschichtliche Grundfrage nach den Möglichkeiten des Menschengeschlechts, sein Schicksal zu bestimmen und sich in der historischen Entwicklung selbst zu verwirklichen. Diesen Aspekt der Wette stellt Lunatscharski sogar rigoros in den Mittelpunkt der Handlung. Und die sozialgeschichtliche Neukonkretisierung dieses alten Wettsujets in einem neuen Figurenensemble mit einem neuen Faust- und

Teufeltyp in *Faust und die Stadt* bietet bereits das neu-aufzulösende Problem nach dem „höchsten Augenblick" von Goethes *Faust* dar: Lunatscharskis Mephisto glaubt, durch die Provozierung von Revolution und Konterrevolution in Faustens STADT seinen geschichtsphilosophischen Nihilismus praktisch beweisen zu können, um Faust zu veranlassen, sich auf das „Faulbett" zu legen. Lunatscharskis Faust selbst nimmt dagegen an: Nur er allein könne auf Grund seines Genies und Wissens das Volk, das er für kindlich naiv hält, glücklich machen, die Volksrevolution sei daher eine Utopie, und das revolutionäre Experiment werde damit enden, daß das Volk, in Erkenntnis der Unfähigkeit, sein Schicksal in die eigenen Hände zu nehmen, ihm die absolute Macht schließlich wieder übertragen werde. Schon die Wahl dieser beiden Thesen als Ausgangspunkt des neuen geschichtsphilosophischen Wettsujets machte dessen Lösung von dem Charakter, den Möglichkeiten und Perspektiven der Volksrevolution abhängig. Und die Konzentration der Handlung auf dieses Prüffeld der menschheitsgeschichtlichen Grundfragen zeitigt eine zukunftswichtige Weiterentwicklung des Vermächtnisses von Goethes *Faust*, die zugleich auf die Überwindung der Widersprüche von Dostojewskis *Russischen Faust* und auf die Widerlegung des spätbürgerlichen pseudofaustischen Epochenbildes der „Mereshkowski-Partei" gerichtet ist.

II

Die Entwicklung von Goethes *Faust* führte organisch zur schöpferischen gesellschaftlichen Tätigkeit, zur Errichtung einer von feudaler Abhängigkeit und von allen sozialen Beschränkungen freien Gesellschaftsordnung, denn „tätig-frei" wollte Faust das Volk auf dem „freien Grund" des neuen Gemeinwesens sehen. Eine Fortführung des *Faust* konnte daher nur im sozialgeschichtlichen Bereich liegen. Roy Pascal hat in seiner Studie *Lunatscharskis „Faust und die Stadt: Zur Deutung des Faust"* auf diese Eigengesetzlichkeit der Perspektive von Goethes *Faust*, an die Lunatscharski anknüpfte, hingewiesen und zusammenfassend hervorgehoben, „daß Fausts letzte Aufgabe, die Gründung einer freien, tätigen Gemeinschaft, doch eine objektive Errungenschaft sei, ein ethischer Lebensinhalt, der ihn wirklich befriedigt. Die ironische Umklammerung seiner endgültigen Befriedigung" (der Widerspruch zwischen der Vision des blinden Faust vom Bau des großen Grabens zur Verwirklichung der Idee vom „freien Volk auf freiem Grund" und der Realität, in der sein eigenes Grab geschaufelt wird – R. S.) „deutet nicht auf Skepsis über den Wert des Geleisteten, wohl aber auf die Erkenntnis, daß, während Faust sich in der Entdeckung des rechten Weges erfüllt, die Gemeinschaft, die er gestiftet hat, noch unbefriedigt jeden Augenblick vor neuen aufzulösenden Problemen steht." Und weiter bemerkt Pascal, daß Goethe schon selbst das eine dieser Probleme, das für Lunatscharski das wichtigste war, in den Versen aufgeworfen hat:

„Man freut sich, daß das Volk sich mehrt,
nach seiner Art behaglich nährt,
sogar sich bildet, sich belehrt,
und man erzieht sich nur Rebellen!"

Folgerichtig im Sinne Goethes ist auch Lunatscharskis Weiterentwicklung der Gestalt des Mephisto. Er bleibt „ein Teil von jener Kraft, die stets das Böse will und stets das Gute schafft". Und die neue soziale Konkretisierung der Teufelgestalt entspricht durchaus der neuen zeitgenössischen Faustproblematik, denn Böses will er und Gutes schafft er jetzt durch die Provokation der sozialen Revolution sowie der absolutistischen und bourgeoisen Konterrevolution. Anders verhält es sich freilich mit der Kontinuität der neuen Faustgestalt. Die Handlung schließt an den 5. Akt von *Faust. Zweiter Teil* an. Die Voraussetzung der Handlung, die Annahme, daß Goethes Faust im „höchsten Augenblick" nicht gestorben sei, läßt sich noch im Sinne der Goetheschen Auflösung des Wettsujets, des letztlichen Triumphes Fausts über Mephisto, deuten. Aber die Entwicklung der Faustgestalt zu einem „humanen Übermenschen", der einsam und unverstanden über dem unmündigen Volk thront und die Möglichkeit der Volkssouveränität ausschließt, ist schwerlich zu vereinbaren mit der Vision vom tätig-freien Menschen, die Goethes Held verwirklichen will und mit dessen

„Weisheit letzter Schluß:
Nur der verdient sich Freiheit wie das Leben,
der täglich sie erobern muß".

Die auf den ersten Blick vielleicht verwundernde Neukonzeption des Fausttyps hat jedoch nichts mit einer spätbürgerlichen „Zurücknahme" des *Faust* zu tun. Sie ist im Gegenteil eine wesentliche Voraussetzung für die zeitgenössische Erneuerung der Fausttradition.
Zunächst einmal spiegelt sich in dieser Anlage des Fausttyps der zeitgeschichtliche Ausgangspunkt von *Faust und die Stadt* wider, speziell die Auseinandersetzungen um Dostojewskis Roman *Die Brüder Karamasow*, an denen Lunatscharski schon 1902 in dem Artikel *Ein russischer Faust* aktiven Anteil genommen hatte. Welch bedeutsame Verallgemeinerungen und neue Lösungen Lunatscharski in dieser Hinsicht anstrebte, zeigt der Vergleich des Dramas mit dem programmatischen Artikel des jungen Lunatscharski *Ein russischer Faust* (1902).
Im Drama orientiert Fausts Polemik gegen Gabriel und besonders der Satz: „Es gibt etwas, das höher ist als die Moral und selbst als die Logik – und das ist das Leben, das wachsen will" (1. Bild), auf die Rezeption und Neugestaltung der Kernfrage von Dostojewskis Faustproblematik.
Den großen weltanschaulichen Disput zwischen den Brüdern Iwan und Aljoscha Karamasow um das Pro und Kontra der Epoche und allgemein um den Sinn der weltgeschichtlichen Entwicklung leitet der umstrittene „russische Faust" Iwan Karamasow mit dem Bekenntnis ein: „Ich lebe, wenn auch wider die Logik." Und zugleich erläutert er: „Dieser Lebensdurst, dieses Lechzen nach Leben wird von vielen schwindsüchtigen, hungrigen Moralisten und besonders von den holden Dichtern niedrig genannt" (*Die Brüder Karamasow*, 2. Teil, 5. Buch, Kapitel III). Diese programmatischen Worte Iwans gehen von der Erkenntnis aus, daß die Gesetze der Moral und der menschheitsgeschichtlichen Logik, die die bürgerliche Aufklärung, die Revolution von 1789, die klassische humanistische Kunstepoche Goethes und Puschkins und das Christentum aufgestellt hatten, der tatsächlichen Entwicklung des gesellschaftlichen Lebens und konkret den objektiven Ergebnissen der bürgerlichen Revolution Westeuropas widersprechen. Und Iwans Schlußfolgerung aus dieser Erkenntnis, wider Logik und Moral zu leben, zielt auf die Idee seiner berühmten *Legende vom Großinquisitor*", auf die Idee von einem „Menschgott", dem „alles erlaubt ist"

und der über eine unmündige „Herde" einfacher Menschen herrschen soll. Bei dieser Großinquisitoridee handelt es sich – ähnlich wie bei der wahnwitzigen Idee Adrian Leverkühns von einem barbarischen „Durchbruch" des „Übermenschen" aus der Krise der bürgerlichen Gesellschaft zu einem Zustand neuer Unschuld – um eine Art „negativer Christologie", die als neue geschichtsphilosophische Wetthese der Idee Christi und des Goetheschen *Faust* gegenübergestellt wird und beide „zurücknehmen" soll. Dostojewski setzte dieser „negativen Durchbruchsidee" jedoch seine eigene sozialethische Utopie als die neue geschichtsphilosophische Wetthese des Romans entgegen, die diese „Zurücknahme" künstlerisch aufhob und zugleich die Faustidee Goethes – freilich in idealistischer und widersprüchlicher Weise – erneuerte.* Bei der Verteidigung dieser sozialethischen Utopie erkennt Aljoscha Karamasow an: „Ich glaube, alle müssen in der Welt zuerst das Leben lieben lernen." Und auf die erstaunte Frage seines Bruders Iwan: „Und das Leben mehr lieben als den Sinn des Lebens?" antwortete er: „Unbedingt vor der Logik muß man das Leben liebgewinnen, wie du sagst, unbedingt muß es vor der Logik geschehen, nur dann werde ich auch den Sinn des Lebens begreifen ... Die Hälfte deiner Arbeit ist bereits getan, und die eine Hälfte deines Lebens ist erworben, Iwan: Du liebst das Leben. Jetzt mußt du dich um deine zweite Hälfte bemühen, und du bist gerettet." Iwan fragt: „Und worin besteht denn – diese zweite Hälfte?" Die „zweite Hälfte" ist für Dostojewski die Erarbeitung eines weltgeschichtlichen Blickpunktes, das Gewinnen einer historischen Distanz zu den scheinbar unaufhebbaren Widersprüchen der Gegenwart und die dann mögliche Einsicht, daß die Menschheitsgeschichte (trotz aller tragischen Zwischen- und Übergangsperioden, in denen, wie Iwan meinte, von den humanistischen Bestrebungen der Vergangenheit nur noch „teure Tote" und der „allerteuerste Friedhof" übriggeblieben seien, „und in keinem Falle mehr als das") zur Selbstverwirklichung des Menschen führt. Deshalb läßt Dostojewski seinen neuen positiven Fausttyp Aljoscha auf Iwans Frage, worin die „zweite Hälfte" besteht, erwidern: „Darin, daß du deine

* Näheres dazu siehe Nachwort zu: Dostojewski, Die Brüder Karamasow, Verlag Philipp Reclam jun., Leipzig 1973.

Toten auferweckest, die – vielleicht niemals gestorben sind."

Iwan wendet sich bekanntlich auf Grund der Erfahrungen aus der Familientragödie der Karamasows schließlich von dem falschen Weg eines „negativen Durchbruchs" ab und bestätigt durch seine Selbstanklage die sozialethische Utopie und christlich-utopische Faustalternative Dostojewskis. Diese Entwicklung Iwan Karamasows als die neue russische Faustalternative durch Sergej Nikolajewitsch Bulgakow in der 1902 gedruckten Rede *Iwan Karamasow als philosophischer Typ* rief den entschiedenen Protest des jungen Lunatscharski in dem Artikel *Ein russischer Faust* hervor.

In diesem Protest geht Lunatscharski auf die Karamasowfrage nach den Gesetzen des Lebens und der Moral näher ein, auf die er in dem Lesedrama mit den zitierten Worten seiner späteren Faustgestalt anspielt. Doch ungeachtet der grundlegenden Kontinuität, die Lunatscharskis revolutionäre Faustrezeption kennzeichnet, bestehen hinsichtlich der Lösung dieser Karamasow-Frage bedeutsame Unterschiede zwischen *Ein russischer Faust* und *Faust und die Stadt*.

In dem Lesedrama vertritt die traditionelle Faustgestalt als ein „Übermensch" etwa die Grundthesen Iwan Karamasows von dem „Menschgott", dem „alles erlaubt" sei und der bei der Verfolgung seiner Ziele über alle Moralgesetze hinwegschreiten könne und müsse. Deshalb scheut er nicht davor zurück, auch Menschen zu opfern, um seinen großen Turm zu bauen. Doch die Handlung des Stückes widerlegt diese These und bestätigt das Moralgesetz des Volkstribunen Gabriel, daß „man Menschen, die leben wollen, nicht wegen einer großen Kaprize töten darf". Diese Kritik Gabriels, des Sprechers der Werktätigen – der neuen kollektiven Faustgestalt –, an dem alten „übermenschlichen" Fausttyp, richtet sich indirekt zugleich gegen Goethes Faust, den Lunatscharski als einen Amoralisten auffaßte, der Philemon und Baucis wegen seines „Hochbesitzes" opfern ließ, und gegen Iwan Karamasows Großinquisitoridee vom neuen „Babylonischen Turmbau".

Solch eine Differenzierung zwischen sozialistischem und bürgerlichem Fausttyp, die die Grundlage der sozialistischen Erneuerung der Fausttradition in *Faust und die Stadt* darstellt, hat Lunatscharski in *Ein russischer Faust* noch nicht entwickelt. Dort verteidigt er den „Amoralismus" des „deutschen Faust" und des Karamasowschen „Menschgottes" rigoros gegen S. N. Bulgakows Predigt der christlichen Moral Dostojewskis. Das erklärt sich freilich in erster Linie aus der zugespitzten Polemik des politischen Tageskampfes in der Periode der Vorbereitung der ersten russischen Revolution. Doch diese polemische Zuspitzung offenbart auch den Übergangscharakter dieses Artikels in der Herausbildung der marxistischen Faustrezeption. Noch sieht Lunatscharski Goethes Faust fälschlich – und darin äußert sich der Einfluß Nietzsches – als Amoralisten an und nimmt ihn damit objektiv zurück. Der besondere Weg Lunatscharskis zu einer künstlerischen sozialistischen Aufhebung der Faust-Karamasow-Problematik, der sich im Vergleich zwischen *Ein russischer Faust* und *Faust und die Stadt* widerspiegelt, verdeutlicht sowohl die spezifische literaturgeschichtliche Position von Lunatscharskis Faustdrama in der Überwindung der spätbürgerlichen „Zurücknahme" des Goetheschen *Faust* und dessen sozialistischer Erneuerung, als auch allgemein den qualitativen Unterschied zwischen bürgerlicher und sozialistischer Faustrezeption. Zum besseren Verständnis dieser gewichtigen Zusammenhänge zunächst einige Worte zur politischen Tagespolemik in *Ein russischer Faust.*

S. N. Bulgakow – nicht zu verwechseln mit dem Sowjetschriftsteller Michail Afanassjewitsch Bulgakow, dem Schöpfer des Faustromans *Der Meister und Margerita* – gehörte in den neunziger Jahren des vergangenen Jahrhunderts zu den sogenannten „legalen Marxisten". Er wandte sich jedoch schon zu Beginn des 20. Jahrhunderts endgültig von der revolutionären Bewegung ab und wurde zu einem mystischen, betont antirevolutionären Religionsphilosophen. In seiner Karamasow-Rede zeigt sich schon unverhüllt das Streben, die russische Intelligenz zur Abkehr vom Marxismus und revolutionären Kampf zu bewegen. Das äußert sich in dem Versuch, den wissenschaftlichen Sozialismus mit den bürgerlichen Fortschrittsideen des 19. Jahrhunderts gleichzusetzen und so als einen Glauben an den Fortschritt schlechthin ohne höheren Sinn abzustempeln. Auf der Grundlage dieser Unterstellung interpretiert er Iwan Karamasows Skeptizismus und Rebellion gegen die ungerechte „göttliche Weltordnung", die, wie gesagt, tatsächlich aus der weltgeschichtlichen Enttäuschung über die Ergebnisse der bürgerlichen Revolutionen und der christlichen Erlösungsidee geboren wurden, fälschlich auch als Kritik am Marxismus: Goethes „Faust endet mit der Theorie des Fortschritts. Das ist der letzte theoretische Schritt, den er vor dem Tode machen konnte ... Und das, was für die eine Generation ein mit Herzblut erlangtes Resultat darstellt, ist für die andere ein Ausgangspunkt, so ist das Vermächtnis Fausts für Karamasow ein Problem." Und weiter folgert Sergej Bulgakow in seiner Karamasow-Rede, die Weltanschauung des Sozialismus sei „ebenso wie der Geisteszustand Iwans, etwas wie eine sittliche Krankheit, jedoch eine Wachstumskrankheit, wie eine Übergangsweltanschauung, nach der eine höhere Synthese folgt, die ... aus einem Zusammenfluß zwischen den ökonomischen Forderungen des Sozialismus mit den Prinzipien des philosophischen Idealismus und der Rechtfertigung des ersteren durch letzteren bestehen soll". Diese Form des Revisionismus tendierte zu einem apokalyptischen Weltbild, in dem die Probleme der sozialen Revolution und des Sozialismus der Problematik einer Theodizee, einer Rechtfertigung Gottes wegen des Vorhandenseins des Bösen in der Welt, untergeordnet wurden. Lunatscharski verteidigt dagegen die sozialistische Revolution als „Finale der Geschichte". Er konzentriert sich daher in Polemik gegen den unhistorisch und mystisch moralisierenden Angriff Sergej Bulgakows auf die Revolution zu Recht darauf, die geschichtsbestimmende Bedeutung des „sozialen Schöpfertums", des Klassen- und Machtkampfes rigoros herauszustellen und die Mystifizierung der historischen und gesellschaftlichen Widersprüche zu einer Theodizee zu entlarven. Doch behauptete Lunatscharski zugleich, die skeptischen Fragen des „russischen Faust" Iwan Karamasow nach den Möglichkeiten, das Fortschritts- und Humanitätsideal der bürgerlichen Aufklärung und Klassik zu verwirklichen, seien „lediglich die Frucht eines betrüblichen und schmerzlichen Mißverständnisses". Hier zeigt sich, in welchem Maße die marxistischen Grunderkenntnisse und Bestrebungen des jungen Revolutionärs, die auf eine positive Fortführung von Aufklärung und Klassik gerichtet sind, damals noch vom Idealismus der Aufklärung und von neoklassizistischen Vorstellungen, von dem, was Lenin die zu überwindenden „bürgerlichen Illusionen" im Sozialismus nannte, überlagert waren. Diese Überreste vormarxistischer Ideologien erklären auch, daß Lunatscharski in *Ein russischer Faust* bei seiner Umformulierung der Fragen Iwan Karamasows dessen Idee vom „Menschgott" und vom neuen „Babylonischen Turm" fälschlich sowohl mit dem humanistischen Ideal Goethes und Puschkins als auch mit dem des Sozialismus weitgehend identifiziert und damals weder für die Gegenwart noch für die Zukunft die sozialgeschichtliche Gefährlichkeit solcher objektiv bereits präfaschistischen Bestrebungen erkennt, wie sie in der Karamasowschen Großinquisitoridee und dem teuflischen Doppelgänger Iwans, Smerdjakow, zum Ausdruck kommen.

Die Aufklärungsillusionen, das Verkennen der Grenzen in den Fortschrittsidealen der bürgerlichen Aufklärung und Klassik und die Unterschätzung der spätbürgerlichen präfaschistischen Tendenzen bedingten weiter die durch die geschichtliche Entwicklung ad absurdum geführte Klassifizierung Dostojewskis als „Dekadenten" und Nietzsches als angeblichen „Feind der Dekadenz" und „großen fröhlichen Befreier". Wir wissen heute, nach den Erfahrungen des Faschismus, der „Höllenfahrt" der spätbürgerlichen Gesellschaft, Dostojewskis Kritik am bürgerlichen „Fortschritt", seine Warnung vor dem „Menschgott", dem „alles erlaubt" ist, als prophetische Antizipation des barbarischen „Durchbruchsversuchs" eines nietzscheschen „Übermenschen" zu schätzen. Wir stimmen daher Thomas Mann zu, wenn er in *Doktor Faustus* die inneren Beziehungen zwischen den Durchbruchsideen des Karamasowschen Großinquisitors, Nietzsches und des Faschismus aufdeckt. Zugleich wissen wir aber auch um die wesentlichen Unterschiede zwischen Dostojewskis Menschgott, Nietzsche und dem Faschismus. Wir stimmen aber auch dem *Faustus*-Dichter zu, wenn er über die Bedeutung der Kritik des positivistischen Fortschrittglaubens in Dostojewskis *Aufzeichnungen aus dem Untergrund* – der ersten und zugespitzten Formulierung der Karamasow-Fragen – für die Überwindung der Widersprüche des Spätkapitalismus 1946 geschrieben hat: „Das alles klingt gar sehr nach reaktionärer Bosheit und mag ein Wohlwollen ängstigen, dem heute an der Überbrückung des Abgrundes, der sich zwischen dem geistig Realisierten und einer skandalös zurückgebliebenen sozialen und ökonomischen Wirklichkeit aufgetan hat, alles gelegen scheint. Es i s t alles daran gelegen – und trotzdem sind jene Ketzereien die Wahrheit: die dunkle, der Sonne abgewandte Seite, die Wahrheit, die niemand vernachlässigen darf, dem es um Wahrheit überhaupt, die ganze Wahrheit zu tun ist, die Wahrheit über den Menschen. Die gequälten Paradoxe, die Dostojewskis ‚Held' seinen positivistischen Gegnern entgegenschleudert, sind dennoch, so antihuman sie klingen, im Namen der Menschheit und aus der Liebe zu ihr gesprochen: zugunsten einer neuen vertieften und unrhetorischen, durch alle Höllen des Leides und der Erkenntnis hindurchgegangenen Humanität."

Der Volkskommissar Lunatscharski hat später selbst die Bedeutung Dostojewskis für die Revolution hervorgehoben. Bekannt sind seine Worte aus dem Jahre 1921: „Rußland schreitet auf dornenvollem, ruhmreichem Wege vorwärts, und hinter ihm stehen seine großen Propheten, die es auf seinem Wege segnen. Unter ihnen erhebt sich wohl als bezauberndste und herrlichste – die Gestalt Fjodor Dostojewskis." Und nach seiner späteren, in der Vorbemerkung bereits zitierten Einsicht, „daß Nietzsche vor allem ein Wortführer der ausgebrochenen imperialistischen Reaktion, des imperialistischen Stimmungsumschwungs der Bourgeoisie war", charakterisierte er im Mai 1933 – ein halbes Jahr vor seinem Tode – die deutschen Faschisten als eine reale Verwirklichung der apokalyptischen Vision Dostojewskis vom barbarischen Einfall und zeitweiligen Triumph neuer „Dämonen". Er vergleicht die faschistischen Barbaren mit dem Roman *Die Dämonen,* in dem Dostojewski erstmals die Karamasowsche Großinquisitoridee entfaltet hatte, und gelangt unter direktem Bezug auf Dostojewskis Worte über die Karamasowschen „Dämonen" zu der Schlußfolgerung: „Vielleicht kreisen Dämonen nicht nur über Deutschland, vielleicht kreisen verschiedene Dämonen ... Aber nichts kann den proletarischen Frühling aufhalten."

Das Erkennen der realen spätbürgerlichen Widersprüche, die Dostojewski in seinem „russischen Faust" gestaltet hat, ist eine grundlegende Voraussetzung für eine fundierte, die spätbürgerliche „Zurücknahme" des *Faust* im Sinne Bechers „zurücknehmende" sozialistische Erneuerung der Fausttradition. Die Vernachlässigung dieser „dunklen, der Sonne abgewandten Seite der Wahrheit", die Darstellung der Karamasow-Fragen als ein „Mißverständnis" hinderte den jungen Verfasser des Artikels *Ein russischer Faust* damals,

Sergej Bulgakows „Zurücknahme" des Goetheschen *Faust* überzeugend zu widerlegen. Die noch begrenzte Erkenntnis des qualitativen Unterschieds zwischen bürgerlicher Aufklärungsideologie und Marxismus und die „bürgerlichen Illusionen im Sozialismus" führten Lunatscharski damals bei seiner Polemik gegen die antirevolutionäre, christlich-utopische Faustrezeption Sergej Bulgakows wider Willen ins andere Extrem.

Dostojewski hatte in Iwan Karamasow den spätbürgerlichen „negativen Durchbruch" als pseudofaustischen Irrweg entlarvt und als neue Faustlösung eine christliche sozialethische Erneuerung der Gesellschaft von innen unter Ablehnung jeder revolutionären Gewalt gepredigt. Sergej Bulgakow verabsolutierte diese – für Dostojewski freilich dialektische – Aufhebung des Goetheschen Modells fälschlich als eine vollständige „Zurücknahme" des *Faust*, wobei er bezeichnenderweise Goethes Fausttyp mit Karamasows „Menschgott" und Nietzsches „Übermensch" in eine Reihe stellte. Lunatscharskis Polemik in *Ein russischer Faust* – und zum Teil auch noch in den späteren Arbeiten – geht von dieser Konstruktion aus und wertet sie lediglich positiv. Der von Sergej Bulgakow als neuer „russischer Faust" idealisierte Iwan Karamasow wird als „Mißverständnis" abgewertet, während der von Sergej Bulgakow falsch verstandene und als Amoralist abgewertete Goethesche Fausttyp wiederum idealisiert wird. Bemerkenswert ist weiter: Weder Sergej Bulgakow noch Lunatscharski erkannten damals, daß Dostojewskis neuer positiver Fausttyp nicht Iwan, sondern Aljoscha Karamasow ist und der Roman *Die Brüder Karamasow* einen „russischen Faust" darstellt, der sich auf die Konfrontation zweier Fausttypen – des „zurückgenommenen" bürgerlich-individualistischen Fausttyps Iwan und des sozialethischen Utopisten Aljoscha als „neuen Faust" – gründet und dadurch auf eine kompositionelle Verdoppelung des Goetheschen Faustmodells zielt. In dem Lesedrama *Faust und die Stadt* finden wir dagegen wichtige Ansätze einer Gestaltung der dialektischen und sozialgeschichtlichen Auflösung dieser vielschichtigen Faust-Karamasow-Problematik. Und das Ergebnis ist eine neue Verdoppelung des Goetheschen Modells: Ein „Menschgott", dem „alles erlaubt ist", glaubt Faustulus zu sein bzw. mit Hilfe Mephistos, der feudalen und der bourgeoisen Reaktion zu werden. Und der

Konflikt zwischen Lunatscharskis traditionellem Fausttyp, der eine Art humanen Übermenschen darstellt, und der STADT offenbart den qualitativen Unterschied zwischen bürgerlichem und sozialistischem Faustreben: Der bürgerlichen Emanzipation des hervorragenden Individuums Faust wird die sozialistische Emanzipation der Volksmassen, der neuen kollektiven Faustgestalt, gegenübergestellt. Diese Verdoppelung des Goetheschen Faustmodells zeitigt also eine polemische Fortführung und Aufhebung der Faust-Karamasow-Problematik. Das Kollektiv der revolutionären Werktätigen tritt an die Stelle des sozialethischen Utopisten Aljoscha Karamasow, und klar wird zwischen humanem und antihumanem Übermenschen differenziert. Faustulus wird geschichtlich und moralisch verurteilt, und der alte Faust findet – analog zu Iwan Karamasows Katharsis – zu der neuen positiven Faustalternative. Außerdem deutet der Konflikt zwischen Gabriel und Scott an, welche Bedeutung Lunatscharski in dem Stück den „dunklen Wahrheiten" Iwan Karamasows beimißt, denn wenn Scott auch zunächst durch die kluge Taktik Gabriels besiegt wird, so heißt es durchaus nicht, daß die caesaristisch-bonapartistische Gefahr, die Scott für die STADT heraufbeschwört, bereits endgültig beseitigt sei. Die Gestalt des Scott bestätigt vielmehr auf neuer Ebene der alten Weisheit letzten Schluß:

> „Nur der verdient sich Freiheit wie das Leben,
> der täglich sie erobern muß."

Den die Handlung bestimmenden Charakter der Epoche des Übergangs vom Kapitalismus zum Sozialismus, in der sich die dialektische sozialgeschichtliche Auflösung der Faust-Karamasow-Problematik vollzieht, unterstreicht Lunatscharski weiter durch bedeutsame parodistische Analogien zu Goethes Modell. Diese Analogien symbolisieren die neue Sieghaftigkeit der faustischen Menschheit. So gelingt es Mephisto auf Grund des neuen Bewußtseins und der Entschlossenheit des Volkes nicht, eine „neue Gretchentragödie" für den epigonalen betrügerischen Freier Faustulus zu inszenieren. Unter den neuen Bedingungen weiß er keinen anderen Rat, als das Mädchen zu rauben. Doch auch das nutzt dem Teufel genausowenig wie die Ermordung ihres Bruders, der sich bezeichnenderweise in einem viel früheren Stadium der Intrige als Gretchens Valentin zum Kampf stellt.

Ähnlich verhält es sich bei Mephistos Versuch im 8. Bild, die revolutionäre STADT mit Hilfe des höllischen Geisterheeres zu besiegen, was im 4. Akt von *Faust. Zweiter Teil* die Schlacht zwischen den rivalisierenden Kaisern entschieden hatte. Gegen das fortschreitende Leben des befreiten Volkes, das die Hoffnungsträume der Zukunft in sich trägt und verwirklicht, bleibt Mephisto mit seinen einst beim Übergang vom Feudalismus zum Kapitalismus erfolgreichen Methoden ohnmächtig.

Auf der anderen Seite gelingt Gabriel und der STADT, was der Faust Goethes nicht vermochte. In der Szene der Flucht Faustinas spielt Lunatscharski an die letzte Szene von *Faust. Erster Teil* an. Doch wie hat sich die Szenerie verändert. Gabriel wartet ungeduldig mit den Pferden. Doch er beabsichtigt keine Flucht vor der Verantwortung und benötigt auch keine mephistophelischen Zauberpferde. Er fordert und erreicht eine freie Entscheidung zugunsten des neuen Faust. Die Verbindung Gabriels und Faustinas steht auch dem erträumten Helenaglück des Goetheschen Faust gegenüber. Heinrich Faustus, der Knabe Gabriels und Faustinas, scheint dem alten Faust beinahe so ungewöhnlich schnell gewachsen zu sein wie der Knabe Euphorion im 3. Akt von *Faust. Zweiter Teil,* doch er verkörpert nicht wie dieser die illusionäre Sehnsucht nach einer unwiederbringlichen Vergangenheit klassischer Schönheit und Harmonie, sondern das lebendige Leben, das berufen ist, das faustische Vermächtnis fortzuführen. Und während Goethes Faust nur noch davon träumen konnte, den „faulen Pfuhl", der das schon Errungene zu verpesten droht, abzuziehen, setzt die STADT unter Gabriels Leitung die Trockenlegung des Sumpfes fort... Freilich zeigen diese Analogien auch nachdrücklich, wie sehr Lunatscharski in Tiefe und Lebensfülle der Darstellung hinter der Goethes zurückgeblieben ist. Doch hier sollen nicht künstlerische Fähigkeiten, sondern geschichtsphilosophische Konzeptionen verglichen werden.

III

Lunatscharskis ursprünglicher Wunsch, in *Faust und die Stadt* „die Probleme des Genies mit seinem Streben zum aufgeklärten Absolutismus einerseits und die Probleme der

Demokratie andererseits in dramatischer Form zu lösen", zeitigte also schließlich auf Grund der Verarbeitung der zeitgenössischen russischen Revolutionserfahrungen und -bestrebungen sowie der marxistischen Aufhebung der Faust-Karamasow-Problematik eine höchst bedeutsame – und wie wir sehen werden – zukunftswichtige „Verdoppelung" des Goetheschen Faustmodells. Diese Verdoppelung – die Darstellung der Aufspaltung des Fausterbes in der Entwicklung der STADT und des Faustulus, des Versuches dieses epigonalen „Übermenschen", die humanistische Fausttradition „zurückzunehmen" und der sozialistischen Emanzipation der Faust-STADT, die zugleich eine Renaissance des alten Faust bewirkt – unterscheidet Lunatscharskis Fauststück von allen früheren Faustmodellen und kennzeichnet seinen sozialistischen Charakter. Wie sich diese Verdoppelung der Goetheschen Vorlage im einzelnen herausgebildet hat, läßt sich nicht rekonstruieren, da die ersten Fassungen des Stückes aus den Jahren 1906 und 1908 nicht mehr vorliegen. Doch die Grundprobleme, die bei dieser sozialistischen Erneuerung der Fausttradition zu bewältigen waren – und zugleich auch die literaturgeschichtliche Übergangsposition des Faustmodells von *Faust und die Stadt* –, sind aus der politisch-ideologischen Entwicklung Lunatscharskis nach 1905 und aus Analogien zu der Faustrezeption Gorkis und Thomas Manns abzulesen.

Auf die vergeblichen Versuche des Verfassers von *Ein russischer Faust*, „die positiven Seiten der Nietzsche-Philosophie mit dem Marxismus zu verknüpfen", folgte nach der Niederlage der Revolution von 1905 die „Gottbildnerperiode" Lunatscharskis. Die „Gottbildner", eine Gruppe von idealistischen Intellektuellen, die sich von der bolschewistischen Partei abspalteten, zu denen zeitweilig auch Gorki gehörte, zogen aus dem Scheitern der ersten russischen Revolution die Schlußfolgerung, der gottgläubige russische Bauer, den Dostojewski als „Gottesträger" mystifiziert hatte, könne nur revolutioniert werden, wenn ihm der Sozialismus in Form einer neuen Religion dargeboten werde. Faktisch bedeutet das „Gottbildnertum", obwohl es als eine revolutionäre Antwort auf das konterrevolutionäre „Gottsuchertum" des dostojewskisierenden Mereshkowski-Kreises – und auch Sergej Bulgakows – gedacht war, eine indirekte Bestätigung der theoretischen Voraussetzungen von Iwan Karamasows Philosophie: Dem unmündigen Volk soll durch eine – freilich kollektivistische – Religion ohne individuellen Gott zum „Durchbruch" aus den Widersprüchen der spätbürgerlichen Gesellschaft verholfen werden. Lenin warf den „Gottbildnern" in einem Brief an Gorki vom November 1913 zu Recht vor, sie unterscheiden sich von den „Gottsuchern" nicht mehr, als sich ein gelber Teufel von einem blauen unterscheidet, und daß auch ihre „Idee eines reinen, vergeistigten, zu erschaffenden Gottes" dazu beiträgt, das Volk und die Arbeiter zu verdummen.

Das Stück *Faust und die Stadt* bezeugt eine kritische Verarbeitung des „Gottbildnertums". Die Karamasow-Fragen werden nicht mehr als ein „Mißverständnis" beiseite geschoben, sondern sozialgeschichtlich konkretisiert und aufgelöst. Lunatscharskis alter Faust träumt zwar noch von einem neuen Pan-Kult für das Volk, aber dieses emanzipiert sich letztlich aus eigener Kraft.

Es zeigt sich in *Faust und die Stadt* also eine bemerkenswerte Analogie hinsichtlich der Überwindung von „Gottbildnertum" und Nietzschescher Philosophie. Das ist nicht zufällig. Sowohl das Streben des jungen Lunatscharski, Marx mit Nietzsche zu verknüpfen, als auch die spätere Gottbildneridee, den Marxismus durch Religion zu ergänzen, zeugten vom begrenzten Glauben an die schöpferische Kraft des Volkes und an die Möglichkeiten der marxistischen Ideologie und Partei. Damit verband sich eine Überbewertung der klassischen humanistischen Traditionen und deren genialen Träger. In *Ein russischer Faust* äußerte sich dies direkt in der faktischen Identifizierung des Goetheschen Faust mit den zeitgenössischen führenden Verfechtern des sozialistischen Ideals (wie es Lunatscharski damals auffaßte). Die Verdoppelung des Goetheschen Faustmodells in *Faust und die Stadt* manifestiert zwar die grundsätzliche Überwindung dieser intellektualistisch-ästhetischen und neoklassizistischen Vorstellungen. Dennoch enthält auch das Lesedrama noch Überreste dieser idealistischen Auffassungen. Und diese kennzeichnen den Übergangscharakter von Lunatscharskis Faustdrama in der zeitgenössischen sozialistischen Erneuerung der Fausttradition.

Zunächst einmal ist in dieser Hinsicht bemerkenswert, daß der Ausgangspunkt der Revolution der STADT sich kaum von dem der bürgerlichen Revolutionen unterscheidet. Auch der Rückgriff der Volksrevolution auf die Traditionen der antiken Demokratie – die Beschwörung des Brutusideals und die Institution der Volkstribune – erinnert an die analogen „Totenbeschwörungen" des klassischen Altertums in der Zeit der bürgerlichen „heroischen Illusionen" von 1789 bis 1793. Und solche „Totenbeschwörungen" sind nach Marx bekanntlich typisch für die klassische bürgerliche Revolution. Diese anachronistischen Formen der sozialistischen Revolution in *Faust und die Stadt* können freilich einerseits als eine thematische und formgeschichtliche Konsequenz der Anknüpfung an den 5. Akt von *Faust. Zweiter Teil* gedeutet werden. Andererseits ist natürlich auch zu berücksichtigen, daß es in der Zeit, als Lunatscharski *Faust und die Stadt* schrieb, noch keine siegreiche sozialistische Revolution gab, in Rußland damals zunächst noch die bürgerlich-demokratische Revolution auf der Tagesordnung stand, die Pariser Kommune von 1871 und zum Teil auch noch die russische Revolution von 1905 noch stark von Jakobinertraditionen geprägt waren. Bezeichnenderweise nannte sich ein Führer des Moskauer Arbeiteraufstandes von 1905 Marat... Doch Lenin hatte bereits das bolschewistiche Revolutionsmodell ausgearbeitet. Tatsächlich widerspiegeln sich in dem formalen Anachronismus in *Faust und die Stadt* auch noch die intellektualistischen idealistisch-ästhetizistischen und neoklassizistischen Überlagerungen der marxistischen Grundlage des jungen Lunatscharski, der nach seiner eigenen späteren Einschätzung „die Probleme der Revolution nicht als Taktiker und Praktiker, sondern als Philosoph und Poet der Revolution" betrachtete. Überreste dieser Überlagerungen finden sich sogar noch in seinen Arbeiten nach 1917, als er sich endgültig der Partei Lenins angeschlossen hatte und als Volkskommissar der ersten Sowjetregierung amtierte. Bezeichnend ist in dieser Hinsicht sein Bekenntnis in dem Essay *Alexander Sergejewitsch Puschkin* (1925): „Vielleicht ist der große Strom der sozialen Revolution, vielleicht ist das hervorgetretene Proletariat imstande, die Kunst bis auf den Grund, bis zur tiefsten Grundlage hin aufzufrischen. Aber das ist noch eine große Frage, und man darf natürlich nicht um dieser vorausgesetzten Erneuerung willen an den nackten Menschen auf nacktem Boden Ansprüche stellen. Das Proletariat kann die menschliche Kultur erneuern, aber in tiefer Bindung an die Errungenschaften der vergangenen Kultur und in ihrer Nachfolge. Und vielleicht ist die verläßlichste Hoffnung die, daß wir dort eine jetzt noch nicht vorhandene Erscheinung haben werden, nicht eine Erscheinung von Neugeburten, sondern einer faustischen Rückkehr zur Jugend mit neuen Kräften und neuer Zukunft und mit der gesamten, die Seele aber nicht belastenden Erneuerung an das Einst."

Die Idee solch einer „faustischen Rückkehr zur Jugend mit neuen Kräften und neuer Zukunft" ist in Inhalt und Form von *Faust und die Stadt* unverkennbar. Die Probleme der neuen zeitgenössischen Wirklichkeit, die dialektische und sozialgeschichtliche Auflösung der Faust-Karamasow-Problematik und Verdoppelung des traditionellen Faustmodells, werden thematisch und formal in tiefer Bindung an die Errungenschaften des Goetheschen *Faust* und in dessen Nachfolge gestaltet. Von einer „Neugeburt", die die ganze Vielfältigkeit und Buntheit der neuen Faustproblematik erfaßt, kann in bezug auf *Faust und die Stadt* noch nicht die Rede sein.

Die Neubearbeitung bzw. Fortführung der Faustfabel Goethes ermöglichte Lunatscharski zwar in der philosophischen Komposition ein neues zeitgeschichtliches gesellschaftliches Bezugssystem zu entwickeln, das den Übergang von der bürgerlich-demokratischen zur sozialistischen spiegelt. Doch das kann nicht darüber hinwegtäuschen, daß der dargestellte neue gesellschaftliche Inhalt durch solch eine archaische Stilisierung wesentlich verengt wird und ihm idyllische Züge verliehen werden. Dabei hatten sich, als Lunatscharski *Faust und die Stadt* schrieb, auf Grund der gesellschaftlichen, ideologischen und künstlerischen Entwicklung des 19. Jahrhunderts, bereits neue Bedürfnisse für eine Gestaltung der neuen zeitgenössischen Faustproblematik herausgebildet.

Erinnern wir uns dieser literaturgeschichtlichen Zusammenhänge, um den historischen und künstlerischen Übergangscharakter von Lunatscharskis fiktiver Fortführung der Faustfabel von Goethe zu verdeutlichen. Erforderlich war etwa das geworden, was Gorki als eine Art Synthese von Homer und Shakespeare charakterisierte. Wörtlich betonte Gorki 1912 in dieser Hinsicht: „Wir leben in einer Epoche, die für ihre künstlerische Gestaltung eines Homer und eines Shakespeares bedarf. Um in unseren Tagen einen guten Gesellschaftsroman zu schreiben, muß man die schöpferische Kraft eines Genies und eine universelle Lebenskenntnis besitzen."

Goethe strebte bekanntlich selbst eine schöpferische Weiterentwicklung der künstlerischen Errungenschaften der antiken Literatur und Shakespeares an. Im *Faust* erreichte diese Entwicklungstendenz seines künstlerischen Schaffens ihre höchste Entfaltung. Nicht zuletzt auf Grund dieser schöpferischen Synthese von alter und neuerer Literatur bedeutet Goethes *Faust* eine wesentliche Etappe in der künstlerischen Entwicklung der Menschheit. Diese Bedeutung des *Faust* wurde in Rußland bereits sehr frühzeitig erkannt. Schon Puschkin – selbst einer der größten Shakespearenachfolger – bemerkte in seinen Notizen *Über Byron*: „In Manfred ahmt er" (das heißt Byron – R. S.) „den Faust nach, wobei er die volkstümlichen Szenen und Wendungen durch andere, seiner Meinung nach edlere ersetzt. Aber der *Faust* ist die größte Schöpfung des poetischen Geistes und repräsentiert die neueste Poesie gerade so wie die *Ilias* das klassische Altertum." Turgenjew wies auf die geschichtsphilosophische Mehrschichtigkeit der Goetheschen Faustkomposition hin. Er sah in *Faust* den „vollständigsten (literarischen) Ausdruck der Epoche, die das Mittelalter von der Neuzeit trennt", und des Zeitalters der großen bürgerlichen Revolution in Frankreich, „jener Epoche, in der die Gesellschaft bis zur Negation ihrer selbst ging, in der sich jeder Bürger in einen Menschen verwandelte, in der schließlich der Kampf zwischen der alten und der neuen Zeit entbrannte und die Menschen außer dem menschlichen Verstand und der Natur nichts als unerschütterlich gelten ließen. Die Franzosen haben diese Lehre von der Eigengesetzlichkeit des menschlichen Verstandes in der Wirklichkeit realisiert, die Deutschen in Theorie, Philosophie und Dichtung."

In der Mehrschichtigkeit der äußeren und inneren Komposition des *Faust* äußert sich bekanntlich eine der grundlegenden Besonderheiten dieses Werks als „moderne Ilias". Auf der Fabelgrundlage der mittelalterlichen Faustsage des 16. Jahrhunderts erreichte Goethe durch eine stark allegorisch-symbolisch verkürzte Gestaltung, wie Belinski betonte, daß im „*Faust* alle sittlichen Probleme eingeschlossen sind, die nur in der Brust eines innerlichen Menschen unserer Zeit entstehen können", und „das Leben eines ganzen Volkes wie in einem Spiegel wiedergegeben wird".

Goethes *Faust* wies in ausgeprägtester Weise die nachfolgende Literatur des 19. Jahrhunderts auf die Notwendigkeit, die Shakespearesche Tradition der Charaktergestaltung durch die Darstellung der dialektischen Wechselbeziehungen zwischen den Einzelschicksalen und den sie bestimmenden großen geschichtlichen Vorgängen weiterzuentwickeln und unter einem weltgeschichtlichen Aspekt zu verallgemeinern, gleichzeitig die Erforschung der menschlichen seelisch-geistigen Innenwelt zu vertiefen und eine künstlerische Totalität in der Erfassung des gesellschaftlichen Lebens der Epoche anzustreben. Schon nach den Erfahrungen der zugespitzten Klassenkämpfe und der großen Massenbewegungen des Zeitalters der Großen Französischen Revolution und der Napoleonischen Kriege konnte die Literatur nur dann ihren spezifischen Aufgaben gerecht werden, wenn sie die Menschenforschung zur Gesellschafts- und Epochenforschung erweiterte. Dies erforderte einerseits eine weltanschauliche Position, die auf die Klärung und Überwindung der Widersprüche der bürgerlichen Gesellschaft gerichtet war, die nach der Französischen Revolution mit aller Deutlichkeit sichtbar wurden, und andererseits die Entwicklung eines geschichtsphilosophischen Sujets, um die zu gestaltenden individuellen Lebensbeziehungen sozial- und geistesgeschichtlich erfassen und verallgemeinern zu können. In dieser doppelten Hinsicht war Goethes *Faust* richtungweisend für die Literatur des 19. Jahrhunderts. Goethe entwickelte die Faustfabel zu einem geschichtsphilosophischen Sujet, in dem er sowohl jene weltgeschichtlichen Erfahrungen der Großen Französischen Revolution künstlerisch erschloß, wonach das von der Aufklärung erwartete Reich der Vernunft und die angestrebte Neubelebung des klassischen antiken Ideals sich als das Reich der Bourgeoisie entpuppte, als auch – sich dem utopischen Sozialismus nähernd –, indem er die Notwendigkeit und Gewißheit eines humanistischen Ausweges aus den Widersprüchen der bürgerlichen Gesellschaft zeigte. Damit überwand Goethe gleichzeitig den Idealismus der „heroischen Illusionen" und den Nihilismus der „verlorenen Illusionen" und gab der Literatur des ganzen folgenden bürgerlichen Zeitalters die zu erstrebende Perspektive. Die engere künstlerisch-ideelle Fragestellung in der späteren bürgerlichen Literatur bedeutete deshalb, unter diesem Entwicklungsaspekt der Weltliteratur gesehen, einen zeitweiligen Rückschritt, der freilich eine neue höhere Stufe vorbereitete und einleitete. Aber die Goetheschen Gestaltungsprinzipien selbst reichten nicht mehr für die künstlerische Bewältigung der neuen Wirklichkeit der nachgoetheschen Epoche aus.

Der große Theoretiker des kritischen Realismus und des Romans, Belinski, bemerkte bereits bei seiner Würdigung der geschichtsphilosophischen Tiefe des *Faust* die Grenzen von Goethes allegorisch-symbolisch verkürzter Gestaltung dieser Problematik, besonders im zweiten Teil. Nicht zufällig wurde daher nach Goethe der kritische Realismus und in ihm der Roman zur Hauptlinie des weltliterarischen Fortschritts. Die künstlerischen Errungenschaften des *Faust* wurden unter den neuen geschichtlichen Bedingungen vor allem in Romanform weiterentwickelt.

Der Übergang von Goethes *Faust* zum kritischen Realismus und zum Roman zeichnet sich am prägnantesten im Schaffen Balzacs ab. Im *Chagrinleder* (1831) benutzte Balzac teilweise noch direkt Goethes allegorische Bilder. Der Teufelspakt Raphaels mit dem Geist des Kapitalismus ist noch allegorisch-phantastisch geschildert. Bei der kritisch-realistischen Umgestaltung der Goetheschen Gestalten und Szenen bezieht sich Balzac ebenfalls direkt auf Goethes *Faust*. So war der wundersame Antiquitätenladen, dessen Gestaltung Gorki besonders beeindruckte, für Balzacs Raphael „eine geheimnisvolle Walpurgisnacht, würdig der phantastischen Gestalten, die Doktor Faust auf dem Brocken sah", und in seinem teuflischen Versucher erkannte Raphael auch „die spöttische Maske des Mephistopheles". Das wüste Gelage bei dem Bankier, dessen Darstellung Gorki ebenfalls besonders lobte und worauf er sich im *Samgin* direkt bezog, ist gleichzeitig, wie Balzac schreibt, ein Sinnestaumel mit „wie Feen zauberhaften Mädchen" und „ein Hexensabbat des Geistes", eine „Zauberwelt", in der ein Horn erklingt, „wie ein vom Teufel gegebenes Signal", worauf diese „wahnsinnige Versammlung heulte, pfiff, schrie, grunzte".

Im *Vater Goriot* (1835), jenem Roman, durch den der junge Gorki nach dem *Chagrinleder* endgültig ein Schüler Balzacs wurde, vertiefte und differenzierte Balzac die im *Chagrinleder* gestaltete Faustmetamorphose und verbreiterte er die epische Darstellung der gesellschaftlichen Vorgänge und ihre philosophische Verallgemeinerung. Dadurch werden die noch an Goethes *Faust* erinnernden phantastisch-allegorischen Darstellungsformen des *Chagrinleder* überflüssig und hemmend. Eine verkürzte allegorisch-symbolische Gestaltung ist den in *Vater Goriot* erfaßten komplizierten, individuellen und sozialen Beziehungen der kapitalistischen Wirklichkeit nicht mehr angemessen. Rastignac wird ebenfalls vor eine – allerdings auch in der Form entmystifizierte – Problematik eines „Teufelspaktes" gestellt. Vautrin, der „böse wie ein Teufel" sein kann, aber bei Rastignac „die Rolle der Vorsehung" spielen und „den Willen des lieben Gottes ersetzen" will, schlägt ihm vor, durch einen Mord und Geldheirat reich zu werden. Aber der Teufelspakt mit dem Geist des Kapitalismus äußert sich hier in vielfältigen Formen. Vautrin sagt über die Menschen einer Leidenschaft und einer Idee: „Diese Menschen haben sich nun einmal in eine Idee verrannt. Sie haben Durst nur nach dem Wasser einer bestimmten Quelle, auch wenn sie trübe ist. Um daraus trinken zu können, würden sie ihre Frau und ihre Kinder verkaufen und schließlich auch dem Teufel ihre eigene Seele! Für die einen ist diese Quelle das Spiel, die Börse, das Sammeln von Bildern oder von Insekten, die Musik, für andere ist es eine Frau."

Das Problem des „Teufelspaktes" der einzelnen Romanfiguren hat den umfassenden Charakter verloren, den es im *Faust* noch besaß. Mit der Differenzierung löst sich auch die abstrakte allegorische Form auf. Goethes Faust erklärte Mephisto:

> „Dem Taumel weih ich mich, dem schmerzlichen Genuß,
> Verliebtem Haß, erquickendem Verdruß.
> Mein Busen, der vom Wissensdrang geheilt ist,
> Soll keinen Schmerzen künftig sich verschließen,
> Und was der ganzen Menschheit zugeteilt ist,
> Will ich in meinem Innern selbst genießen,
> Mit meinem Geist das Höchst und Tiefste greifen.
> Ihr Wohl und Weh auf meinen Busen häufen,
> Und so mein eigen Selbst zu ihrem Selbst erweitern,
> Und, wie sie selbst, am End auch ich zerscheitern."

Raphael sagte, als er von dem Antiquar das Chagrinleder nahm:
„Ich befehle also dieser unheimlichen Macht, mich alle Freuden in einer einzigen empfinden zu lassen. Ja, ich habe das Bedürfnis, alle Wonnen des Himmels und der Erde in einer letzten Umarmung zu umfassen, um daran zu sterben."
Rastignac ist selbst zu dieser eingeschränkten klaren Entscheidung Raphaels nicht mehr fähig. Er lehnt den Pakt mit Vautrin ab und ergibt sich dem teuflischen Geist des Kapitalismus allmählich in einer verfeinerten, selbstbetrügerischen und heuchlerischen Form: „Der Dämon des Luxus nagte ihm am Herzen, ein frevelhaftes Verlangen nach Gewinn ergriff ihn, der Durst nach Gold trocknete ihm die Kehle." In der typengeschichtlichen Evolution von Goethes Faust zu Raphael und Rastignac spiegelt sich jener Prozeß der Zerstörung der bürgerlichen Persönlichkeit wider, den Gorki in der „Geschichte des jungen Menschen" des 19. Jahrhunderts* betonte. Die Renaissanceepoche, schrieb Engels, „war eine Zeit, die Riesen brauchte und Riesen hervorbrachte, Riesen an Gelehrsamkeit, Geist und Charakter". Ein solcher Renaissanceriese war auch noch Goethes Faust. Die nachrevolutionäre bürgerliche Persönlichkeit verliert ihre menschliche Integrität und Allseitigkeit sowie die Totalität des Weltbildes und des gesellschaftlichen Wirkens. Sie konzentriert sich immer stärker auf ihr eigenes, kleinliches Ich und zersplittert. Daraus erklären sich die vielfältigen Formen und der begrenzte Charakter des „Teufelspakts" der nachrevolutionären bürgerlichen Persönlichkeit, auf die Balzac in *Vater Goriot* durch die erwähnten Worte Vautrins hinweist. Die menschlich-gesellschaftliche Gesamtproblematik kann nicht mehr in einem „Teufelspakt" und in einer Faustmetamorphose erfaßt werden. Um diese Eigenart des Stoffes künstlerisch adäquat gestalten zu können und doch eine geschichtsphilosophische Verallgemeinerung zu erreichen, verzichtet schon Balzac immer mehr auf eine allegorisch-symbolische Erhöhung der individuellen Faustmetamorphose zum Schicksal des Menschen und der Epoche, und die Gesamtaussage verlagert sich schwerpunktmäßig auf die Romankomposition. Durch die Gesamtkomposition des Ro-

* Siehe: Gorki, Über Weltliteratur, Reclams Universal-Bibliothek, Band 426, Leipzig 1969.

mans wird die innere Einheit dieser vielfältigen Formen aufgedeckt und versucht, die geschichtliche Epochenbewegung zu spiegeln, zu deuten und zu werten. Äußerst bemerkenswert ist, daß Balzac dabei in der Komposition des *Vater Goriot*, in der ideellen Linie der Handlungsführung, in der geschichtsphilosophischen Verallgemeinerung der einzelnen Szenen und Abschnitte sowie der inneren Logik ihrer Aufeinanderfolge polemisch an das kompositionelle Modell von Goethes *Faust I* anknüpft, um dadurch sowohl die Gemeinsamkeiten, aber vor allem die Unterschiede zwischen seiner nachrevolutionären Faustmetamorphose und der Goetheschen kompositionell aufzudecken. In dieser Richtung entwickelt sich auch die Faustrezeption in der Geschichte des russischen geschichtsphilosophischen Romans, die unmittelbar an Balzac anknüpfte.
Die allgemeine Tendenz der Weiterentwicklung der von Balzac umgestalteten Fausttradition im russischen geschichtsphilosophischen Roman bei der Gestaltung des bürgerlichen „russischen Faust" ist auf die erneute Verallgemeinerung der vielfältigen nachgoetheschen Faustmetamorphosen zu einem neuen Welttyp gerichtet, und die erweiterte und vertiefte Neukonzeption des geschichtsphilosophischen Sujets – auf Grund der Ergebnisse der westeuropäischen bürgerlichen Revolutionen, der zwei Napoleonischen Kaiserreiche und vor allem auf Grund der Suche nach einem nichtkapitalistischen Weg Rußlands – realisiert sich in einer entschiedenen kompositionellen Polemik mit dem in Goethes Faustkomposition gestalteten Weg zum Ideal. Der Entwicklungsgang epigonaler bürgerlicher Fausttypen wird dabei als ein Weg ins Chaos und ins Verderben entlarvt und diesem eine utopische und dann bei Gorki eine reale antikapitalistische Entwicklungsperspektive gegenübergestellt. Eine Linie dieser allgemeinen Grundrichtung der Faustrezeption im russischen Roman, die ihren bisherigen Höhepunkt in Gorkis *Klim Samgin* findet, führt über Dostojewskis *Brüder Karamasow*. In diesem Roman erreichte Dostojewski eine Synthese seines eigenen Schaffens sowie der Goetheschen und Balzacschen Fausttradition. Und das Ergebnis war bereits eine – freilich christlich-utopische – Verdoppelung des Goetheschen Modells. Der Negation des bürgerlich-individualistischen Faustweges, der „historischen europäischen Lösung" der Epochen- und Menschheitsprobleme, wie es Dostojewski formulierte,

wird die „sittliche, russische Lösung"*, der Weg Aljoscha Karamasows als überwindende Alternative gegenübergestellt, der nicht nur wie Iwan Karamasow das Leben und die „klebrigen Blättchen" – Puschkins Symbol für das fortschreitende lebendige Leben, auf das sich Lunatscharski in *Ein russischer Faust* bezieht – „vor der Logik" liebt, sondern auch – nach Dostojewskis sozialethischer Utopie – berufen ist, die „Toten", die großen Humanisten der bürgerlichen Emanzipationsepoche und nicht zuletzt des Goetheschen Faust, zu einem neuen Leben zu erwecken.
Indem Lunatscharskis *Faust und die Stadt* diese Verdoppelung des Goetheschen Modells sozialgeschichtlich neu konkretisiert und ideologisch von sozialistischer Position umgewertet, erreicht dieses Lesedrama – vom ideologischen Gesichtspunkt betrachtet – in der Geschichte der Faustmodelle eine neue zukunftswichtige Qualität. Auf Grund der begrenzten Fragestellung, der Absicht, die „Probleme des Genies mit seinem Streben zum aufgeklärten Absolutismus einerseits und die Probleme der Demokratie andererseits in dramatischer Form zu lösen", und der Art der künstlerischen Realisierung dieser Absicht, wurde das Stück jedoch nicht zu einem neuen *Faust* für unsere Epoche. Und das war nicht nur eine Frage des künstlerischen Talents, das wir bei unseren Vergleichen ausklammern, da es uns nicht in erster Linie um den Künstler, sondern um den Philosophen und Literaturhistoriker Lunatscharski geht. Die Verengung des behandelten neuen gesellschaftlichen Inhalts war bereits eine Konsequenz seines Strebens nach „faustischer Rückkehr" zum Goetheschen Ideal und der archaischen Stilisierung der neuen Wirklichkeit.
Auf die besondere literaturgeschichtliche Übergangsposition von *Faust und die Stadt* trifft etwa folgende Feststellung Johannes R. Bechers in *Macht der Poesie* zu: „Man nimmt zurück auch auf die Weise, daß man hinter die Vorbilder zurückgeht und so dazu beiträgt, den Gesamtcharakter der Literatur zu diminuieren. Unter bestimmten gesellschaftlichen Voraussetzungen aber (revolutionären Veränderun-

* Näheres siehe: Dostojewskis Kritik der bürgerlichen Revolutions- und Faustproblematik – Ein künstlerisch spekulativer Roman mit der Geschichte, in: Dostojewski, Über Literatur, Reclams Universal-Bibliothek, Bd. 44, Leipzig 1972.

gen) ist dieses Zurücknehmen unausweichlich, es ist ein Zurücknehmen, dem alsbald ein Aufholen des verlorenen Geländes und ein Übertreffen folgen."
Angesichts der späteren sozialistisch-realistischen Weiterentwicklung von Lunatscharskis Verdoppelung des Goetheschen Faustmodells beschränkt sich die literaturgeschichtliche Bedeutung von *Faust und die Stadt* nicht auf die von Roy Pascal in der zitierten Studie untersuchte künstlerisch-indirekte neue Interpretation des Goetheschen Modells. Friedrich Engels sah bereits voraus: Solche Sagen wie die von Faust sind „unerschöpflich, jede Zeit kann sie sich aneignen, ohne sie in ihrem Wesen umzumodeln". Aber in bezug auf die ihm damals bekannten nachgoetheschen Faustwerke fügte er hinzu: „Und wenn auch die Bearbeitungen der Faustsage nach Goethe zu den Iliaden post Homerum gehören mögen, so decken sie uns doch immer neue Seiten daran auf." *Faust und die Stadt* deckt uns neue Seiten in Goethes Faust auf, obwohl Lunatscharski stark von jener Tradition der russischen Faustrezeption des 19. Jahrhunderts beeinflußt war, nach der Goethes Faust fälschlich als Egoist und sogar als skrupelloser Individualist interpretiert wurde. Vor allem aber bahnte das Stück den Weg zur schöpferischen Neuaneignung der Fausttradition für unsere Zeit und bereitete daher in der Erschließung der Faustproblematik des 20. Jahrhunderts „ein Aufholen des verlorenen Geländes und ein Übertreffen" vor. Diese Bedeutung von *Faust und die Stadt* veranschaulicht in erster Linie ein Vergleich zwischen Lunatscharskis und Gorkis künstlerischer Faustrezeption. Natürlich war auch in dieser Hinsicht nicht nur Lunatscharski der Gebende von den beiden langjährigen Freunden, obwohl *Faust und die Stadt* vor *Klim Samgin* erschienen ist. Gorkis Faustrezeption begann schon in den neunziger Jahren des vorigen Jahrhunderts, also sogar noch vor dem Artikel *Ein russischer Faust*. Und Lunatscharski betonte ausdrücklich: „Ich persönlich gehöre zu der Generation, für die Gorki eine der leuchtendsten Erscheinungen der Morgenröte war."

IV

Bereits am 5. Mai 1899 hatte Gorki in einem Brief an Tschechow auf die Notwendigkeit hingewiesen, die „Grundfragen, die Fragen des Geistes", wie sie Goethe im *Faust* aufgeworfen hat, neu zu stellen und zu gestalten, da dies seit Dostojewskis *Legende vom Großinquisitor* – dem Kernstück des Romans *Die Brüder Karamasow* – in der russischen Literatur nicht mehr versucht worden sei. Gorki selbst versuchte diese Aufgabe auf zweierlei Wegen zu lösen. Der eine Weg, den er besonders ausgeprägt in seinem programmatischen, revolutionär-romantischen Poem *Der Mensch* (1903) beschritt, erinnert in den von der Vielfältigkeit der neuen gesellschaftlichen Wirklichkeit abstrahierenden Formen und in der unmittelbaren künstlerischen Adaption Goethescher Motive und Symbole an Lunatscharskis künstlerische Faustrezeption. Der andere Weg aber, der zu Gorkis Hauptweg wurde und zu der Roman-Epopöe *Klim Samgin* (1925 bis 1936) führte, zielte auf die Entwicklung der neuen Faustproblematik aus der Darstellung der ganzen Vielfältigkeit und Buntheit der neuen Epoche. Diese beiden Formen der Faustrezeption ergänzen sich in Gorkis Schaffensweg, wobei jedoch grundsätzlich die erstgenannte Form den Weg für die zweite vorbereitete. Davon zeugt ein diesbezüglicher Vergleich zwischen Gorkis frühen Erzählungen *Vom Teufel* sowie dem Poem *Der Mensch* und der späteren Fragestellung des Samgin-Dichters.

1899 – in der Periode des allmählichen Übergangs zum Marxismus – reproduziert Gorki im Prolog dieser Erzählung *Vom Teufel* faktisch noch die Grundsituation von Goethes *Faust*. Der Erzähler versetzt sich hier gleichsam in die „Studierstube" eines spätbürgerlichen *Faust*, der vor der Macht des Todes im Leben resigniert: „Im Herbst – der traurigen Zeit des Welkens und Sterbens – ist alles Leben bedrückend: graue Tage, ein weinender Himmel ohne Sonne, dunkle Nächte, der heulende Wind, die dichten und schwarzen herbstlichen Schatten – all das bringt den Menschen auf düstere Gedanken, flößt ihm einen geheimnisvollen Schrecken vor dem Leben ein, in dem es nichts Beständiges gibt, in dem alles ewig im Fluß ist – man wird geboren, verfällt und stirbt. Wozu? ... Zu welchem Zweck?"

Anschließend erzählt Gorki aber von seinem eigenen Kampf mit dieser Resignation und von seiner Überwindung der „herbstlichen" spätbürgerlichen Nacht. Der Teufel, der ihn dabei „versucht", ist noch Goethes Mephisto: „Manchmal hat man nicht die Kraft, gegen die finsteren Gedanken anzukämpfen, die unser Herz im Spätherbst befallen – möge darum jeder, der ihre Bitterkeit rasch überwinden will, ihnen entgegenkommen. Es ist der einzige Weg, auf dem ein Mensch aus dem Chaos der Trübsal und der Zweifel auf den festen Boden der Selbstsicherheit zurückfinden kann. Doch das ist ein schwerer Weg. Er führt durch Dornen, und diese Dornen reißen blutende Wunden in unser lebendiges Herz, und immer wartet am Ende des Weges auf uns der Teufel! Es ist jener beste unter allen uns geläufigen Teufeln, mit dem uns der große Goethe bekannt gemacht hat ... eben von diesem Teufel will ich erzählen."

In der zweiten Teufels-Erzählung *Noch einmal vom Teufel* (1899) durchbricht Gorki bereits diese traditionelle Faust-Mephisto-Konstellation, indem er anstelle von Mephisto einen „modernen Teufel", einen „Dekadenten und Nietzscheaner" als Antagonisten des spätbürgerlichen Faust schildert. Aber die entscheidende Wendung in der künstlerischen Erschließung der neuen Faustproblematik der Epoche der bürgerlichen Endzeit und der sozialistischen Revolution vollzieht Gorki erst 1903 in *Der Mensch*, als er bereits endgültig zur revolutionären Arbeiterbewegung und zum Marxismus-Leninismus gefunden hatte.

1902 plante Gorki noch ein Stück in einem Akt unter dem Titel *Der Mensch* mit den handelnden Figuren: Mensch, Natur, Teufel und Engel. In dem Poem *Der Mensch* verändert er jedoch diese allegorische Gestalt und zeigt die Entwicklung des Menschen im Bund mit dem Gedanken und im Kampf mit der Lüge. „Stolz ist der Gedanke, und teuer ist ihm der Mensch – ein erbittertes Ringen mit der Lüge fängt an, und das Schlachtfeld ist das Herz des Menschen." Die Fausttradition und deren Umgestaltung in diesem geschichtsphilosophischen und lyrischen Poem ist offenkundig. Der sowjetische Gorkiforscher Boris W. Michailowski hat bereits dieses Poem mit Goethes *Faust* verglichen und sogar textliche Übereinstimmungen nachgewiesen. Zusammenfassend stellte er fest: „Natürlich ist Gorkis lyrisches Poem weder hinsichtlich des Maßstabs noch in bezug auf die Kraft und Vielfältigkeit der künstlerischen Verkörperung, noch genremäßig in eine Reihe mit dem genialen dramatischen Gedicht Goethes zu stellen. Gorkis Werk besitzt nicht den Reichtum und die Konkretheit der Bildstruktur des *Faust*. Aber in dem Kreis der Ideen und Motive des Poems kann man eine eigenartige Fortführung der Probleme und Ideen von Goethes Tradition erkennen. Gorki war selbstverständlich der Optimismus Fausts nahe, der durch alle tragischen Prüfungen bewahrte unerschütterliche Humanismus, der Glaube an den Menschen und die unbegrenzte Macht seines Verstandes wie auch der romantische Impuls (‚hinauf und vorwärts'), der in das Streben zur realen Umgestaltung des Lebens hinüberwächst. Ebenso verwandt waren Gorki die Anerkennung der Arbeit als höchsten Wert und der Traum von der Befreiung des Volkes sowie auch das sozialistische Ideal – all das, womit das Suchen Fausts vollendet wird. Es versteht sich von selbst, daß sich Gorkis Gedanke, von der marxistischen Lehre befruchtet, weiter bewegt. Gorkis *Gedanke*, ‚der Freund des Menschen', das ist bereits der Gedanke des wissenschaftlichen Sozialismus. Gorkis Poem durchdringt das Motiv des Klassenantagonismus zwischen dem werktätigen Menschen und dem Ausbeuter, dem Parasiten, dem besitzenden Bürger. Zu der Zeit, als Gorki den *Menschen* schrieb, hatte er schon die Ideen des utopischen Sozialismus überwunden und die Perspektive der revolutionären Explosion als realen Weg zum Sozialismus entdeckt. Die unumgängliche Voraussetzung für den künftigen Triumph des Menschen und seines Verstandes stellte sich Gorki als den Sturz der Ausbeuterordnung und sozialen Versklavung dar. Eigentlich hat Gorki (noch in abstrakt-romantischer Form) die Ideen des sozialistischen Humanismus ausgedrückt, die mit dem Gedanken Marx' von der Versklavung und Verzerrung des wahren menschlichen Wesens unter den Bedingungen des Kapitalismus und von der Befreiung, Wiedergeburt und ungeahnten Blüte des menschlichen Wesens im Prozeß des revolutionären Kampfes und der künftigen sozialistischen Gesellschaft übereinstimmen."

Bemerkenswert für die Faustrezeption in Gorkis Gesamtschaffen und besonders in *Klim Samgin* ist auch Michailowskis Feststellung, daß die Erneuerung der Fausttradition und der Kampf gegen die Modernisten schon in *Der Mensch* eine innere Einheit bilden: „Gorkis Poem war gegen die skeptische und pessimistische Philosophie der Dekadenten gerichtet, die den Kult der passiven Beschaulichkeit, der Illusion, der Verneigung vor den blinden Instinkten propagierte und Unglauben an den Verstand und seine großen

Möglichkeiten säten." Weiter analysiert Michailowski, wie Gorkis Faustrezeption auch hier vor allem auf eine Polemik mit Nietzsches Philosophie zielt – besonders in bezug auf die Rolle des Verstandes, die Natur des Menschen und die menschliche Geschichte.

Während der Arbeit an dem Poem dachte Gorki zeitweilig auch schon daran, direkt *Über den Menschen und den Kleinbürger* zu schreiben. In einem Brief an K. P. Pjatnizki vom Oktober 1903 kündigte er eine Fortsetzung des Poems an: „Über den Kleinbürger, der dem Menschen mit Abstand folgt und hinter seinem Rücken jede Gemeinheit begeht, die er dann zu verschiedenen Gesetzen usw. erhebt." Dem „Menschen", dem neuen sozialistischen Faust, sollte somit schon hier im Prinzip ähnlich wie in *Samgin* der – freilich allegorische – „Welttyp des Kleinbürgers" gegenübergestellt werden.

Die neue sozialistisch-realistische Qualität von Gorkis Faustrezeption kündigt sich in *Der Mensch* mit der Konfrontation der symbolischen Gestalten Gedanke und Lüge sowie Mensch und Kleinbürger an, wobei letzterer bei Gorki zugleich auch den Begriff des Bourgeois einschloß. Der Samgin-Dichter differenzierte diese Symbole jedoch noch weiter. Er unterschied drei Teufelssymbole anstelle des einen Mephisto – den „Gelben Teufel" des Kapitals, den „kleinen Dämon" der kleinbürgerlichen Mitte und den revolutionären Abaddon – und drei entsprechende Formen von „Teufelspakten". In dem differenzierten Gebrauch dieser Symbole spiegelt sich auch Gorkis große künstlerische Entdeckung in der Erschließung der neuen Faustproblematik des 20. Jahrhunderts wider: die Gestaltung der sozialgeschichtlichen Auflösung des traditionellen Faust-Mephisto-Verhältnisses, des früheren Gegensatzes von Gut und Böse und von schöpferischem und negierendem Prinzip in der bürgerlichen Gesellschaft.

Gorki zeigte, daß in seiner Epoche drei zentrale geschichtliche Negationskräfte wirksam sind: die revolutionäre sozialistische Negation des Kapitalismus als das dialektische schöpferische Prinzip – der die Menschheit befreiende prometheische „Teufel" –, der unfruchtbare Nihilismus des menschenfeindlichen „Gelben Teufels" des Kapitals, der alle humanistischen Traditionen negiert und zur faschistischen Barbarei führt, und der ebenfalls unfruchtbare „kleine Dä-

mon" des Spießbürgertums, der nur negiert, um sich selbst zu erhöhen, und letzten Endes dem „Gelben Teufel" Zubringerdienste leistet.
An die Stelle der traditionellen Teufelspakte und Faust-Mephisto-Konstellation traten also in Gorkis sozialistisch-realistischer Umgestaltung der Faustproblematik die Entscheidung des menschlichen Individuums für oder gegen eine Klasse bzw. die Spannungsverhältnisse zwischen Individuum und Klasse.
Diese neue Fragestellung erfordert nicht nur eine ideelle Verdoppelung des Goetheschen Faustmodells im Sinne von *Faust und die Stadt*, sondern zugleich auch die Darstellung der ganzen Vielfältigkeit und Buntheit der Epoche des Übergangs vom Kapitalismus zum Sozialismus. Gorki war sich dieser Aufgabe wohl bewußt. In einem Brief vom 23. März 1926 an Alexander Woronski über die Arbeit am *Samgin* betonte er: „Ich muß alle Klassen, ‚Strömungen', ‚Richtungen', die ganze höllische Verwirrung am Ende des Jahrhunderts und die Stürme des Anfangs des 20. Jahrhunderts darstellen." Und Lunatscharski erkannte, daß Gorki in seiner Romanepopöe über die vierzig Jahre russischer Geschichte vor der Oktoberrevolution solch eine synthetische Epochengestaltung erreicht hatte. In seinem Essay *Samgin* (1932) nannte er die Romanepopöe „ein sich bewegendes Panorama der Jahrzehnte" und erkannte sogar, obwohl 1932 erst drei Bände des vierbändigen Werkes vorlagen und er daher das neue kryptische Faustmodell des Romans noch nicht entschlüsseln konnte, daß Klim Samgin eine „Teufelspuppe" des „kleinen Dämons" der Kleinbürgerlichkeit ist und auch in der Traditionsfolge von Dostojewskis „russischem Faust" steht. Er vergleicht zunächst die „schreckliche Hohlheit" des Innenlebens von Juduschka Golowljow aus Saltykow-Stschedrins Roman *Die Herren Golowljow* und von Klim Samgin und entwickelt dabei durch die Problemstellung und verwendete Terminologie eine indirekte Polemik gegen Mereshkowskis spätbürgerliche, antirevolutionäre Umwertung der Faust-Karamasow-Tradition, gegen die sich schon *Faust und die Stadt* richtete. Zugleich deutet sich aber hier eine vertiefte und differenzierte Erschließung dieser Problematik an: „Von dieser Hohlheit weht eine solche Kälte, ein solcher Schrecken, daß Juduschka wirklich satanische Züge annimmt. Juduschka als den Teufel oder

dessen Puppe, mithin als den Vertreter des Bösen schlechthin zu erkennen, wäre philosophisch richtig, wenn wir vereinbart hätten, als das Böse gerade die Hohlheit zu erachten, gerade das Nichtsein, sooft sich's unter einer Larve als das Leben auszugeben trachtet. Man muß sagen, daß der russische Teufel, besonders in den Händen der Intelligenzschicht, immer gerade diesen Charakter angenommen hat. Wir haben nicht die Zeit, hier Parallelen zu ziehen zwischen den pomphaften westlichen Teufeln und den langweiligen grauen Dämonen unserer Literatur. Man braucht nur an Mephistopheles zu denken ... Die Gestalt Mephistopheles' ist ebensosehr oder in noch höherem Grade dialektisch als die Gestalt Fausts.

Mephistopheles kann das Gute schaffen, weil das Böse stachlig brennend ist. Mephistopheles verfügt über brillanten Witz. Indem er die idealistischen Wunderwelten zerstört und den Schmutz der Wirklichkeit dem Blick des Verführten offenbart, spornt er den Menschen tatsächlich an. Aber in welcher Richtung kann Juduschka den Menschen anspornen?

Und als Dostojewski, der so reichlich mit Teufeln verkehrte, zu Iwan Karamasow einen leibhaftigen, von der Hölle frisch ausgespienen Teufel zu führen beschloß, verlieh er ihm sämtliche Züge abgeschlossener, lebendig erfahrungsreicher Banalität.

Der russische Teufel – zumindest bei der Intelligenzschicht – ist immer ein kleiner Dämon, immer ein Peredonow oder ein Nedotykomka" (der Antiheld und dessen Alpgespenst in Fjodor Sologubs Roman *Der kleine Dämon*, der die weitere Degenerierung des Karamasowtums darstellt und an den Gorki in *Samgin* anknüpfte – R. S.). „Das nahm seinen Ausgang schon von Gogol, der dem baß erstaunten Stschepkin erläuterte, daß der leichtsinnige Lügenschwätzer und unfreiwillige Usurpator fremden Namens Iwan Alexandrowitsch" (Gogols *Revisor* – R. S.) „in Wirklichkeit niemand anderer sei als der personifizierte böse Geist.

So ist auch Samgin eine ‚Teufelspuppe'."

Die „Mereshkowski-Partei", die Lunatscharskis „Arbeiterfaust" so erboste und gegen die Gorki sich im *Samgin* direkt wandte, hatte eine terminologisch ähnliche Definition des Bösen entwickelt und dessen eigentliche Natur in dem platten, grauen „kleinen Dämon" Gogols und Sologubs gesehen.

In seinem Buch *Gogol und der Teufel* (1906) schrieb Mereshkowski: „Der Teufel ist die Mitte und der Durchschnitt, die Verneinung aller Tiefen und Gipfel, eine ewige Ebene, eine ewige Gemeinheit und Plattheit... Die Stärke des Teufels liegt in seiner Fähigkeit, als etwas zu erscheinen, was er gar nicht ist. Während er in Wirklichkeit nur die Mitte ist, erscheint er als eines der beiden Extreme der Welt... Das Lachen Mephistos, der Hochmut Kains, die Kraft des Prometheus, die Weisheit Luzifers, die Freiheit des Übermenschen sind nur verschiedene Verkleidungen und Masken dieses ewigen Imitators ... Gogol war der erste, der den Teufel ohne Maske sah und sein wirkliches Antlitz erkannte, das gar nicht ungewöhnlich, sondern durchaus gewöhnlich und alltäglich und daher so schrecklich ist, der begriff, daß dies Antlitz weder fremdartig noch seltsam oder phantastisch, sondern allzu vertraut, ‚menschlich, allzu menschlich' ist."
Auch wir haben hier nicht die Möglichkeit, die Analogien, Unterschiede und Gegensätze der angesprochenen Faustmodelle im einzelnen darzustellen. Doch auch in dieser Hinsicht sei die Grundrichtung der von Gorki und Lunatscharski ausgehenden Erneuerung der Fausttradition, die sozialistische „Zurücknahme" des bourgeoisen Nihilismus und Anarchismus der „Mereshkowski-Partei" in einer Renaissance des *Faust* wenigstens angedeutet.
Mereshkowski ging es bei dieser Definition des Bösen um eine Rechtfertigung seiner Idee von einem „dritten Weg". Zu diesem Zweck versuchte er, die Extreme, die entscheidenden Klassenkräfte der Übergangsepoche vom Kapitalismus zum Sozialismus als substanzlose Masken hinzustellen und wegzudiskutieren. Das richtete sich natürlich vor allem gegen die sozialistische Revolution. In der Schmähschrift gegen den Bolschewismus, gegen Gorki und Lunatscharski *Das Reich des Antichrist* spricht er das Ziel dieser selbstbetrügerischen Spekulationen direkt aus: „Mit dem dreimal glühenden Licht beschwört und besiegt Faust den Teufel. Mit dem gleichen Licht werden wir auch den roten Teufel besiegen."
Bezeichnend für Gorkis „Zurücknahme" dieser pseudofaustischen Interpretation der Epoche und der menschheitgeschichtlichen Grundfragen in *Klim Samgin* ist seine Antwort, die er 1928 dem Weißemigranten A. Lewinson auf den Vor-

wurf erteilte, er habe sich durch seine Parteinahme für den Sozialismus und die Sowjetmacht „dem Teufel ergeben". Gorki schrieb: „Am Artikel des Herrn A. Lewinson finde ich nichts Beleidigendes für mich. Er wiederholt die mir längst bekannte Behauptung der Emigrantenpresse, daß ich mich ‚dem Teufel' ergeben hätte. Dazu kann ich nur sagen: Wenn der Teufel existiert und wenn er mich verführt hat, so ist das gewiß nicht ‚der kleine Dämon' der Ehrsucht und Eigenliebe, sondern Abaddon, der sich gegen den unbegabten und menschenfeindlichen Schöpfer empörte ... Ich gehe mit den Bolschewiki, die die Freiheit negieren? Ja, ich bin mit ihnen, weil ich für die Freiheit aller Menschen der ehrlichen Arbeit bin und gegen die Freiheit von Parasiten und Schwätzern ... Das russische Volk trat trotz der Feindschaft aller Regierungen Europas und der durch diese Feindschaft hervorgerufenen ökonomischen Schwierigkeiten in die Epoche seiner Renaissance ein."

Prinzipiell ähnlich wie Gorki hier Motive und Symbole der „Mereshkowski-Partei" verwendet, um sie durch den Vergleich mit der gesellschaftlichen Wirklichkeit umzuwerten und letztlich aufzuheben, entwickelte er in seiner Romanepopöe mit shakespearischer bzw. dostojewskischer Tiefe der Charakterdarstellung und mit homerischer bzw. tolstoischer epischer Vollständigkeit die dialektische sozialgeschichtliche Auslösung der Faust-Karamasow-Problematik seiner Übergangsepoche. Und das bedeutete die Weiterentwicklung von Lunatscharskis Verdoppelung des goetheschen Modells zu einem *Faust* für unsere Epoche.

Diese grundlegende ideelle und formgeschichtliche Entdekkung Lunatscharskis in *Faust und die Stadt* – die neue Verdoppelung des Goetheschen Modells – wurde auch in den späteren Faustwerken der Sowjetliteratur bestätigt und in vielfältigen Formen weitergeführt. Das bezeugt nicht zuletzt auch Michail Bulgakows *Meister und Margarita,* wo „im höchsten Augenblick" des neuen Faustmodells ebenfalls ein traditioneller Fausttyp, der Meister, in das „ewige Haus" der fortschreitenden Menschheit eingeht und ein neuer plebejischer Fausttyp, der einstige Proletkultdichter Iwan Hauslos, das Werk des „Meisters" fortsetzt.

Die spätere künstlerische Faustrezeption der Sowjetliteratur zeigte damit zugleich, daß die thematisch bzw. chronologisch vorrevolutionären Faustmodelle von *Faust und die*

Stadt und *Klim Samgin* auch als Ausgangspunkt für die Gestaltung der neuaufzulösenden nachrevolutionären Probleme, der großen und kleinen „Schlachten unterwegs" dienen können und bei der Bekämpfung des „kleinen Dämon", worin Gorki zu Recht eine künftige Hauptaufgabe erblickte, sehr wohl sogar Rückgriffe auf große Teufelsgestalten der Vergangenheit gestatten. Gorki selbst plante solch eine Rezeption, wie sie etwa in *Der Meister und Margarita* verwirklicht worden ist. Erhalten geblieben ist sein Plan für ein Stück *Wahrhafte Erzählung von den Übeltaten des Teufels* (1932). Nach den Aufzeichnungen des Dramatikers Afinogenow sollte dieser Teufel „eine Verschwörung von Zufälligkeiten organisieren, damit die Menschen durch diese Zufälle miteinander in Berührung geraten und dadurch ihre inneren Eigenschaften, ihre Alltagsabnormitäten enthüllen. Der Teufel verrückt die Dinge und unterschiebt Briefe. Der Teufel schafft die äußeren Motivationen für die Entwicklung der Handlungen der Menschen in ihrer Alltagsumgebung. Zeitweilig lächelt er höhnisch ..."
Lunatscharski bezeichnet 1932 sein Drama *Faust und die Stadt* innerhalb der sowjetischen Goethe-Renaissance als eine „kleine" Erscheinung. Dennoch darf das Stück – und das zu dokumentieren ist ein Anliegen unserer Ausgabe – keinesfalls unberücksichtigt bleiben, wenn wir Gorkis Hinweis verwirklichen, die bereits jahrhundertealte Geschichte der Faustwerke auszuwerten, um „das Wachsen der Formen, die Veränderung der Wertungen, den schnellen Wechsel der Lebensverhältnisse an einem und demselben Thema zu zeigen".

Leipzig, August 1971 *Ralf Schröder*

INHALT

RV

BAND 1

Revolution und Literatur
Zum Verhältnis von Erbe, Revolution und Literatur

Herausgegeben von W. Mittenzwei und R. Weisbach. 560 Seiten.
Glanzbroschur 3,50 DM

BAND 2

Franz Mehring,
Aufsätze zur deutschen Literaturgeschichte

Herausgegeben von H. Koch. 548 Seiten.
Glanzbroschur 2,90 DM

BAND 3

Frank Norris, Gier nach Gold

Aus dem Amerikanischen von P. Böllert. Mit einem Nachwort von K.-H. Schönfelder. 376 Seiten.
Glanzbroschur 2,90 DM

BAND 4

Friedrich Wolf, Professor Mamlock

Mit einem Aufsatz Friedrich Wolfs „Ein ‚Mamlock‘? – Zwölf Millionen Mamlocks!“ und einem Nachwort von W. Adling. 88 Seiten.
Glanzbroschur 1,20 DM

BAND 5

Baruch Spinoza, Ethik

Aus dem Lateinischen von J. Stern. Herausgegeben von H. Seidel. Mit einem Essay „Identität von Philosophie und Geschichte“ von H. Seidel. 432 Seiten.
Glanzbroschur 2,90 DM

BAND 6

Artikel aus der von Diderot und d'Alembert herausgegebenen Enzyklopädie

Aus dem Französischen von Th. Lücke und H. Hasselbach. Auswahl und Vorwort von M. Naumann. 1024 Seiten und 1 Ausschlagtafel „Figürlich dargestelltes System der Kenntnisse des Menschen“.
Ganzleinen 6,50 DM

BAND 7

Altchinesische Fabeln

Aus dem Chinesischen von K. Zhao und S. Lewin. Mit einem Nachwort von E. Müller. 80 Seiten.
Glanzbroschur 1,20 DM

BAND 8

Claus Träger, Studien zur Realismustheorie und Methodologie der Literaturwissenschaft

480 Seiten. Glanzbroschur 2,90 DM

BAND 9

W. E. Meyerhold / A. I. Tairow / J. B. Wachtangow, Theateroktober

Beiträge zur Entwicklung des sowjetischen Theaters. Herausgegeben von D. Wardetzky. Mit einem Essay „Erinnerungen an das frühe sowjetische Theater“ von B. Reich. Aus dem Russischen. Mit 16 Abbildungen. 459 Seiten. Glanzbroschur 2,90 DM

BAND 11

Sergej Tretjakow, Lyrik, Dramatik, Prosa

Aus dem Russischen. Herausgegeben von F. Mierau.
Mit 15 Abbildungen. 553 Seiten.
Glanzbroschur 2,90 DM

BAND 12

Erik Neutsch, Tage unseres Lebens

Geschichten. 208 Seiten.
Glanzbroschur 2,40 DM

BAND 13

Revolutionsbriefe 1848/49

Herausgegeben von R. Weber. Mit 20 Reproduktionen nach zeitgenössischen Stichen sowie Anmerkungen, Zeittafel und Personenverzeichnis. 448 Seiten.
Glanzbroschur 3,50 DM

BAND 14

Anatoli W. Lunatscharski, Faust und die Stadt

Ein Lesedrama. Mit Essays zur Faustproblematik im Anhang. Aus dem Russischen von E. Dieckmann, F. Leschnitzer und I. Schröder. Herausgegeben von R. Schröder. 256 Seiten.
Glanzbroschur 2,40 DM

BAND 15

Kurt Batt, Anna Seghers

Versuch über Entwicklung und Werke. Mit etwa 80 Abbildungen sowie Anmerkungen, einer Zeittafel, Literaturhinweisen und einem Personenregister. Etwa 264 Seiten.
Glanzbroschur etwa 3,50 DM

BAND 17

Maxim Gorki, Der Einsiedler

Erzählungen. Aus dem Russischen von I. Wiedemann und I. Müller. 327 Seiten.
Glanzbroschur 2,90 DM

Röderberg-Taschenbuch Band 14
Die deutschen Rechte für „Faust und die Stadt" gehören dem Henschelverlag Kunst und Gesellschaft, Berlin. Text nach: Lunačarskij, P'esy, Moskau 1963, S. 131–242
Die deutschen Rechte für „Doktor Faust", „Berlioz, Damnation de Faust", „Faust in der Pose Hamlets" und „Goethe als Dramatiker" gehören dem VEB Verlag der Kunst, Dresden
Lizenzausgabe mit freundlicher Genehmigung
des Verlages Philipp Reclam jun. Leipzig
1. Auflage
Reihenentwurf: Irmgard Horlbeck-Kappler
Gesetzt aus Liberta-Antiqua
Printed in the German Democratic Republic 1973
Satz und Druck: Buch- und Stahlstichdruck Greiz,
Werk III der Druckwerke Reichenbach, Werkteil Zeulenroda
Buchbinderei: Offizin Andersen Nexö, Leipzig III/18/38